L'AMOUR EN PLUS

REMERCIEMENTS

Ce livre est issu d'un séminaire poursuivi pendant deux ans à l'Ecole polytechnique. C'est dire qu'il doit beaucoup à la patience et à l'humour de mes étudiants. Je leur dédie donc cette œuvre qu'ils ont avec moi longuement maternée.

ELISABETH BADINTER

L'AMOUR
EN PLUS

Histoire de l'amour maternel
(XVIIe-XXe siècle)

FLAMMARION

© 1980, FLAMMARION, Paris

que l'historien ?

PRÉFACE A CETTE ÉDITION

*A en juger par les réactions passionnées que ce livre a
suscitées — et qui m'ont, je l'avoue, surprise — la maternité est encore aujourd'hui un thème sacré. L'amour
maternel est toujours difficilement questionnable et la
mère reste, dans notre inconscient collectif, identifiée à
Marie, symbole de l'indéfectible amour oblatif.*

*Si de nombreux lecteurs m'ont manifesté leur sym-
pathie, si certains spécialistes des disciplines concernées
ont bien voulu exprimer leur intérêt, ou leur approbation,
je reçus en revanche un certain nombre de critiques,
toutes centrées autour de la même question : le philosophe a-t-il le droit de trancher de l'existence ou de
l'inexistence d'un instinct, quel qu'il soit ? Ne faut-il pas
laisser au biologiste le soin de répondre à la question ?
Certains, se souvenant que d'éminents biologistes
avaient déjà conclu à la remise en cause globale de la
problématique de l'instinct chez l'homme, me firent
savoir que mon travail n'avait plus grand intérêt.
D'autres, au contraire, pour lesquels le problème n'est
toujours pas résolu, jugèrent impossible de le traiter sans
s'intéresser aux deux hormones du maternage : la prolac-
tine et l'ocytocine. D'autres enfin trouvèrent inadmis-
sible d'utiliser l'histoire pour soutenir une thèse qui ne
relevait ni de la compétence du philosophe ni de celle de
l'historien. Tous ces critiques me reprochaient donc
d'outrepasser de façon intolérable les limites de ma discipline.*

Mais au fait, quelles sont les limites de la philosophie ? Et à quoi sert ce discours, spécialisé en rien et qui se mêle de tout, sinon justement à questionner à nouveau les vérités acceptées et à analyser tous systèmes de pensées ? Peut-on interdire au philosophe de réfléchir sur les présupposés de la biologie ou de l'histoire, alors que l'on sait bien que là se noue toute la problématique de la nature et de la culture ? Pourquoi se verrait-il déclarer inapte à lire l'histoire ou à interpréter des comportements dès l'instant qu'il est en possession des mêmes matériaux que l'historien ?

Certes le philosophe ne fait pas avancer la science puisqu'il n'apporte pas de documents ou de faits nouveaux à la collectivité scientifique, mais faut-il considérer son travail comme nul et non avenu s'il entreprend, plus modestement, de faire reculer les préjugés ?

Cependant, parmi toutes les critiques qui me furent adressées, certaines m'ont paru nécessaires et constructives. J'ai parfois péché par imprécision ou omission. Fallait-il céder, par exemple, au plaisir de titrer la première partie : « L'Amour absent » ? Tant de lecteurs s'y sont laissés prendre — même parmi les mieux intentionnés — qu'il faut bien battre sa coulpe. Je n'ai jamais écrit que l'amour maternel est une invention du XVIIIᵉ siècle ; j'ai même, à plusieurs reprises dans ce livre, souligné le contraire. Mais le titre pouvait laisser croire, au lecteur pressé, que tel était bien mon propos. Je voulais seulement dire qu'une société qui ne valorise pas un sentiment peut l'éteindre ou l'étouffer au point de l'anéantir complètement dans de nombreux cœurs. Et non qu'une telle société rendait impossible tout amour maternel — ce qui aurait été absurde.

J'ai également eu tort en n'insistant pas suffisamment sur l'aspect pré-déterminé, universel et nécessaire du concept d'instinct. J'aurais dû rappeler les définitions des deux dictionnaires les plus populaires. Non pour y trouver l'ultime expression de la théorie scientifique, mais plutôt pour nous remémorer l'idéologie commune en la matière. Car même si nombre de savants savent bien que le concept d'instinct est caduc, quelque chose en nous de plus fort que la raison continue de penser la maternité en terme d'instinct. Il fallait donc citer la définition du Robert (« tendance innée et puissante commune à tous les êtres vivants ou à tous les individus d'une même espèce »), puisque je conteste à la fois l'« innéité » du sentiment maternel et le fait qu'il soit partagé par toutes les femmes.

Il fallait aussi revenir à celle, plus lourde encore de présupposés idéologiques, du Larousse du XXᵉ siècle (éd. 1971) qui décrit l'instinct maternel comme « une tendance primordiale qui crée chez toute femme normale un désir de maternité et qui, une fois ce désir satisfait, incite la femme à veiller à la protection physique et morale des enfants » puisque je crois qu'une femme peut être « normale » sans être mère, et que toute mère n'a pas une pulsion irrésistible à s'occuper de l'enfant qui lui est né.

Je devais sans doute expliciter davantage les postulats philosophiques qui sous-tendent ce travail. Non pas que je voulais les dissimuler et m'avancer « masquée ». Mais il ne me semblait pas utile de revenir sur le débat qui oppose depuis si longtemps les essentialistes aux philosophes de la contingence, ceux qui croient à la prééminence du « fond » à ceux qui penchent pour la seule réalité de la forme... Là aussi j'ai eu tort, parce que mes détracteurs ont pu penser que j'étais inconsciente de ma propre philosophie, qu'ils ont souvent vite rabaissée au niveau d'un simple militantisme, et qu'en revanche eux-mêmes échappaient à toute emprise philosophique et détenaient le privilège et l'exclusivité de l'objectivité scientifique.

Ceci a été particulièrement net lorsque certains historiens m'ont fait reproche d'anachronisme, c'est-à-dire de juger de la réalité passée avec des yeux d'aujourd'hui, au nom de valeurs qui n'avaient pas cours alors. Débat classique, voire dépassé... Voilà belle lurette que l'on a reconnu l'impossibilité pour quelque observateur, aussi circonspect et précautionneux soit-il, de se déposséder de ses valeurs et de ses passions pour observer les autres en toute objectivité. Georges Duby a récemment rappelé cette vérité essentielle à ses collègues historiens. Le développement de l'histoire quantitative et l'utilisation de l'informatique, dit-il, permet d'avoir des matériaux plus précis, mais l'historien les utilise au service de ses passions et de l'idéologie qui le domine [1].

*Dès lors que les uns et les autres possédons les mêmes informations, comment expliquer la divergence des interprétations sinon par celles de nos philosophies, idéologies ou passions respectives ? Prenons l'exemple de la mise en nourrice au XVIII*e *siècle. Nul ne conteste les chiffres avancés, l'ampleur du phénomène dans les villes de moyenne ou grande importance.*

Et pourtant nous arrivons à des interprétations opposées. Les uns pensent que les mères urbaines qui ont envoyé leurs bébés à la campagne ont donné là une ultime preuve de leur amour maternel. Convaincues des bienfaits de l'air de la campagne et de la nocivité de la ville, elles auraient sacrifié leur désir de maternage à la santé de l'enfant. Ainsi interprétée, la mise en nourrice n'est donc plus un signe de désintérêt pour l'enfant exporté mais, bien au contraire, la suprême illustration du plus pur altruisme. L'amour maternel est sauf. On dira même qu'il en sort grandi. Ce sentiment ne connaît donc pas d'éclipses et rien ne permet plus de remettre en cause l'instinct du même nom.

Mon interprétation — celle de quelques autres aussi — ne montre pas le même optimisme. Si l'on peut admettre que la mise en nourrice fut pour certaines mères une preuve d'amour à l'égard de l'enfant, on peut légitimement douter qu'elle le fût pour toutes. Le fait que toutes les classes de la société urbaine — y compris dans les petites villes moins « empestées » que les grandes — aient utilisé les services des nourrices mercenaires et accepté de longues séparations avec leurs bébés me paraît devoir être interprété autrement.

---

1. *Magazine littéraire*, n° 164, sept. 1980

Ce conflit d'interprétations se retrouve à d'autres niveaux de l'analyse. Certains m'ont rappelé — ce qui était bien inutile — que les mères de l'Ancien Régime ne connaissaient pas les statistiques de mortalité des enfants en nourrice et donc qu'elles ne pouvaient estimer les ravages de ce mode de nourrissage. Mais comment annuler l'expérience personnelle de chaque femme ou celle de ses proches ? Comment expliquer que celle qui avait déjà perdu deux ou trois enfants en nourrice continuait d'envoyer les suivants chez la même ? Grâce à Marcel Lachiver, les historiens des mœurs connaissent bien le cas de Marie Bienvenue, nourrice nonchalante qui laissa mourir trente et un enfants en près de 14 mois... Qu'ont pu penser les mères de ces enfants qui venaient souvent des mêmes bourgs ?...

Mais dire que les mères ne savaient pas, dire que les mœurs étaient autres et que chacune croyait agir au mieux des intérêts de l'enfant, n'est-ce pas vouloir à tout prix disculper les femmes d'un « péché » insupportable : le désintérêt pour son enfant ? Or tout le problème est là. Aux yeux d'un grand nombre, ne pas aimer son enfant est le crime inexpiable. Et quiconque tente de montrer que cet amour ne va pas de soi est immédiatement soupçonné soit de déraisonner, soit d'être l'accusateur injuste des femmes du passé, soit enfin d'interpréter propos et comportements en fonction de valeurs actuelles. En un mot, de méconnaître la rigueur scientifique qui interdirait de conclure des comportements à l'existence ou l'absence d'un sentiment. Il est pourtant révélateur de constater que si l'on interdit de conclure à l'absence d'amour maternel dans tels ou tels cas, on ne s'interdit pas en revanche de postuler implicitement l'existence et la constance de celui-ci.

Il me semble que le malentendu est avant tout d'ordre métaphysique. C'est donc bien à la philosophie qu'il faut demander raison de ces conflits. Ceux qui refusent de juger d'un sentiment au regard des comportements sont des partisans d'une philosophie dualiste. Les mêmes qui distinguent radicalement l'essence et l'existence, la réa-

lité et l'apparence, le fond et la forme. A leurs yeux, les
formes peuvent bien changer, elles n'entament pas pour
autant « le fond » ou « l'essence ». Si les comportements
maternels (les formes) prennent des aspects différents,
voire même contradictoires, au fil des temps, ils ne
modifient pas la réalité « profonde » de cet amour, en
quelque sorte hypostasié.

Dans cette optique, il devient très difficile de cerner
l'essence du sentiment. Car s'il peut se « manifester »
sous des formes opposées, de toutes les façons possibles,
on doit bien reconnaître que son essence reste mysté-
rieuse, c'est-à-dire indéfinissable. Il me semble pourtant
que l'on peut s'accorder sur une définition minimale de
l'amour.

N'est-ce pas toujours une attention bienveillante pour
autrui qui s'exprime par des pensées et des gestes ?
Certes, nul ne peut nier qu'en voulant le bien on peut
rater le but et être involontairement malfaisant. Ce
serait, me dit-on, le cas de ces mères bien intentionnées
qui envoyaient leurs bébés en nourrice et ne pouvaient
imaginer qu'elles les menaient souvent à la mort. Si j'ad-
mets ce raisonnement, dois-je croire aussi que l'amour
maternel existe lorsque la mère ne se préoccupe plus de
l'enfant éloigné d'elle plusieurs années de suite ?

Ne peut-on penser que s'il y eut quelque amour maternel à la naissance, celui-ci s'étiolait faute de soins ? Est-
il absurde de dire que si les occasions de l'attachement
viennent à manquer, le sentiment ne peut tout simplement pas naître ? On me répondra qu'à mon tour j'émets
l'hypothèse discutable que l'amour maternel n'est pas
inné. C'est exact : je crois qu'il s'acquiert au fil des jours
passés avec l'enfant et à l'occasion des soins qu'on lui
dispense. Il est possible que l'absence de l'être aimé sti-
mule nos sentiments, mais faut-il encore que ceux-ci
aient existé préalablement et que l'on ne prolonge pas
trop la séparation. Chacun sait que l'amour ne s'exprime
pas à tout instant et qu'il peut perdurer à l'état de
latence. Mais si l'on n'y prend garde, il peut s'affaiblir au
point de disparaître. Si les occasions d'exprimer son

amour viennent à manquer, si les manifestations de son intérêt pour l'autre sont trop rares, alors on court de grands risques de le voir mourir.

Quand les mères se séparaient de leurs enfants durant trois ou quatre ans, quel sentiment maternel pouvaient-elles éprouver lorsqu'ils rentraient à la maison ?

Enfin, je pense, comme les psychanalystes, qu'il n'y a pas d'amour sans quelque désir, et que l'absence de faculté de toucher, câliner ou embrasser est peu propice au développement du sentiment. Si l'enfant n'est pas à portée de main de la mère, comment pourra-t-elle l'aimer ? Comment pourra-t-il s'y attacher ?

Plus précisément, les tenants d'un amour maternel « immuable quant au fond » sont évidemment ceux qui postulent l'existence d'une nature humaine qui ne change qu'en « surface ». La culture n'est plus qu'un épiphénomène. A leurs yeux, la maternité et l'amour qui l'accompagne seraient inscrits de toute éternité dans la nature féminine. Dans cette optique, une femme est faite pour être mère, et même bonne mère. Toute exception à la norme sera nécessairement analysée en termes d'exceptions pathologiques. La mère indifférente est un défi lancé à la nature, l'a-normale par excellence.

En principe, la loi naturelle ne souffre aucune exception. Même si on substitue le concept de règle (le général) à celui de loi (universalité), il faut bien constater qu'il y a trop d'exceptions à la règle de l'amour maternel pour qu'on ne soit pas forcé de remettre en question la règle elle-même. L'Amour, dans le règne humain, n'est tout simplement pas une norme. Trop de facteurs interviennent qui se jouent d'elle. Contrairement au règne animal immergé dans la nature et soumis à son déterminisme, l'humain, ici la femme, est un être historique, le seul vivant doué de la faculté de symboliser qui l'élève hors de la sphère proprement animale. Cet être de désir est toujours particulier et différent de tous les autres. Que les biologistes me pardonnent cette audace, mais je suis de ceux qui pensent que l'inconscient de la femme l'emporte largement sur ses processus hormonaux. D'ailleurs, nous savons tous que l'allaitement au sein et les cris du nouveau-né ne suscitent pas — et de loin — chez toutes les mères les mêmes attitudes.

Il me semble qu'il faut abandonner l'universalité et la nécessité aux animaux et admettre que la contingence et le particulier sont le propre de l'homme. La contingence des comportements et des sentiments est son fardeau mais aussi la seule faille par laquelle s'exprime sa liberté. Aujourd'hui, une femme peut désirer n'être pas mère : est-elle une femme normale qui exerce sa liberté, ou bien une malade au regard des normes de la nature ? N'avons-nous pas trop souvent tendance à confondre déterminisme social et impératif biologique ? Les valeurs d'une société sont parfois si impérieuses qu'elles pèsent d'un poids incalculable sur nos désirs. Pourquoi ne pourrait-on admettre que lorsque l'amour maternel n'est pas valorisé par une société, donc valorisant pour la mère, celui-ci n'est plus nécessairement désir féminin ?

L'appel du ventre ? Mais on devine seulement aujourd'hui à quel point le désir d'enfant est complexe, difficile à cerner et à dégager de tout un réseau de facteurs psychologiques et sociaux.

A l'idée de « nature féminine » que je perçois de plus en plus mal, je préfère celle d'une multiplicité d'expériences féminines, toutes différentes, bien que plus ou moins soumises aux valeurs sociales dont je mesure la force. La différence entre la femelle et la femme réside justement dans ce « plus ou moins » de soumission aux déterminismes. La nature ne souffre pas une telle contingence et cette originalité qui nous est propre.

La survie de l'espèce exige bien que nous fassions des enfants, mais qui pourra nous forcer à obéir à la sainte nature ? La femelle, elle, n'a pas le choix... Aujourd'hui, il ne va plus de soi qu'une femme fasse des enfants. Ni même qu'elle les aime lorsqu'elle les a enfantés. Mais cela, en revanche, n'est pas une nouveauté, bien que toujours perçu comme un scandale.

Scandale au regard de l'idée répandue que la nature est « bonne », qu'elle ne fait rien en vain, etc. Idée qui *renvoie à une philosophie finaliste, laquelle trouve son achèvement dans une théodicée, même lorsqu'elle ne s'avoue pas. Car, dire que la nature fait bien les choses ne va pas sans difficulté. Son ouvrage n'est pas sans défaut. Et pour convaincre, il faut plaider durement sa cause qui est, pour beaucoup, celle de Dieu. Tout le problème consiste à démontrer que nous vivons dans le meilleur monde possible, ce qui, après tout, n'est pas évident.*

C'est en vertu de cette « bonne nature » qu'on émet le syllogisme suivant : puisque l'espèce se survit et que l'amour maternel est nécessaire à cette survie, l'amour maternel existe nécessairement. Je suis convaincue, pour ma part, que l'amour maternel existe depuis l'origine des temps, mais je ne pense pas qu'il existe chez toutes nécessairement, ni même que l'espèce ne survit que grâce à cet amour. D'abord, toute autre personne que la mère (père, nourrice, etc.) peut « materner » un enfant. Ensuite, il n'y a pas que l'amour qui détermine une femme à remplir ses « devoirs maternels ». La morale, les valeurs sociales ou religieuses peuvent être des incitateurs tout aussi puissants que le désir de la mère. Il est vrai que l'antique division sexuelle du travail a pesé lourd dans l'attribution des charges du « maternage » à la femme, et que, jusqu'à hier, celle-ci apparaissait comme le plus pur produit de la nature. Faut-il rappeler aussi que dans d'autres sociétés — et non des moindres — « la bonne nature maternelle » souffrait qu'on tuât les enfants femelles à la naissance ?

S'il est indiscutable qu'un enfant ne peut survivre et s'épanouir sans une attention et des soins maternels, il n'est pas sûr que toutes les mères humaines soient prédéterminées à lui donner l'amour dont il a besoin. Il ne semble exister aucune harmonie pré-établie ni interaction nécessaire entre les demandes de l'enfant et les réponses de la mère. Dans ce domaine, chaque femme est un cas particulier. Les unes savent entendre, d'autres moins, d'autres pas du tout. Là est peut-être le mal métaphysique, l'une des causes essentielles du malheur humain. Pense-t-on cependant pouvoir y échapper en niant son existence ?

Il est vrai que la contingence de l'amour maternel suscite une terrible angoisse chez nous tous. Incertitude insupportable qui remet en question notre concept de nature, ou notre foi en Dieu. Comment le meilleur des mondes peut-il inclure, en plus du mal physique, moral et métaphysique, l'absence possible d'amour de la mère ? Les croyants, et les amoureux du déterminisme naturel et de l'ordre qui l'accompagne peuvent difficilement l'admettre.

Et cependant, n'est-il pas temps d'ouvrir les yeux sur les perturbations qui contredisent la norme ? Et même si cette prise de conscience de la contingence menace notre confort, ne faut-il pas enfin la prendre en compte pour redéfinir notre conception de l'amour maternel ? Nous y gagnerons une meilleure compréhension de la maternité, bénéfique pour l'enfant et la femme.

A ce très important débat philosophique, chaque femme — mère ou non — est conviée. C'est à elles toutes à présent qu'il appartient de témoigner, d'écouter et de juger...

juillet 1981

Él Élisabeth Badinter

PRÉFACE

1780 : Le lieutenant de police Lenoir constate, non sans amertume, que sur les vingt et un mille enfants qui naissent annuellement à Paris, mille à peine sont nourris par leur mère. Mille autres, des privilégiés, sont allaités par des nourrices à demeure. Tous les autres quittent le sein maternel pour le domicile plus ou moins lointain d'une nourrice mercenaire.

Nombreux sont les enfants qui mourront sans avoir jamais connu le regard de leur mère. Ceux qui reviendront quelques années plus tard sous le toit familial découvriront une étrangère : celle qui leur a donné le jour. Rien ne prouve que ces retrouvailles aient été vécues dans la joie, ni que la mère ait mis les bouchées doubles pour assouvir un besoin de tendresse qui nous semble aujourd'hui naturel.

A la lecture des chiffres du lieutenant de police de la capitale, on ne peut manquer de s'interroger. Comment expliquer cet abandon du bébé à une époque où le lait et les soins maternels représentent, pour lui, une plus grande chance de survie ? Comment rendre compte d'un tel désintérêt pour l'enfant, aussi contraire à nos valeurs actuelles ? Les femmes de l'Ancien Régime ont-elles toujours agi ainsi ? Pour quelles raisons l'indifférente du XVIIIᵉ siècle s'est-elle muée en mère-pélican au XIXᵉ siècle et au XXᵉ siècle ? Etrange phénomène que cette variation des attitudes maternelles qui contredit l'idée répandue d'un instinct propre également à la femelle et à la femme !

On a si longtemps évoqué l'amour maternel en termes d'instinct que nous croyons volontiers un tel comportement ancré dans la nature de la femme quel que soit le temps ou l'espace environnant. A nos yeux, chaque femme, en devenant mère, trouve en elle-même toutes les réponses à sa nouvelle condition. Comme si une activité préformée, automatique et nécessaire n'attendait que l'occasion pour s'exercer. La procréation étant naturelle, on imagine qu'au phénomène biologique et physiologique de la grossesse doit correspondre une attitude maternelle déterminée.

Procréer n'aurait pas de sens si la mère n'achevait son ouvrage en assurant jusqu'au bout la survie du fœtus et la transformation de l'embryon en un individu achevé. Cette croyance est corroborée par l'usage ambigu du concept de maternité qui renvoie à la fois à un état physiologique momentané, la grossesse, et à une action à long terme : le maternage et l'éducation. A la limite, la fonction maternelle ne prendrait fin que lorsque la mère aurait enfin accouché de l'adulte.

Dans cette optique, nous avons du mal à rendre compte des ratés de l'amour maternel, comme cette froideur et cette tendance à l'abandon qui apparaissent dans la France urbaine du XVII⁰ siècle et se généralisent au siècle suivant. A ce phénomène, dûment constaté par les historiens, on trouva nombre de justifications économiques et démographiques. Autre façon de dire que l'instinct de vie l'emporte sur l'instinct maternel. Tout au plus reconnut-on qu'il est malléable et peut-être sujet à éclipses.

Cette concession appelle plusieurs questions : qu'est-ce qu'un instinct qui se manifeste chez les unes et pas chez les autres ? Faut-il considérer comme « anormales » toutes celles qui l'ignorent ? Et que penser d'un comportement pathologique qui touche tant de fem-

mes de conditions différentes et dure pendant des siècles ?

Voici plus de trente ans qu'une philosophe, S. de
Beauvoir, remit en cause l'instinct maternel. Des
psychologues et sociologues, femmes pour la plupart,
en firent autant. Mais comme ces femmes étaient des
féministes, on feignit de croire que leur inspiration
était plus militante que scientifique. Au lieu de discuter leurs travaux, nombreux furent ceux qui ironisè-
rent sur la stérilité volontaire de l'une, l'agressivité et
la virilité des autres.

Quant aux études sur les sociétés « primitives », on
se garda bien d'en tirer les leçons nécessaires. Si loin,
si petites, si archaïques ! Que, dans certaines d'entre
elles, le père soit plus maternel que la mère, ou bien
que les mères soient indifférentes et même cruelles n'a
pas vraiment modifié notre vision des choses. Nous
n'avons pas su ou voulu tirer parti de ces exceptions
pour remettre en cause notre propre norme.

Il est vrai que depuis un certain temps les concepts
d'instinct et de nature humaine ont mauvaise presse.
A y regarder de près, il devient difficile de trouver des
attitudes universelles et nécessaires. Et puisque les
éthologistes eux-mêmes ont renoncé à parler d'instinct
quand ils se réfèrent à l'homme, un consensus s'est
fait parmi les intellectuels pour abandonner le vocable
aux poubelles des concepts. L'instinct maternel n'est
donc plus de mise. Pourtant, le vocable jeté, il reste
une idée bien vivace de la maternité qui ressemble à
s'y méprendre à l'ancien concept abandonné.

On a beau reconnaître que les attitudes maternelles
ne relèvent pas de l'instinct, on pense toujours que
l'amour de la mère pour son enfant est si fort et presque général qu'il doit bien emprunter un petit quelque
chose à la nature. On a changé de vocabulaire, mais
pas d'illusions.

Nous avons été confortés en ce sens, notamment
par les études des éthologistes sur le comportement de

nos cousines germaines, les singes femelles supérieurs, à l'égard de leurs petits. Certains crurent pouvoir en tirer des conclusions quant aux attitudes des femmes. Puisque ces singes nous ressemblaient tant, il fallait bien conclure que nous étions comme eux...

D'aucuns acceptèrent de bon cœur ce cousinage, d'autant qu'en substituant au concept d'instinct (qu'on abandonnait aux guenons) celui d'amour maternel, on faisait semblant de s'éloigner de l'animalité. Le sentiment maternel paraît moins mécanique ou automatique que l'instinct. Sans en voir la contrepartie, la contingence de l'amour, notre orgueil d'humanoïde fut satisfait.

En réalité, la contradiction n'a jamais été plus grande. Car si on abandonne l'instinct au profit de l'amour, on conserve à celui-ci les caractéristiques de celui-là. Dans notre esprit, ou plutôt dans notre cœur, on continue de penser l'amour maternel en termes de nécessité. Et malgré les intentions libérales, on ressent toujours comme une aberration ou un scandale la mère qui n'aime pas son enfant. Nous sommes prêts à tout expliquer et à tout justifier plutôt que d'admettre le fait dans sa brutalité. Au fond de nous-mêmes, nous répugnons à penser que l'amour maternel n'est pas indéfectible. Peut-être parce que nous refusons de remettre en cause l'amour absolu de notre propre mère...

L'histoire du comportement maternel des Françaises depuis quatre siècles n'est guère réconfortante. Elle montre non seulement une grande diversité d'attitudes et de qualité d'amour mais aussi de longues périodes de silence. Certains diront peut-être que propos et comportements ne dévoilent pas tout le fond du cœur et qu'il reste un indicible qui nous échappe. A ceux-là nous sommes tentés de répondre par le mot de Roger Vailland : « Il n'y a pas d'amour, il n'y a que des preuves d'amour. » Alors, quand les preuves se dérobent, pourquoi ne pas en tirer les conséquences ?

L'amour maternel n'est qu'un sentiment humain. Et comme tout sentiment, il est incertain, fragile et imparfait. Contrairement aux idées reçues, il n'est peut-être pas inscrit profondément dans la nature féminine. A observer l'évolution des attitudes maternelles, on constate que l'intérêt et le dévouement pour l'enfant se manifestent ou ne se manifestent pas. La tendresse existe ou n'existe pas. Les différentes façons d'exprimer l'amour maternel vont du plus au moins en passant par le rien, ou le presque rien.

Convaincus que la bonne mère est une réalité parmi d'autres, nous sommes partis à la recherche des différentes figures de la maternité, y compris celles que l'on refoule aujourd'hui, probablement parce qu'elles nous font peur.

PREMIÈRE PARTIE

L'AMOUR ABSENT

Pour étudier l'évolution des attitudes maternelles et tâcher d'en comprendre les raisons, il ne suffit pas de s'en tenir aux statistiques de la mortalité infantile ou aux témoignages des uns et des autres. La mère, au sens habituel du terme (c'est-à-dire la femme mariée dotée d'enfants légitimes [1]), est un personnage *relatif et tri-dimensionnel*. Relatif parce qu'elle ne se conçoit que par rapport au père et à l'enfant. Tri-dimensionnel, parce que, en plus de ce double rapport, la mère est aussi une femme, c'est-à-dire un être spécifique doué d'aspirations propres qui n'ont souvent rien à voir avec celles de l'époux ou les désirs de l'enfant. Toute recherche sur les comportements maternels doit tenir compte de ces différentes variables.

Il est donc impossible d'évoquer l'un des membres de la micro-société familiale sans parler des deux autres. La relation triangulaire est non seulement un fait psychologique, mais aussi une réalité sociale.

1. Pour la commodité de l'analyse, nous nous attacherons plus particulièrement à cette situation conjugale classique, en laissant dans l'ombre la veuve et la mère non mariée.

C'est en fonction des besoins et des valeurs dominantes d'une société donnée que se déterminent les rôles respectifs du père, de la mère et de l'enfant. Quand le phare idéologique n'éclaire que l'homme-père et lui donne tous les pouvoirs, la mère rentre dans l'ombre et son statut rejoint celui de l'enfant. A l'inverse, quand la société s'intéresse à l'enfant, à sa survie et à son éducation, le phare est braqué sur la mère qui devient le personnage essentiel au détriment du père. Dans l'un ou l'autre cas, son comportement change à l'égard de l'enfant et de l'époux. Selon que la société valorise ou déprécie la maternité, la femme sera plus ou moins bonne mère.

Mais, au-delà du poids des valeurs dominantes et des impératifs sociaux, se profile un autre facteur non moins important dans l'histoire du comportement maternel. Ce facteur est la sourde lutte des sexes qui s'est si longtemps traduite par la domination de l'un sur l'autre. Dans ce conflit entre l'homme et la femme, l'enfant joue un rôle essentiel. Qui le domine et l'a dans son camp peut espérer l'emporter quand la société y trouve son compte. Aussi longtemps que l'enfant fut soumis à l'autorité paternelle, la mère dut se contenter de jouer les seconds rôles à la maison. Selon les époques et les classes sociales, la femme en pâtit ou en profita pour échapper à ses obligations de mère et s'émanciper du joug de l'époux.

Au contraire, quand l'enfant sera l'objet des caresses maternelles, l'épouse l'emportera sur son mari, du moins au sein du foyer familial. Et lorsque l'enfant sera sacré Roi de la famille, on exigera, avec la complicité du père, que la mère se dépouille de ses aspirations de femme. Ainsi, subissant malgré elle l'influence des valeurs masculines, c'est la mère triomphante qui saura le mieux venir à bout des prétentions autonomistes de la femme, gênantes à la fois pour l'enfant et le mari. Dans ce cas, l'enfant, sans le savoir, sera l'allié objectif de l'homme-père. Mais n'anticipons pas...

La première partie de ce livre a pour objet de situer les personnages de l'histoire maternelle et d'expliquer pourquoi, durant une période qui dura près de deux siècles, le comportement des mères oscilla bien souvent entre l'indifférence et le rejet.

Il aurait été injuste, voire cruel, de s'en tenir strictement au comportement de la mère sans expliquer ce qui le motivait. C'est pourquoi, avant de rejoindre la mère, nous nous arrêterons sur le père et l'enfant, afin d'observer quelles fonctions remplissait l'un et quel statut on accordait à l'autre.

CHAPITRE PREMIER

LE LONG RÈGNE
DE L'AUTORITÉ PATERNELLE
ET MARITALE

Aussi loin que nous remontions dans l'histoire de la famille occidentale, nous sommes confrontés à la puissance paternelle qui accompagne toujours l'autorité maritale.

Si l'on en croit les historiens et les juristes, cette double autorité trouverait son origine lointaine en Inde. Dans les textes sacrés des Vedas, Aryas, Brahmanes et Sutras, la famille est considérée comme un groupe religieux dont le père est le chef. Comme tel, il a des fonctions essentiellement judiciaires : chargé de veiller à la bonne conduite des membres du groupe familial (femmes et enfants), il est seul responsable de leurs actions face à la société globale. Sa puissance s'exprime donc d'abord par un droit absolu de juger et de punir.

Les pouvoirs du chef de famille, magistrat domestique, se retrouvent presque inchangés dans l'Antiquité, même s'ils sont atténués dans la société grecque et accentués chez les Romains. Citoyenne d'Athènes ou de Rome, la femme avait toute sa vie un statut de mineure, peu différent de celui de ses enfants[1].

---

1. Cicéron (*Pro Domo, 30*) rappelle que le père avait sur son fils : droit de vie et de mort, droit de le châtier à sa guise, de le faire flageller, de le condamner à l'emprisonnement, de l'exclure enfin de la famille.

Il fallut attendre la parole du Christ pour que les choses changent, du moins en théorie. Guidé par ce principe révolutionnaire qu'est l'amour, Jésus proclama que l'autorité paternelle n'était pas établie dans l'intérêt du père, mais dans celui de l'enfant et que l'épouse-mère n'était pas son esclave mais sa compagne.

En prêchant l'amour pour le prochain, le Christ mettait un frein à l'autorité, d'où qu'elle vienne. Il renforça le compagnonnage donc l'égalité des époux en faisant du mariage un établissement divin. Ainsi il mettait fin à un pouvoir exorbitant du mari, le pouvoir de répudiation, et à la polygamie.

Le message du Christ était clair : mari et femme étaient égaux et partageaient mêmes droits et mêmes devoirs à l'égard de leurs enfants.

Si quelques apôtres et théologiens obscurcirent le message par leur interprétation, au point, nous le verrons, de le trahir, la parole du Christ changea, pour une bonne part, le statut de la femme. En France, jusqu'à la fin du XIIIᵉ siècle, l'égalité proclamée par l'Eglise se traduisit par un certain nombre de droits accordés à la femme. Du moins à celle des classes supérieures[2].

En ce haut Moyen Age, la puissance paternelle s'adoucit progressivement, plus ou moins vite selon que l'on se situait au nord[3] (droit coutumier) ou au sud de la France (droit romain). Et si, au XIIIᵉ siècle, dans le sud de la France, le père peut encore tuer son enfant sans grand dommage pour lui, la puissance

---

2. La femme a le droit de gérer sa fortune et d'aliéner ses biens sans le consentement de son mari, d'ester en justice, de tenir un fief et de siéger en cour féodale. Le droit aussi de remplacer son mari en cas de maladie ou d'absence.

3. Dès le XIIIᵉ siècle, au nord de la France, l'enfant peut en appeler aux tribunaux contre la sévérité excessive du père. Uniquement, bien sûr, dans les cas très graves : « si le père, par ses mauvais traitements, a mis sa vie en danger, lui a brisé ou mutilé un membre ». Reconnu coupable, celui-ci est condamné à payer une amende.

paternelle est cependant modérée par la mère et les institutions qui s'immiscent de plus en plus dans le gouvernement de la famille. Le développement du droit romain en France marquera un coup d'arrêt à l'influence libérale de l'Eglise et du droit canon. Dès le XIVᵉ siècle, les droits économiques de la femme se rétréciront comme peau de chagrin si bien que, deux siècles plus tard, il ne restera rien de ses anciens droits. Parallèlement, à partir du XVIᵉ siècle jusqu'au XVIIIᵉ siècle, l'autorité paternelle connaîtra un regain dû non seulement à l'influence du droit romain, mais aussi à celle de l'absolutisme politique.

Cependant, si le sort de la femme s'améliora sous l'influence de l'Eglise, cela ne touchait que les classes supérieures. Les autres n'avaient pas un destin bien brillant. Dans la pratique, l'époux gardait droit de correction sur sa femme et, en dépit de la parole du Christ sur l'innocence enfantine, le sort des enfants était pire que celui de leur mère. Trop d'intérêts et de discours étouffaient le message de Jésus. Au XVIIᵉ siècle, la puissance maritale et paternelle l'emportait de beaucoup sur l'amour. La raison en était simple : la société tout entière reposait sur le principe d'autorité.

Trois discours s'entremêlaient et s'épaulaient pour justifier le principe et les faits : celui d'Aristote qui démontra que l'autorité était naturelle, celui de la théologie qui affirma qu'elle était divine, celui enfin des politiques qui se réclamaient des deux à la fois.

L'héritage aristotélicien

Aristote est le premier à avoir justifié, du point de vue philosophique, l'autorité maritale et paternelle. Pour comprendre la réalité sociale et familiale du XVIIᵉ siècle et ses fondements, il faut bien revenir un instant à celui que l'on a tant pillé jusque-là.

Le principe qui soutenait toute sa philosophie politique était ainsi énoncé : l'autorité de l'homme est légitime car elle repose sur l'inégalité naturelle qui existe entre les êtres humains[4]. De l'esclave dépourvu d'âme au maître de la *domus,* chacun a un statut particulier qui définit son rapport aux autres.

Contrairement à l'esclave dont chaque membre de la *familia* pouvait « user et abuser », l'enfant du citoyen était considéré comme un être humain et libre en puissance. Imparfait parce que inachevé, doué d'une faculté délibérative d'abord très réduite, sa vertu est d'être soumis et docile à l'homme mûr auquel il est confié aussitôt après le sevrage.

Quant à la citoyenne, elle est essentiellement inférieure à l'homme quel que soit son âge. Dévalorisée du point de vue métaphysique, puisqu'elle incarne le principe négatif, la matière (contrairement à l'homme qui personnifie la forme, principe divin synonyme de pensée et d'intelligence), la femme est également censée avoir un rôle second dans la conception[5]. Semblable à la terre qui doit être ensemencée, son seul mérite est d'être un bon ventre. Comme elle est douée d'une faible capacité de délibération, le philosophe en déduisait logiquement qu'il n'y avait pas lieu de tenir compte de son avis. L'unique vertu morale qu'il lui reconnaissait était de « vaincre la difficulté d'obéir ». Son honneur résidait dans un « modeste silence ».

Encore achetée par son époux, elle était pour lui un bien parmi d'autres. Son statut n'était donc guère différent de celui de l'enfant avant qu'il lui échappe à la fin du sevrage.

Le statut du Père-Mari-Maître tout-puissant ne s'explique que par son essence. Créature qui participe

---

4. *La Politique* I.2. : la nature a créé des individus propres à commander et des individus propres à obéir.
5. Aristote pensait que les menstrues étaient la matière à laquelle le sperme donnait forme. L'intelligence, vertu de l'humanité, n'était donc transmise que par les hommes.

le plus activement du divin, ses privilèges ne sont dus qu'à sa qualité ontologique. Il est « naturel » que la plus achevée des créatures commande aux autres membres de la *familia* et cela de deux façons : en vertu de sa ressemblance avec le divin, comme « Dieu commande à ses créatures » ; en vertu de ses responsabilités politiques, économiques et juridiques, comme un « Roi à ses sujets ».

Ces deux thèmes aristotéliciens seront abondamment repris par la théologie chrétienne et les théoriciens de la monarchie absolue.

La théologie chrétienne

Malgré le message d'amour et le discours égalitaire du Christ, la théologie chrétienne, forte de ses racines juives, eut sa part de responsabilité dans le renforcement et la justification de l'autorité paternelle et maritale en invoquant constamment deux textes lourds de conséquences pour l'histoire de la femme.

Le premier de ces textes est celui de la Genèse[6]. Rappelons rapidement les trois actes du drame.

Premier acte : la création de l'homme qui, aussitôt sorti des mains de Dieu, nomme toutes les espèces animales créées avant lui. Le voyant déçu de ne trouver parmi elles la compagne qui lui fût assortie, Dieu l'endort, prend une de ses côtes et forme un tissu de chair autour. Ainsi naquit la femme[7].

Deuxième acte : la femme, responsable du péché, est la perte de l'homme. On connaît le discours tentateur du serpent qui promettait à Eve d'être semblable à Dieu et d'avoir la connaissance du Bien et du Mal. Elle mangea le fruit et en donna à Adam qui ne le refusa pas. En s'apercevant de la désobéissance de ses

---

6. Chapitres 2 et 3.

7. L'homme dit : « celle-ci pour le coup est un extrait de mes membres et une chair de ma chair. Celle-ci sera nommée Icha (˜ hommesse ˜, virago) parce qu'elle a été prise de ˜ Ich ˜ ».

créatures, Dieu en demanda compte à Adam déjà responsable du couple. Celui-ci répondit piteusement : « C'est Eve qui me l'a donné et j'en ai mangé. » Dans cette affaire, l'audace, la curiosité et la volonté de puissance se trouvaient du côté de la femme.

Troisième acte : les malédictions. Chacun garde en mémoire les deux premières, promises à Eve : « J'aggraverai tes labeurs et ta grossesse, et tu accoucheras dans la douleur. » Peut-être a-t-on oublié la troisième, lourde de conséquences pour des dizaines de siècles : « La passion t'attirera vers ton époux et lui te dominera. » Le concept de passion implique nécessairement les idées de passivité, de soumission et d'aliénation qui définissent la condition féminine à venir. Adam, confirmé dans son rôle de maître, fut seulement condamné à travailler durement et à mourir comme Eve.

De ce texte majeur et premier dans la Bible, découlent un certain nombre de conséquences pour l'image et le statut d'Eve. Plus accessible aux tentations de la chair et de la vanité, elle s'est rendue, par ses faiblesses, coupable du malheur de l'homme. Au mieux, elle apparaîtra comme une créature faible et frivole.

Mais certains pères de l'Eglise vont aggraver cette image première. Assimilée bientôt au Serpent lui-même, c'est-à-dire au Démon tentateur, Eve devint le symbole du Mal. Cette idée fera vite son chemin et l'emportera, par tradition, sur les paroles du Christ.

A partir du IVe siècle, les diatribes abondent contre les femmes, leur imputant une malignité naturelle. Elles se réclament plus ou moins consciemment des textes de saint Augustin qui évoquait les mauvaises conditions de la femme : « une bête qui n'est pas ferme, ni stable, haineuse, nourrissante de mauvaiseté... elle est source de toutes les discussions, querelles et injustices [8] ».

---

8. *Songe de Verger*, livre 1, chap. CXLVII, voir aussi la célèbre tirade de Bertrand d'Argentré.

Tel était bien le vocabulaire et les croyances usuelles des hommes simples à l'égard des femmes. Il suffit de se reporter au texte publié par E. Le Roy Ladurie sur le petit village de Montaillou à l'aube du XIVᵉ siècle pour en être convaincu. On y lit que tel mari traite son épouse de truie, tel autre, malgré son affection pour sa fille, déclare que la femme est chose vile. Un troisième affirme que l'âme féminine ne peut être admise au paradis que si elle s'est d'abord réincarnée dans un homme. Un quatrième dit que les femmes sont des démons, etc. Evidemment, ces démons et ces truies pouvaient être battus à volonté. A peine humaines, elles partageaient le sort des enfants.

Le second texte qui joua un rôle historique important pour la condition féminine fut celui de saint Paul, l'*Epître aux Ephésiens*. L'apôtre y développait une théorie de l'égalité qui modifiait totalement la pensée de Jésus. Certes, disait saint Paul, l'homme et la femme ont mêmes droits et mêmes devoirs. Mais il s'agit là d'une égalité entre gens qui ne sont pas identiques, ce qui n'exclut pas une hiérarchie.

L'homme doit être le chef du couple, car il a été créé en premier et a donné naissance à la femme. C'est donc à lui que revient le pouvoir de commander. Même si saint Paul ajoute que ses ordres devront être tempérés par l'amour et le respect qu'il doit à sa femme, même si on reconnaît à celle-ci un pouvoir de persuasion (simple pouvoir de la rhétorique), il reste qu'en dernier lieu c'est lui qui décidera. Saint Paul résuma le rapport du couple en une formule qui fit fortune durant des siècles : « L'homme doit aimer sa femme comme le Christ a aimé son Eglise et la femme doit se conduire comme l'Eglise à l'égard du Christ[9]. »

Cette théorie si contradictoire de l'égalité dans la hiérarchie devait forcément aboutir à l'élimination

---

9. *Epître aux Ephésiens* : chap. v, versets 22 et 23.

d'un des termes. L'image du père et du mari tenant la place du Christ eut raison de l'égalité proclamée par le même Christ. Saint Paul lui-même en fut l'initiateur en recommandant : « Femmes, soyez soumises à vos maris, comme au Seigneur... Enfants, obéissez à vos parents selon le Seigneur. Servez-le avec crainte et tremblements... Servez-le avec empressement comme servant le Seigneur [10]. »

Le Père, le Mari possédait donc une délégation des pouvoirs de Dieu. Même tempéré par la tendresse, son pouvoir était absolu, despotique. Et saint Paul recommandait à l'épouse, comme jadis Aristote, d'observer un comportement propre à son infériorité, c'est-à-dire modestie et silence.

Fortes de ce parrainage, les prescriptions de la morale ecclésiastique soulignent jusqu'au XVIIᵉ siècle la subordination de la femme à son mari. Sous la plume du grand prédicateur lyonnais Benedicti, on peut lire : « Si la femme veut s'emparer du gouvernement de la maison contre la volonté de son mari quand il le lui interdit pour quelque bonne raison, elle *pèche*, car elle ne doit rien faire contre son mari auquel elle est *soumise par le droit humain et divin* [11]. » Et plus loin : « La femme enflée d'orgueil, de son bon esprit, de sa beauté, de ses biens, de son partage, *déprise* son mari en ne voulant pas lui obéir... Elle résiste ainsi à la sentence de Dieu par laquelle Il veut que la femme soit sujette au mari, *lequel est plus noble et plus excellent que la femme*, attendu qu'il est *l'image de Dieu, et la femme n'est seulement que l'image de l'homme* [12]. »

Tout comme ses contemporains, Benedicti insiste sur le thème de la malignité féminine. Il dénonce « celle

---

10. *Ibid.*
11. *La Somme des péchés* (1584), § 34 et 35, cité par J.-L. Flandrin in *Familles* (Hachette, Paris, 1976), p. 124-125 (soulignés par nous).
12. *Ibid.*, § 39 : souligné par nous.

qui, querelleuse et impatiente, provoque son mari à blasphémer le nom de Dieu... car posé le cas qu'elle eût quelque raison, elle doit plutôt se taire et ronger son frein que de le faire maugréer et jurer... ».

C'est bien toujours Eve qui est rendue responsable des péchés d'Adam. Mais Flandrin remarque avec raison que « tous ces articles qui montrent les droits du mari à commander font sentir aussi les difficultés qu'ils rencontraient communément dans leur ménage [13] ».

Non moins réelle, même si elle fut plus discrète, dut être la lutte entre parents et enfants, et particulièrement entre le père et le fils, pour que s'impose comme une loi divine le quatrième Commandement du Décalogue : « Père et Mère honoreras, afin que vives longuement ». En lisant cette loi, on ne peut manquer d'être frappé par l'idée de troc qui s'en dégage et la menace indirecte qui la sous-tend. Fallait-il que ce respect — ne parlons pas de l'amour — soit bien peu naturel pour qu'il soit nécessaire de l'édicter en loi ! Fallait-il aussi qu'il soit difficile d'honorer ses parents pour qu'on vous promette en échange la récompense suprême : la longue vie. Ou la punition exemplaire en cas de manquement : la mort.

Les pères de l'Eglise, qui en savaient long sur les rapports réels entre parents et enfants [14], n'insistèrent point sur ce terrible sujet. Ils se contentèrent de justifier l'autorité paternelle en répétant que le Père était responsable auprès de Dieu de ses enfants, et qu'il fallait bien lui donner les moyens d'assumer cette responsabilité. Ils légitimèrent, d'autre part, l'autorité maritale en renforçant la théorie philosophique de l'inégalité féminine. Selon Aristote, la femme manquait de consistance ontologique ; les théologiens firent d'elle

---

13. Flandrin, *op. cit.*, p. 125.

14. A lire les manuels de la Confession, on ne peut manquer d'être frappé par le grand nombre de questions ayant trait à la haine et au désir de mort entre parents et enfants.

un « malin », au mieux une « infirme ». Jusqu'au XXᵉ siècle, les hommes retiendront la leçon.

Au XIIIᵉ siècle, il est d'usage courant, dans un village comme Montaillou, de traiter sa femme de diablesse. Progressivement les hommes qui se voulaient plus civils abandonnèrent le grief de malignité. Ils développèrent, en revanche, l'idée de faiblesse et d'infirmité féminines.

La définition de l'infirmité renvoie aux idées d'imperfection, d'impotence et de difformité. Le mot infirme a donc deux connotations : la maladie et la monstruosité. Le terme justifie amplement la conduite historique des hommes à l'égard de leurs épouses.

Voici, parmi des milliers de témoignages (chansons, proverbes ou textes théoriques), quatre illustrations d'une telle conception.

Tout d'abord un conseil de Fénelon au futur mari sur la conduite à adopter à l'égard de sa femme : « Epargnez-la, ménagez-la avec douceur et tendresse, par persuasion, vous souvenant de *l'infirmité* de son sexe [15]. » A la femme, il dit : « Et vous, épouse, obéissez-lui comme à celui qui représente *Dieu sur la terre.* » On retrouve également la doctrine de saint Paul dans les arguments des juges et des avocats, lors des procès du XVIIᵉ siècle entre maris et femmes, notamment dans les demandes de séparation de corps. On développe toujours contre les femmes, comme argument suprême, leur condamnation portée par Dieu dans la Genèse. *L'Ancien Testament* et l'*Epître aux Ephésiens* firent bien longtemps jurisprudence.

Autre témoignage : Un paysan aisé du XVIIIᵉ siècle, le père de Rétif de La Bretonne, s'adresse ainsi à sa femme : « Dites-moi, d'où vient cette *force* que la nature a donnée à l'homme ? D'où vient qu'il est en outre toujours *libre* de sa personne, *hardi, courageux,*

15. Fénelon : *Manuel du mariage* (souligné par nous). L'infirmité féminine est ici associée à l'idée de maladie.

audacieux même : est-ce pour ramper, faible adulateur (de la femme) ? D'où vient que la nature vous a faite si charmante, *faible et avec cela craintive ?*... Est-ce pour commander durement et avec hauteur ?... Le premier moyen d'être heureux en ménage... c'est que le chef commande et que l'épouse fasse par amour ce qu'on nommerait pour toute autre qu'une épouse (c'est-à-dire une servante), obéir [16]. »

Enfin, plus près de nous, voici la justification de l'autorité maritale dans le Code civil. On sait que Napoléon intervint personnellement pour rétablir pleinement l'autorité maritale, légèrement bousculée à la fin du XVIIIᵉ siècle. Il insista pour que le jour du mariage, l'épouse reconnaisse explicitement qu'elle devait obéissance à son mari. Comme les rédacteurs du Code s'étonnaient de cette insistance, Napoléon aurait répondu, faisant allusion au verset de la Genèse : « l'Ange l'a dit à Adam et Eve ». Dans l'article 212 du Code, les législateurs mirent en forme les préjugés napoléoniens. Ils firent reposer la puissance maritale sur le double fondement de l'infirmité féminine et la nécessité d'une direction unique dans le ménage.

L'absolutisme politique

Ce troisième discours, tenu notamment par Bossuet, cherchait à renforcer l'autorité paternelle pour mieux fonder en droit la monarchie absolue et permettre aux rois de disposer d'une autorité légitime sur leurs sujets sans être liés à eux par aucun engagement.

Suivant la ligne tracée par Aristote, Bossuet réaffirma le dogme de l'inégalité naturelle en rappelant

---

16. Propos rapportés par Rétif de La Bretonne. Cf. *La Vie de mon père*, Introduction, p. XI (classique Garnier). Il faut noter cependant que Rétif rapporte des traditions antiféminines qui sont déjà contestées dans les villes. Cf. plus loin, p. 82-100.

« la supériorité qui vient de l'ordre de la génération »,
qui implique dépendance et soumission des enfants
aux parents [17].

Soutenant que l'autorité paternelle s'est progressivement transformée en autorité souveraine, Bossuet
conclut que la nature de l'autorité royale conserve la
marque de son origine et reste toujours essentiellement
paternelle. Il en déduit un certain nombre de propositions tout à l'avantage du souverain et du père.
Puisqu'il existe une bonté naturelle du père pour ses
enfants et que l'autorité royale est paternelle, son
caractère essentiel est aussi la bonté. Le roi ne recherche que le bien de ses sujets comme le père celui de
ses enfants, même quand il les corrige.

Cette idée était confortée par le silence des lois divi-
nes (les Dix Commandements) sur le devoir d'amour
des parents pour leurs enfants. Comme si la chose
était si naturelle qu'il fût inutile d'instituer une loi et
même de la mentionner. Et nulle part avant fort longtemps nous ne trouverons évoqué le thème de la
dureté ou de l'égoïsme des parents.

En revanche, on retrouve constamment celui de
l'ingratitude et de la méchanceté des enfants. Il semble
assuré que le courant d'affection va sans difficulté des
parents aux enfants, mais que le chemin inverse est
beaucoup plus aléatoire. D'ailleurs Vauvenargues
n'affirmait-il pas qu'« il suffit d'être homme pour être
bon père, mais si l'on n'est pas homme de bien, il est
rare que l'on soit bon fils [18] ». Et Montesquieu de ren-
chérir : « le pouvoir paternel est, de toutes les puissances, celle dont on abuse le moins [19] ». Cet optimisme résolu venait du fait que l'un et l'autre
considéraient que la bonté du père est naturelle et
relève de l'instinct, alors que celle du fils est morale.

17. Bossuet : *Politique tirée de la Sainte Ecriture* (1709) livres II et III.
18. *Introduction à la connaissance de l'esprit humain.*
19. *Lettres persanes*, n° 129.

Mais on ne peut s'expliquer ces réflexions désabusées sur l'enfance par les seules mésaventures de l'expérience quotidienne. Elles reposent aussi, nous le verrons, sur une théorie particulière de l'enfance.

Enfin, le dernier argument évoqué par Bossuet se fonde sur l'analogie entre le Roi et Dieu le Père. Il ne suffisait pas, en effet, de fonder l'autorité de la monarchie sur celle du père, c'est-à-dire d'en faire un droit naturel. Pour mieux la rendre indiscutable, Bossuet voulut faire de l'autorité politique un droit divin. Pour y parvenir, il réutilisa l'image du père. Dieu, dit-il, est le modèle parfait de la paternité. Or, le Roi est à l'image de Dieu sur la terre, père de ses sujets. Et le simple père de famille est le succédané de l'image divine et royale auprès de ses enfants.

Chacun y gagnait dans ces analogies successives : le père de famille en magnificence et en autorité, le Roi en bonté et en sainteté. Dieu lui-même était rendu plus familier et plus proche de ses créatures. Il ne restait à Bossuet qu'à résumer le tout en une superbe formule : « Les Rois tiennent la place de Dieu, qui est le vrai père du genre humain. »

Pour mieux comprendre toute la portée des analogies de Bossuet, nous devons rappeler la dernière, censée concrétiser les trois autres pour le commun des mortels : celle du pasteur et du troupeau. Jusqu'au XVIIe siècle, on répétera constamment : le père est à ses enfants ce que le Roi est à ses sujets, ce que Dieu est aux hommes, c'est-à-dire ce que le pasteur est à son troupeau. Le dernier rapport (pasteur/troupeau) montre de façon éclatante la différence de nature, qui sépare tous les termes du haut et ceux du bas : de l'humain par rapport au divin, il y a la même distance qu'entre la bête et l'homme. On ne peut mieux dire l'irréductible hétérogénéité entre le père et ses enfants.

A y regarder de plus près, on s'aperçoit que tous les rapports exprimés ne fonctionnent que grâce à un troisième terme caché ou du moins tu. Dieu, le Roi, le

Père et le Pasteur ne dirigent leurs créatures, sujets,
enfants et troupeaux que par des intermédiaires vigi-
lants : l'Eglise, la police, la mère et le chien de garde.
N'est-ce pas dire, en vertu des rapports analogiques,
que la mère est comme l'Eglise à l'égard de ses ouailles, la police qui surveille les sujets, le chien de garde
qui tourne autour du troupeau ? Elle a pouvoir et
autorité sur eux. Plus de familiarité aussi car elle ne
les quitte pas de l'œil. Mais ce pouvoir lui a été délé-
gué et, à son tour, elle est soumise à l'époux comme
l'Eglise au Christ, la police au souverain et le chien de
garde à son maître. Son pouvoir ne lui appartient
donc pas en propre. Il est constamment à la disposition du maître. De toute évidence, sa nature de gardienne est plus proche de ce qu'elle garde que de celle
du maître.

Différence de degré entre elle et l'enfant. Mais différence de nature entre elle et l'époux. Pourtant, alors
qu'au XIXᵉ siècle on verra la mère se ranger parfois du
côté de l'enfant contre le père, au XVIIᵉ siècle encore
elle suit résolument l'ordre social qui impose le pouvoir paternel. Elle épouse si bien les valeurs paternelles, valeurs dominantes de la société, qu'en cas de disparition du père, devenue veuve, elle sait s'identifier et
se substituer à lui.

Les droits du père

Du point de vue juridique, les droits du père évo-
luent de deux façons, de la fin du Moyen Age à la
Révolution. Certains sont limités par la double action
de l'Eglise et de l'Etat qui s'immisce de plus en plus
dans le gouvernement domestique. Mais d'autres sont
renforcés par l'Etat quand il pense qu'il y va de son
intérêt propre.

Les droits parentaux furent restreints par la doctrine
catholique au nom de deux idées nouvelles : celle des

devoirs du père envers ses enfants, que nous avons déjà évoquée, et l'idée selon laquelle l'enfant est considéré comme un « dépôt divin ». Créature de Dieu, il faut à tout prix en faire un bon chrétien. Les parents ne peuvent en disposer à leur guise ni s'en débarrasser. Cadeau de Dieu ou croix à porter, ils ne peuvent en user et en abuser selon la définition classique de la propriété.

En conséquence, le premier droit supprimé fut le droit de mort car le père ne peut détruire ce qui a été créé par Dieu. Dès les XIIᵉ et XIIIᵉ siècles, l'Eglise condamne vigoureusement l'exposition des enfants [20], l'avortement et l'infanticide. De son côté, l'Etat prit des mesures coercitives [21]. Mais devant le mal incompressible et la misère du plus grand nombre, on comprit qu'il valait mieux s'adapter à la nécessité, tolérer l'abandon pour restreindre l'infanticide. C'est dans cet esprit que furent créées, au XVIIᵉ siècle, les premières maisons d'accueil pour les enfants abandonnés [22].

Il est un domaine où l'autorité du père fut l'objet d'un conflit à peine dissimulé entre l'Eglise et l'Etat : les droits parentaux eu égard au mariage des enfants. Dès le milieu du XIIᵉ siècle le mariage fut considéré comme un sacrement. Le seul fait d'exprimer par des paroles le consentement au mariage liait les époux de façon définitive. Le droit canon reconnaissait donc comme valide un mariage contracté par des enfants sans le consentement des parents, à la seule condition que le garçon ait au moins treize ans et demi et la fille onze ans et demi.

Cette conception du mariage se traduisait par de nombreux désordres sociaux : rapts de jeunes filles

---

20. Le fait d'abandonner un enfant dans un endroit isolé.
21. L'édit d'Henri II (1556) déclare homicides les mères qui cachent leur grossesse. Découvertes, elles encouraient la peine de mort.
22. En 1638, saint Vincent de Paul fonda l'Hôpital des Enfants Trouvés.

que l'on épousait secrètement, crimes de bigamie, mariages socialement dépareillés.

Les désordres s'étaient multipliés à un point tel qu'au XVIe siècle le Concile de Trente (1545-1563) fut obligé d'imposer des restrictions aux conditions du mariage. Il condamna les mariages clandestins et imposa aux conjoints d'échanger leur consentement en présence d'un prêtre et après publication des bans. Enfin, il proclama solennellement que se marier sans l'autorisation des parents était un péché, bien que le mariage ainsi conclu fût toujours considéré comme valable.

L'Etat, moins libéral que l'Eglise, n'entendait pas laisser soustraire les enfants à l'autorité parentale. Il renforça les droits du chef de famille pour éviter que ne s'installe le désordre dans la plus petite cellule sociale. Autant un bon mariage qui observait les usages en vigueur (règle de l'homogamie, respect de la hiérarchie, etc.) confortait l'ordre social, autant une mauvaise union le menaçait.

Un édit de Henri II (1556) proclama que les enfants qui se marieraient contre la volonté des parents seraient déshérités sans espérance de retour. Mais on dut juger la sanction trop faible puisque, dès 1579, un nouvel édit de Henri III, assimilant le mariage d'un mineur sans le consentement des parents à un rapt, déclara que le « rapteur » serait puni de mort, sans espoir de grâce ni de pardon. Ces dispositions furent renouvelées et aggravées à deux reprises au siècle suivant [23].

Enfin l'Etat monarchique conforta le droit paternel

---

23. L'ordonnance de janvier 1629 ajoute à la peine de mort du rapteur la confiscation de ses biens, interdit aux juges de modérer la peine et ordonne aux procureurs généraux et substituts de poursuivre le coupable, même s'il n'y a pas plainte des intéressés. La déclaration de novembre 1639 précise que la peine de mort sera encourue même si le consentement des parents intervenait après, et cela jusqu'à 30 ans pour les garçons, 25 ans pour les filles.

de correction, même s'il prit quelques mesures adou-
cissantes au droit d'enfermement sans condition. On
sait qu'au XVIIᵉ siècle encore, les prisons publiques se
refermaient très facilement sur les enfants de famille
quel que soit leur âge et sous les prétextes les plus
futiles [24]. Un arrêt de règlement de mars 1673,
confirmé par plusieurs autres en 1678, 1696 et 1697,
intervint pour faire cesser cet état de choses [25].

Ces mesures libérales furent malheureusement
balayées par la création d'une disposition aggravante,
les lettres de cachet, qui ouvrirent une autre possibilité
de correction. Deux ordonnances complétèrent la correction paternelle. Celle du 20 avril 1684 concernait
spécialement les classes populaires parisiennes et décré-
tait que les fils (de moins de 25 ans) et les filles (de
tout âge) d'artisans et ouvriers qui maltraiteraient
leurs parents ou qui seraient paresseux, libertins ou en
péril de l'être (on appréciera cette prévoyance qui
ouvrait la porte à tous les arbitraires), pourront être
enfermés, les garçons à Bicêtre, les filles à la Salpê-
trière. Une fois la détention obtenue, elle est définitive. Il n'est plus au pouvoir des parents de la faire
cesser. L'Etat se réservait le droit de grâce.

Vingt-cinq ans avant le début de la Révolution française, le Roi Bien-Aimé promulgua l'ordonnance du
15 juillet 1763 [26]. Celle-ci s'appliquait tout particulièrement aux jeunes gens de famille « tombés dans des
conduites capables d'exposer l'honneur et la tranquil-

---

24. On trouvait pêle-mêle internés avec des prisonniers de droit commun des fils de 30 ans et plus, des prêtres et des enfants tout jeunes.
25. Il mit trois conditions à la détention des enfants par les parents.
Seuls les pères pourront exercer ce droit sans contrôle, sauf s'ils ont
convolé en seconde noce (on marque ici la crainte de l'influence néfaste de
la marâtre). Dans ce cas il leur faut demander la permission du lieutenant
civil qui la leur refuse d'ailleurs rarement. Une deuxième restriction au
droit de détention fut sa limitation à l'âge de 25 ans. Enfin on créa un
établissement spécial à cet effet pour éviter la promiscuité entre droits
communs et enfants de bonne famille.
26. Un an après la publication de l'*Emile* qui prônait l'amour et la tendresse des parents.

lité de leur famille ». Elle autorisait les parents à demander leur déportation dans l'île de la Désirade au département de la Guerre et de la Marine. Là-bas, les mauvais enfants bénéficiaient d'un régime d'étroite surveillance : à peine nourris, ils devaient travailler très durement. Après des années de pénitence, ceux qui s'amendaient pouvaient obtenir par la suite une concession de terre à Marie-Galante. Et plus tard, si leur famille le demandait, être ramenés en France.

Toutes ces dispositions indiquent à l'évidence l'attention qu'on portait à l'autorité paternelle. Vitale pour le maintien d'une société hiérarchisée où l'obéissance était la première des vertus, la puissance paternelle devait être maintenue à tout prix. Une telle pression sociale s'exerçait en ce sens qu'il restait peu de place pour tout autre sentiment. L'Amour, par exemple, semblait bien léger pour qu'on construise quoi que ce soit sur lui.

Et s'il existe, malgré tout, au sein de la cellule familiale, on le perçoit à peine dans les documents que nous connaissons. Quand il apparaît quelque part [27] dans les relations familiales, c'est en passant, au détour de deux phrases, presque honteusement.

Une société sans amour

Comment s'en étonner quand on sait quelle représentation on avait de l'amour conjugal. Distinguant le bon amour, l'amitié, du mauvais, la concupiscence, les théologiens condamnaient le second sans appel : « Il ne faut pas que l'homme use de sa femme comme d'une putain, ni que la femme se comporte envers son mari comme avec un amoureux [28]. » Façon précise de

27. Cf. *Montaillou, village occitan*, Gallimard, Paris, 1977, p. 205, 235, 239, 244.
28. Benedicti, *La Somme des péchés*, livre II, chap. v, cité par J.-L. Flandrin dans *Les Amours paysannes* (p. 81), coll. Archives, 1977.

rappeler que l'acte sexuel n'est un moindre mal dans le mariage que si l'on n'y prend pas plaisir.

On ne sera pas surpris d'apprendre que le modèle du bon amour conjugal soit celui qui unit deux personnes du même sexe. Mari et femme doivent être amis mais pas amants, sinon par accident ou nécessité vitale. Dans cet esprit, les théologiens ne cessèrent de dénoncer les « excès » conjugaux : « l'homme qui se montre plutôt amoureux débordé envers sa femme que mari est adultère [29] ».

Comme le fait remarquer très justement Flandrin, il semble que la puissance sexuelle ne fît pas problème [30]. Si l'homme était impuissant, sa frigidité ne pouvait être imputée qu'à sa mauvaise volonté, à l'effet d'un maléfice, ou parce que les cieux le punissaient de vouloir se marier pour assouvir une passion charnelle. Cette dernière explication est particulièrement édifiante qui dit aux pauvres ignorants de l'époque : si vous avez des désirs... vous n'aurez pas de plaisir. En revanche, si vous n'avez pas de désirs, vous serez récompensés de la bonne et pure amitié que vous portez à votre conjoint.

Cependant, les conditions du mariage n'impliquaient pas que soient satisfaits l'amitié et encore moins le désir. Il y avait tant d'impératifs à respecter pour faire un bon mariage qu'amitié et tendresse n'intervenaient pour ainsi dire pas dans le choix du conjoint. Presque toujours absent le jour du contrat, on ne pouvait espérer l'apparition de l'amour qu'au gré du hasard et des habitudes conjugales.

Parmi les règles qui conditionnent le bon mariage figure au premier chef celle de l'homogamie qui commande d'épouser quelqu'un de son rang. La dot n'a pas moins de valeur que cet impératif.

29. *Ibid.*, p. 83.
30. *Ibid.*, p. 84-85.

Impossible à une jeune fille de se marier sans le précieux pécule. Rien n'est plus éloquent à cet égard que le texte célèbre, *Les Caquets de l'Accouchée*, qui rapporte les propos de trois commères sous Louis XIII : une dame de qualité, femme de financier, sa femme de chambre et sa servante. Ecoutons-les, elles se plaignent toutes les trois de l'inflation du montant de leur dot respective. La maîtresse : « J'ai cru que nous (la haute finance) étions quittes de tels mariages (avec des jeunes gens nobles) pour 50 000 ou 60 000 écus. Mais à présent que l'un de nos confrères a marié sa fille à un comte avec un douaire de 500 000 livres... toute la noblesse en veut autant... Et cela nous recule fort, je vois que pour en marier une dorénavant il faut que mon mari reste en charge deux ou trois années de plus qu'il ne le pensait. »

Sa demoiselle de chambre lui répond avec humeur : « Mon père, procureur, qui a des moyens assez honnêtes, a marié ses premières filles à 2 000 écus et a trouvé d'honnêtes gens. A présent, quand il donnerait 12 000 livres comptant, il ne pourrait trouver un parti pour moi... Ce qui a poussé ma mère à me donner la coiffe et le masque pour servir de servante, et avoir la superintendance sur le pot à pisser... » Intervient alors la servante qui est sans doute la plus à plaindre des trois : « Autrefois, quand nous avions servi huit ou neuf ans et que nous avions amassé 100 écus comptant, nous trouvions un bon officier sergent en mariage ou un marchand mercier. A présent, pour notre argent, nous ne pouvons avoir qu'un cocher ou un palefrenier qui nous fait trois ou quatre enfants d'arrache-pied, puis ne pouvant les nourrir, nous sommes contraintes de repartir servir comme avant. »

Sans dot, il ne restait à la plus douce et plus jolie fille qu'à rester sous le toit paternel, être servante ailleurs, ou moisir dans un couvent.

A ces impératifs s'ajoutaient d'autres coutumes qui

ne facilitaient pas le choix du conjoint. Parmi elles, les droits et devoirs de l'aîné [31], héritier de toute la fortune paternelle. Pour n'avoir point à amputer les biens familiaux, le père souhaitait marier son aîné avec une jeune fille qui apporterait une dot suffisante pour qu'il puisse doter à son tour ses propres filles. Il lui était donc interdit d'épouser une pauvresse. Quant aux cadets déshérités il ne leur restait qu'à faire la chasse à l'héritière. Si, par hasard, la chance leur souriait, ils n'étaient point regardants sur le reste : beauté, intelligence ou charme de la partenaire.

Mais on peut dire, de façon plus générale, que non seulement l'attrait physique ne constituait pas un motif de mariage, mais qu'il était presque redouté. Etudiant les proverbes et chansons populaires de l'époque, Flandrin énumère les différents arguments contre la beauté de *la* partenaire. D'abord elle ne saurait durer (« Belle rose devient gratte-cul »), ensuite elle ne sert à rien (« La beauté ne sale pas la marmite »), enfin elle n'attire que des ennemis (« Celui qui a une femme belle... ne manque pas de guerre »).

Moralité, pour faire un bon mariage, il fallait trouver une future qui ait un âge en rapport avec celui de son futur, une bonne dot selon son rang et qui soit vertueuse. Plus on descendait dans l'échelle sociale et plus l'aptitude au travail était nécessaire. Si tous les critères étaient réunis, on passait sans attendre de la signature du contrat au mariage. Nul besoin de longues fiançailles [32]. Marié(e) à un(e) inconnu(e) à qui on n'avait jamais adressé la parole quelques heures plus tôt, on imagine facilement quelle amitié on nourrissait à son égard. Unis ainsi durant des siècles, nos ancêtres

---

31. Flandrin, *Les Amours paysannes*, p. 63 à 69. La coutume était encore très vivace dans le Béarn au XIXᵉ siècle.
32. Les fiançailles pouvaient durer quelques jours, parfois quelques heures.

durent fort souvent tout ignorer de l'amour le jour de leur mariage [33].

Roméo et Juliette sont nécessairement destinés à mourir, car on ne pardonnait pas aux germes du désordre. Bien sûr, rien n'interdisait que l'amour naisse entre époux au fil des mois et des années. Mais rien non plus n'y prédisposait. La preuve : l'attitude fort répandue d'absence de chagrin apparent lors de la mort du conjoint. Ceci apparaît plus franchement chez les paysans et les petites gens que chez les personnes des classes supérieures plus sensibles aux convenances sociales et aux modes.

E. Shorter [34] a très bien évoqué l'indifférence des milieux pauvres à cette occasion et cite de nombreux témoignages montrant que le même paysan prêt à couvrir d'or le vétérinaire qui sauverait sa vache, hésitait, parfois jusqu'à la dernière extrémité, à dépenser le prix de la visite du médecin pour venir au chevet de son épouse agonisante. A la fin du XIXᵉ siècle, Zola n'écrit pas autre chose dans son roman *La Terre*. De nombreux dictons et proverbes illustrent ce peu d'attachement à la vie humaine et, en particulier, à la vie du conjoint : « Mort de femme et vie de cheval font l'homme riche », ou bien : « Deuil de morte dure jusqu'à la porte », ou enfin : « L'homme a deux beaux jours sur terre : lorsqu'il prend femme et lorsqu'il l'enterre. » Pour la raison simple qu'avec une nouvelle épouse, on touchait une nouvelle dot. Les femmes, de leur côté, n'étaient pas plus frappées par la mort de leur conjoint. Le cadavre encore chaud dans la maison, le veuf ou la veuve pensait déjà au remariage. Flandrin [35] a noté cette rapidité des remariages dans toute la France au XVIIᵉ et au XVIIIᵉ siècle.

---

33. Flandrin pense que les ouvriers moins confrontés avec les impératifs de la dot avaient plus de chance de faire un mariage selon leur cœur. N'ayant aucun bien, ils n'attendaient rien de plus de la future.

34. *Naissance de la famille moderne*, Le Seuil, Paris, 1977.

35. *Familles...*, p. 115.

Les statistiques qu'il avance prouvent quelle sécheresse affective régnait alors dans les relations conjugales. A cette époque, on comptait, selon les régions, entre 45,3 % et 90 % de remariages de veufs avant un an de veuvage. Si on compare avec les chiffres de 1950, soit 15 % de remariages dans les mêmes conditions, on mesure le changement radical des mentalités et des attitudes à l'égard de la vie conjugale.

Tout ceci ne signifie pas que nul n'éprouvait du chagrin à la mort du conjoint, mais la séparation qu'est la mort ne bouleversait pas les esprits, comme aujourd'hui. En partie, sans doute, parce que l'on était plus croyant et que la mort était plus proche de la vie, mais en grande partie aussi parce que l'on n'avait pas choisi son conjoint avec son cœur...

Il faudra attendre le XIXᵉ siècle pour que change cette attitude à l'égard de la mort du conjoint. Il deviendra décent de le pleurer, les larmes symbolisant l'amour qu'on lui portait. Entre-temps, on sera passé du mariage de convenance au mariage d'amour.

De tout ceci retenons l'absence d'amour comme valeur familiale et sociale dans la période de notre histoire qui précède le milieu du XVIIIᵉ siècle. Il ne s'agit pas pourtant de nier l'existence de l'amour avant une certaine époque, ce qui serait absurde. Mais il faut admettre que ce sentiment n'avait ni le statut ni l'importance qu'on lui confère aujourd'hui. Il était même doué d'une double connotation négative. D'une part, nos ancêtres avaient une conscience aiguë de la contingence de l'amour et refusaient de bâtir quoi que ce soit sur une base aussi fragile. D'autre part, ils associaient davantage l'amour à l'idée de passivité (perte de la raison), d'amollissement et d'éphémérité qu'à celle, plus actuelle, de compréhension de l'autre. Pour nous, il n'y a d'amour que dans le pouvoir d'identification à autrui qui nous permet de souffrir ou d'être heureux avec lui [36]. Nous avons donc une

36. Sentiment proche de la sympathie grecque.

conception plus active de l'amour qui laisse de côté l'aspect amollissant et contingent dénoncé dans le passé. Au fond de nous-mêmes nous restons convaincus que lorsqu'on aime, c'est pour la vie. En revanche, à l'époque qui nous occupe, l'image négative de l'amour interdit qu'il constitue en priorité le lien qui unit les membres de la famille. L'intérêt et la sacro-sainte autorité du père et du mari relèguent au second plan le sentiment que nous apprécions aujourd'hui. Au lieu de la tendresse, c'est la crainte qui domine au cœur de toutes les relations familiales. A la moindre désobéissance filiale, le père, ou celui qui le remplace, sort les verges. Louis XIII [37], on le sait, ne fut pas moins fouetté que le fils du sévère paysan Pierre Rétif [38]. Pendant longtemps, l'épouse fautive fut passible de la même sanction. Certes, cette coutume fut progressivement bannie dans les classes supérieures au point de paraître de plus en plus barbare au XVIIᵉ siècle. Mais bien longtemps encore la pratique fut de mise dans les classes populaires et même chez les bourgeois, si l'on en croit certaines gravures du début du XVIIᵉ siècle. Jusqu'au XIXᵉ siècle, et pour différents motifs, la classique raclée était chose courante dans les campagnes, même si, en théorie, le statut de l'épouse était supérieur à celui de l'enfant et du serviteur.

C'est dans un tel climat qu'il faut restituer l'ancienne attitude maternelle. Violence et sévérité étaient le lot de l'épouse et de l'enfant. La mère n'échappait pas à ces usages.

Mais avant d'observer les attitudes maternelles, et pour mieux les comprendre, il faut d'abord rappeler le statut de l'enfant et l'image que s'en faisait la société tout entière.

---

37. Cf. *Le Journal d'Héroard*, précepteur de Louis XIII. Il note que le Dauphin cauchemardait la nuit lorsqu'il savait qu'il devait être fouetté le lendemain.

38. Cf. Rétif de La Bretonne : *La Vie de mon père*, chap. 7 et 8.

CHAPITRE II

LE STATUT DE L'ENFANT
AVANT 1760

Pourquoi 1760 ? On peut être surpris de voir indiquer une date aussi précise au changement des mentalités. Comme si d'une année à l'autre tout avait changé. Tel n'est pas le cas, et Philippe Ariès a montré qu'une longue évolution fut nécessaire pour que s'ancre réellement le sentiment de l'enfance dans les mentalités. En étudiant très soigneusement l'iconographie, la pédagogie et les jeux des enfants, Ariès conclut que, dès le début du XVIIᵉ siècle, les adultes modifient leur conception de l'enfance et lui accordent une attention nouvelle qu'ils ne lui manifestaient pas auparavant. Mais cette attention portée à l'enfant ne signifie pas encore qu'on lui reconnaisse une place si privilégiée dans la famille qu'il en devienne le centre.

Ariès a pris soin de noter que la famille du XVIIᵉ siècle, bien que différente de celle du Moyen Age, n'est pas encore ce qu'il appelle la famille moderne[1], caractérisée par la tendresse et l'intimité qui lient les parents aux enfants. Au XVIIᵉ siècle, la société monarchiste n'a pas encore reconnu le règne de l'Enfant-Roi, cœur de l'univers familial. Or, c'est bien ce règne de l'enfant qui commence à être bruyamment

1. P. Ariès, *L'Enfant et la vie familiale sous l'Ancien Régime* (p. 457), Paris, Le Seuil, 1973.

célébré dans les classes montantes du XVIIIe siècle, aux alentours des années 1760-1770.

De cette époque date la parution d'une floraison d'ouvrages qui appellent les parents à de nouveaux sentiments et tout particulièrement la mère à l'amour maternel. Certes le médecin accoucheur Philippe Hecquet, dès 1708, Crousaz en 1722 et d'autres avaient déjà dressé la liste des devoirs d'une bonne mère. Mais ils ne furent pas entendus de leurs contemporains. C'est Rousseau, avec la publication de l'*Emile* en 1762, qui cristallise les idées nouvelles et donne le véritable coup d'envoi à la famille moderne, c'est-à-dire à la famille fondée sur l'amour maternel. On verra qu'après l'*Emile*, tous les penseurs de l'enfance reviendront durant deux siècles à la pensée rousseauiste pour en développer toujours plus loin les implications.

Avant cette date, l'idéologie familiale du XVIe siècle, en recul dans les classes dominantes, n'en finit pas de mourir partout ailleurs. Si l'on en croit non seulement la littérature, la philosophie et la théologie de l'époque, mais aussi les pratiques éducatives et les statistiques dont nous disposons aujourd'hui, nous constatons que, dans les faits, l'enfant compte peu dans la famille quand il ne constitue pas souvent une gêne réelle pour celle-ci. Au mieux, il a un statut insignifiant. Au pire, il fait peur.

L'enfant fait peur

Commençons donc par le pire, puisque les images négatives de l'enfance précèdent les autres. En plein XVIIe siècle encore, la philosophie et la théologie manifestent une véritable peur de l'enfance. D'anciennes réminiscences, mais aussi des théories nouvelles accréditent cette terrible représentation.

Pour de longs siècles, la théologie chrétienne en la personne de saint Augustin élabora une image drama-

tique de l'enfance. Aussitôt né, l'enfant est symbole
de la force du mal, un être imparfait accablé sous le
poids du péché originel. Dans *La Cité de Dieu*[2], saint
Augustin explicite longuement ce qu'il entend par
« péché de l'enfance ». Il décrit le petit de l'homme,
ignorant, passionné et capricieux : « Si on lui laissait
faire ce qui lui plaît, il n'est pas de crime où on ne le
verrait se précipiter. » G. Snyders[3] note avec raison
que, pour saint Augustin, l'enfance est le témoignage
le plus accablant d'une condamnation lancée contre
l'ensemble des hommes, car elle manifeste comment la
nature humaine corrompue se précipite vers le mal.

La dureté de ces propos nous choque aujourd'hui,
peut-être plus encore que les propos de Freud ne heurtaient nos arrière-grands-parents. Nous admettons bien
que l'enfant ne soit pas innocent sexuellement, mais
nous refusons l'idée d'une culpabilité morale. Comment comprendre les propos terribles tenus par saint
Augustin dans ses *Confessions*[4] : « J'ai été conçu
dans l'iniquité... c'est dans le péché que ma mère m'a
porté... où donc Seigneur, où et quand ai-je été innocent ? » sinon en se référant à la théorie du péché originel, toujours prégnante au XVIIᵉ siècle.

On n'est pas moins surpris de voir l'enfant accusé
des plus grands péchés et condamné d'après les normes adultes. Pour saint Augustin, le péché d'un
enfant n'est en rien distinct de celui de son père.
Aucune différence de nature, à peine de degré entre
les deux : la conscience, la volonté mauvaise ou la
préméditation ne changent rien à l'affaire : « N'est-ce
pas un péché de convoiter le sein en pleurant, car si je
convoitais à présent avec une pareille ardeur un ali-
ment convenable à mon âge, on me raillerait... c'était

2. Livre XII, chap. 22.

3. G. Snyders, *La Pédagogie en France aux XVIIᵉ et XVIIIᵉ siècles*,
thèse faculté des Lettres et Sciences humaines de l'université de Paris,
P.U.F.

4. *Confessions I*, chap. 7.

donc une avidité mauvaise puisqu'en grandissant nous l'arrachons et la rejetons[5]. » Cette homogénéité affirmée sans aucune nuance entre deux états de la vie confirme tout à fait la thèse d'Ariès, selon laquelle on n'eut aucun sentiment de la spécificité de l'enfance avant une date relativement récente de notre histoire. Mais saint Augustin va plus loin encore en opposant l'imperfection enfantine à la perfection vers laquelle tout adulte doit tendre. Non seulement l'enfance n'a aucune valeur, ni spécificité, mais elle est le signe de notre corruption, ce qui nous condamne et dont nous devons nous dégager. La Rédemption passe donc par la lutte contre l'enfance, c'est-à-dire l'annulation d'un état négatif et corrompu.

Pourtant nous gardons, des paroles du Christ, une autre image de l'enfance. Ne proclamait-il pas son innocence quand il conseillait aux adultes de ressembler aux enfants ? Ne leur avait-il pas donné une place d'honneur à ses côtés lorsqu'il disait : « Laissez venir à moi les petits enfants » ?

Saint Augustin traduisait la parole de Jésus, et répondait ainsi : « Non, Seigneur, il n'y a pas d'innocence enfantine. » La valeur de l'enfance est toute négative et ne consiste qu'en une absence de véritable volonté. La sienne est trop faible pour être vraiment mauvaise et s'opposer consciemment à la volonté de Dieu. « C'est donc une figure de l'humilité que vous avez louée dans la petite taille de l'enfant quand vous avez dit : " C'est à ceux qui leur ressemblent qu'appartient le royaume des cieux "[6]. » La conséquence d'une telle théorie sera bien sûr une éducation totalement répressive et à contre-courant des désirs de l'enfant.

La nature est si corrompue chez lui que le travail de redressement ne se fera pas sans peine. Saint Augustin

5. *Ibid.*
6. *Ibid.*

justifie par avance toutes les menaces, les verges et les
férules. Jamais le terme « éducation [7] » n'a été plus
justement utilisé. Comme on redresse le jeune arbre
avec un tuteur qui oppose sa force droite à celle
contraire de la plante, droiture et bonté humaine ne
sont que le résultat d'une opposition de forces, c'est-
à-dire d'une violence.

La pensée augustinienne régna longtemps dans l'histoire de la pédagogie. Constamment reprise jusqu'à la fin
du XVIIᵉ siècle, elle entretint, quoi qu'on dise, une
atmosphère de dureté dans la famille et les nouvelles
écoles.

Les pédagogues, presque toujours maîtres en théologie, recommandent aux parents la froideur à l'égard
de leurs enfants et leur rappellent sans cesse leur malignité naturelle qu'ils seraient coupables d'entretenir.
L'un d'eux, le célèbre prédicateur espagnol
J.L. Vivès [8], dont l'ouvrage, *L'Institution de la femme
chrétienne*, fut traduit du latin en français et plusieurs
fois réédité en France à partir de 1542, dénonce avec
sévérité la tendresse et la molle éducation que les femmes avaient tendance à donner à leurs enfants : « Les
corps ne sont plus débilités que de délices ; par quoi
*les mères perdent leurs enfants, quand voluptueuse-
ment les nourrissent.* Aimez comme (vous) devez, en
sorte que l'amour n'empêche les adolescents de les
retirer de vices et les contraignez à la crainte par légè-
res verbérations, castigations et pleurs, afin que le
corps et l'entendement soient faits meilleurs, par sévérité de sobriété et nourriture. Mères, entendez que la
plus grande partie de la *malice des hommes vous est à
imputer* [9]. Car vous riez de leurs méfaits par vos

---

7. Vient du latin *educare* qui signifie : redresser ce qui est tordu et
mal formé.

8. 1492-1540.

9. Souligné par nous. Argument que l'on retrouvera, sous différentes
formes, jusqu'à aujourd'hui.

folies ; vous leur ingérez perverses et dangereuses opinions... et les attirez aux actes diaboliques par vos larmes et fautives compassions ; car vous les aimez mieux riches ou mondains que bons... vous craignez que les enfants n'aient froid ou chaud pour leur faire apprendre vertus et les traitant en délices, vous les rendez vicieux ; après vous pleurez à chaudes larmes et regrettez ce que vous avez fait. La fable est notoire de l'adolescent qu'on allait pendre, qui pria de parler à sa mère et lui arracha l'oreille, pour ce qu'elle l'avait mal châtié en jeunesse. Que pourra-t-on dire de la fureur et folie des mères qui aiment les enfants vicieux, ivrognes et étourdis, plus que vertueux, modestes, sobres et pacifiques ?... Entre les enfants, celui que la mère a le plus cher est communément le pire. »

De ce long texte de Vivès, beaucoup d'idées sont à retenir. C'est d'abord un texte de combat contre une attitude maternelle qui devait être courante à l'époque de sa rédaction : la cajolerie et la complaisance des mères. Donc ce passage proteste contre une tendresse réellement existante que de nombreuses mères sembleront ignorer un siècle plus tard.

Cajoleries et tendresses sont traduites, par Vivès, en termes de mollesse et de péché. La tendresse est moralement coupable à un double titre : elle gâche l'enfant et le rend vicieux, ou plutôt accuse son vice naturel au lieu de l'en défaire. D'autre part, elle est le signe d'une faiblesse coupable de la part de la mère qui, par égoïsme, préfère son plaisir personnel au bien de l'enfant. C'est encore au plaisir de la mère et de l'enfant que fait allusion l'important passage sur l'allaitement : « *les mères perdent leurs enfants quand voluptueusement les nourrissent* ». Au premier abord, on serait tenté de croire que Vivès se déclare contre l'allaitement maternel. Mais rien ne serait plus faux puisqu'on sait par ailleurs que Vivès comme Erasme ou Scévole de Sainte-Marthe militaient fermement pour l'allaitement maternel, déjà peu en usage dans la haute aristocratie.

Ce contre quoi s'élève le texte n'est pas l'allaitement lui-même, mais son aspect voluptueux. L'allaitement pourrait être un plaisir coupable que s'offre la mère et qui causerait la perte morale de l'enfant. Le lecteur du XXe siècle ne peut manquer d'être sensible à la remarque de Vivès. Il est exact que l'allaitement peut être une jouissance physique pour la mère. En termes freudiens on parlerait même d'un véritable plaisir sexuel. Il est vrai aussi que ce plaisir est partagé par le bébé qui tète. La psychanalyse accorde d'ailleurs à ces moments privilégiés un rôle fondamental dans le développement ultérieur de l'enfant. Or, le théologien, à l'inverse du psychanalyste, voit dans cette relation amoureuse et physique entre la mère et l'enfant la source d'une mauvaise éducation. En allaitant ainsi, la mère « perd » moralement son enfant. Trois siècles plus tard, la psychanalyse semble répondre à ce théologien rigoriste en disant exactement l'inverse : de cette première relation réussie (la tétée) dépend le bon équilibre psychique et moral de l'enfant. Entre-temps, le concept de bonheur (de bon) s'est substitué à celui du bien.

Cent ans plus tard et jusqu'à la fin du XVIIe siècle, la pensée de saint Augustin et les propos de Vivès sont encore fulminés dans des écrits et du haut de nombreuses chaires. Ainsi ce passage d'un sermon de V. Houdry [10] : « Mais comment est-ce que la plupart des chrétiens aiment leurs enfants ? Ils n'ont pour eux qu'un amour aveugle, ils les perdent par de criminelles complaisances... et même en couvrant cet amour du prétexte d'innocence et de gentillesse ; ils excusent leurs défauts, ils dissimulent leurs vices et ne les élèvent enfin que pour le monde et non pour Dieu. »

Ce texte s'adresse aux classes aristocratiques et let-

---

10. *Sermon 24* : « Du soin des enfants. »

trées, auxquelles les pédagogues reprochent en chœur une trop grande complaisance à l'égard de leur progéniture (expression de leur narcissisme ?) et en même temps un manque de soin et d'attention éducative. Leur attitude ne reflète pas l'amour-amitié dont on a déjà parlé. En vertu des postulats augustiniens, la bonne amitié pour l'enfant ne peut être complaisante. C'est une attitude rigoureuse ne perdant jamais de vue que le but de l'éducation est de sauver l'âme du Péché. Semblable à l'idéologie platonicienne, la pédagogie du XVIIᵉ siècle entend accorder un rôle important au châtiment rédempteur : pour sauver une âme, n'hésitons pas à châtier le corps.

Or le redressement du malin qu'est l'enfant n'est pas chose aisée. C'est une tâche fastidieuse et de tous les instants qui lasse bien des parents. N'est-il pas plus agréable de faire comme si sa progéniture était parfaite ? plus valorisant aussi ? En diminuant d'autant le travail éducatif, on peut vaquer le cœur léger à d'autres affaires plus distrayantes.

C'est davantage cet état d'esprit léger et paresseux que combat la théologie au XVIIᵉ siècle que l'excès d'amour et de soins des parents pour leurs enfants. Leurs complaisances ne sont criminelles que parce qu'elles laissent ainsi l'âme enfantine à son péché originel et qu'elles révèlent le formidable égoïsme des parents dont on reparlera.

A la fin du XVIIᵉ siècle, C. Joly dans son *Sermon pour les pères* dit crûment aux parents la vérité que beaucoup d'entre eux n'ont pas envie d'entendre : « Vous savez… ce qu'il en coûte à des pères et mères pour élever des enfants indociles, pour redresser des enfants mal nés, pour soutenir des enfants sans génie et sans talent, pour gagner des enfants ingrats et sans naturel, pour ramener à leur devoir des enfants égarés et abandonnés à leurs passions, des enfants déréglés et débauchés, prodigues et dissipateurs. N'est-ce pas de quoi les familles sont remplies, et qu'y a-t-il de plus

ordinaire ? » Texte bien cruel, qui sent fort l'augusti-
nisme et qui apparaîtra comme un leitmotiv du
XVIIᵉ siècle jusqu'au début du XVIIIᵉ. Lui font écho
Bossuet : « L'enfance est la vie d'une bête [11] », et le
doux saint François de Sales qui affirme : « Non seulement en notre naissance, mais encore pendant notre
enfance, nous sommes comme des bêtes privées de raison, de discours et de jugements [12]. »

Cette dramatique image de l'enfance inspira deux
grands mouvements pédagogiques du XVIIᵉ siècle :
l'Oratoire et Port-Royal. Malgré l'éducation nouvelle
qu'on voulait y donner, leur conception de l'enfance
n'avait guère changé. N'est-ce pas Bérulle [13], à la tête
de l'Oratoire, qui écrivit : « l'état enfantin est l'état le
plus vil et le plus abject de la nature humaine après la
mort » ? Et d'où vient cette méfiance pour l'enfance
dans l'éducation janséniste, sinon de la même source ?

Dans le règlement de Port-Royal, Jacqueline Pascal,
en parfait accord de pensée avec son frère, recommande qu'on isole le petit enfant et que l'on se méfie
de sa spontanéité. Pour combattre les mauvais instincts des petites filles du Monastère, ne va-t-elle pas
jusqu'à demander que tous les actes de la journée
soient accompagnés d'une prière presque continue tant
la peur du péché est grande [14]. Ainsi, les petites, dont
certaines avaient moins de cinq ans, devaient dire en
s'habillant : « Souvenons-nous de dépouiller le vieil
homme et de nous revêtir du nouveau... je reconnais,
mon Dieu, que le besoin que j'ai de ces habits est une
preuve de la corruption que j'ai héritée de mes premiers pères... » En outre, Jacqueline Pascal recommandait qu'on exhorte les enfants à connaître elles-

---

11. Bossuet, *Méditation sur la brièveté de la vie*.
12. *Sermon pour le jour de la Nativité de Notre Dame*, cité par
G. Snyders, p. 195.
13. *Opuscules de Piété*, n° 69.
14. Cf. *Entrer dans la vie*, p. 29 (coll. Archives, 1978).

mêmes leurs vices et leurs passions pour qu'elles sondent « jusqu'à la racine de leurs défauts ».

Telle fut la conception dominante de l'enfance, au sein de la pédagogie et de la théologie du XVIIᵉ siècle. On pourrait objecter que de telles théories ne faisaient que prolonger les anciennes idées, et que, loin d'apporter un esprit nouveau, elles témoignaient d'un système de valeurs agonisant.

On ne peut en dire autant de la nouvelle philosophie, celle de Descartes qui mit fin à l'hégémonie de la toute-puissante école aristotélicienne. Et si Bérulle est le continuateur de saint Augustin, Descartes fut bien celui qui balaya la pensée scolastique.

Or la philosophie cartésienne, si novatrice dans tous les domaines, reprend sur un autre registre la critique de l'enfance. Descartes ne dit pas que l'enfance est le lieu du péché. Il dit, et c'est peut-être aussi tragique sous sa plume, qu'elle est le lieu de l'erreur.

Selon Descartes, l'enfance est avant tout faiblesse de l'esprit, période de la vie où la faculté de connaître, l'entendement, est entièrement sous la dépendance du corps. L'enfant n'a d'autres pensées que les impressions suscitées par le corps. Le fœtus pense déjà, mais cette pensée n'est qu'un magma d'idées confuses. Dénuée de jugement et de critique, l'âme enfantine se laisse guider par des sensations de plaisir et de douleur : elle est condamnée à une perpétuelle erreur[15].

Il faut donc se délivrer de l'enfance comme on se délivre du mal. C'est le fait que tout homme a d'abord dû être enfant qui est cause de ses erreurs. Non seulement l'enfant est dénué de jugement, non seulement il est dirigé par ses sensations, mais, de surcroît, il est baigné par l'atmosphère fétide des fausses opinions. Il suce, dit Descartes, le préjugé avec le lait

---

15. *Principes de philosophie*, n° 71 : « La principale cause de nos erreurs et généralement la difficulté d'apprendre les sciences et de nous représenter clairement les idées, sont les préjugés de l'enfance. »

de sa nourrice. Regardez-les ces nourrices ignorantes qui enseignent quantités d'idées fausses aux enfants dont elles ont la charge ! N'avez-vous jamais vu telle nourrice dire à l'enfant qui s'est fait mal en tombant sur une pierre d'aller la battre, comme si la pierre était une personne douée de volonté.

Le malheur veut que les opinions acquises dans l'enfance soient celles qui sont le plus profondément ancrées dans l'homme. Il ne faut pas moins de toute une vie pour détruire ces mauvaises habitudes. Et encore, peu y parviennent. La plupart des hommes sont condamnés par leur manque de caractère et d'intelligence à rester englués dans leur enfance. Quelle ascèse ne fallut-il pas à Descartes lui-même, que d'angoisses ne dut-il pas affronter pour se débarrasser de ses mauvaises habitudes et de son enfance ! Mais la plupart des hommes sont sujets à la défaillance de leur volonté. Or, à chaque moment d'inattention, l'homme est menacé de retomber dans l'illusion et la confiance spontanée accordée aux apparences sensibles. C'est pourquoi Descartes exprime nettement son regret que tout homme doive d'abord passer par ce stade infantile : « pour ce que nous avons tous été enfants avant que d'être hommes... Il est presque impossible que nos jugements soient si purs et si solides qu'ils auraient été si nous avions eu l'usage entier de notre raison, dès le point de notre naissance... [16] ».

Ici encore l'enfance est ce dont nous devons absolument nous débarrasser pour être un homme digne de ce nom. On sait comment Freud inversa la proposition en proclamant que l'enfant est le père de l'homme. Descartes lui aurait peut-être donné raison, mais pour le regretter. Cette condition propre à l'âme vulgaire ne pouvait ni ne devait être celle du philosophe.

On peut même se demander si l'enfance, pour Descartes, n'est pas la cause essentielle de la distance qui

---

16. *Discours de la méthode*, 2ᵉ partie.

nous sépare du modèle divin. Puisqu'elle constitue une
gêne aussi considérable pour parvenir à la vérité, on
peut un instant imaginer que dans le système carté-
sien, si l'homme parvenait à expurger totalement
l'enfant qui dort en lui, il serait presque semblable à
Dieu. Certes, l'homme n'a pas un entendement infini
comme Dieu, mais son entendement fini pourrait, sans
l'enfance, être aussi véridique, quant à la matière, que
celui de Dieu. Naturellement et sans effort, l'homme
arrêterait de juger ce qu'il ne connaît pas. Le doute
méthodique, résultat d'un effort de volonté si difficile
pour l'homme encore immergé dans son enfance,
deviendrait une attitude spontanée et indolore. Vue
sous cet angle, l'enfance est l'anti-transcendance
divine, la punition de l'homme. Elle joue donc un rôle
similaire chez Descartes et saint Augustin en nous éloi-
gnant de Dieu et de sa perfection. Erreur ou péché,
l'enfance est un mal.

L'enfant-gêne

L'image tragique de l'enfance telle que théologiens,
pédagogues et philosophes se la représentaient n'était
probablement pas la plus retenue dans l'opinion commune. Encore qu'il ne faille pas négliger l'influence
des idéologues et des intellectuels sur les classes dominantes et lettrées, cette influence était nettement limitée dans les autres milieux sociaux.

A regarder les comportements réels des uns et des
autres, on a le sentiment que l'enfant est davantage
ressenti comme une gêne, voire comme un malheur,
que comme le mal ou le péché. Pour des motifs différents et même opposés, l'enfant, et particulièrement le
nourrisson, paraît être un fardeau insupportable pour
le père auquel il prend sa femme et donc par ricochet
pour sa mère.

Les soins, l'attention et la fatigue que représente
un bébé dans le foyer ne semblent pas toujours du

goût des parents. Et ceux-ci, dans un grand nombre de milieux sociaux, ne passent pas, selon l'expression de Shorter, « le test du sacrifice [17] », symbole le plus clair de ce qu'on entend aujourd'hui par amour parental et plus précisément amour maternel. Puisque beaucoup de ces parents ne peuvent pas, mais aussi, certains, plus nombreux qu'on ne le croit souvent, ne veulent pas faire le sacrifice économique nécessaire ou celui de leur égoïsme, ils envisagèrent nombreux de se débarrasser du fardeau. Il existait et il existe toujours une gamme de solutions à ce problème qui va de l'abandon physique à l'abandon moral de l'enfant. De l'infanticide à l'indifférence. Entre les deux extrêmes, des possibilités diverses et bâtardes dont les critères d'adoption sont essentiellement économiques.

A coup sûr l'infanticide pur et simple est généralement le signe d'une détresse humaine considérable. Le meurtre conscient d'un enfant n'est jamais preuve d'indifférence. Pas plus que l'abandon de son nouveau-né ne s'effectue d'un cœur léger. Ce n'est pas sans émotion et probablement avec culpabilité que ces mères accrochent des petits billets sur les langes du bébé qu'elles abandonnent. J.-P. Bardet [18] en évoque quelques-uns qui montrent que les mères espéraient venir reprendre un jour leurs enfants. Les unes marquent le nom et les particularités du nouveau-né, les autres justifient leur acte. Misère et maladie des unes, situations intenables des autres, bien souvent filles-mères.

Parfois cependant, quelques trousseaux de grand luxe accompagnant le bébé prouvent que le péché et l'abandon qui le suit n'est pas seulement le fait des pauvres... Mais à côté de ces gestes désespérés figurent d'autres gestes et d'autres choix qui ont parfois, même

17. E. Shorter, *Naissance de la famille moderne*, p. 210, Paris, Le Seuil, 1977.

18. J.-P. Bardet, « Enfants abandonnés et enfants assistés à Rouen », in *Hommage à Marcel Reinhard* (1973), p. 37.

s'ils sont involontaires, des conséquences aussi tragiques. Il est difficile de croire à leur parfaite innocence même si nous leur accordons pleinement les circonstances atténuantes.

Le premier signe du rejet de l'enfant réside dans le refus maternel de lui donner le sein. Et ce, particulièrement en un temps où ce geste signifiait une bien plus grande chance de survie pour le bébé, comme on le verra en détail. Ce refus pouvait avoir des motifs différents, mais il aboutissait à la même nécessité : le recours à une nourrice mercenaire, avec la double possibilité, selon ses moyens financiers, de la faire venir à domicile ou de lui faire parvenir l'enfant.

L'habitude du nourrissage mercenaire est fort ancienne en France puisque l'ouverture du premier bureau de nourrices à Paris date du XIIIᵉ siècle. On sait aussi qu'à cette époque le phénomène touchait presque exclusivement les familles aristocratiques. Phénomène intéressant dont on reparlera. On sait enfin que l'habitude de mettre ses enfants en nourrice se généralisa au XVIIIᵉ siècle au point qu'on fut confronté avec la pénurie de nourrices.

Entre ce premier signe au XIIIᵉ siècle et le XVIIIᵉ siècle, on manque de renseignements précis par suite des carences administratives de l'époque. Naissances et morts étaient plus ou moins bien consignées dans les registres paroissiaux. Il faut attendre la déclaration royale du 9 avril 1736 qui obligeait les curés à établir deux registres semblables et d'en déposer un chaque année au greffe du bailliage pour avoir des sources sérieuses sur le problème qui nous occupe [19]. Ceci explique que les historiens contemporains aient fait de remarquables travaux sur les enfants mis en nourrice, dans différentes régions de France, seulement à partir de la deuxième partie du XVIIIᵉ siècle.

19. A lire la correspondance de l'intendant Turgot dans sa généralité du Limousin (1753-1774), on a le sentiment que l'obligation faite aux curés n'était pas toujours suivie.

Pour juger de ce phénomène entre le XIIIᵉ et le XVIIIᵉ siècle, il n'y a que des sources officielles très insuffisantes, et surtout des témoignages personnels tels qu'ils ressortent des Mémoires ou livres de raison qui rapportent les événements familiaux avec plus ou moins de détails.

Jusqu'à la fin du XVIᵉ siècle, il semble que le nourrissage mercenaire ne soit le fait que de l'aristocratie. C'est aux femmes nobles qu'un Vivès ou un Erasme s'adressent et reprochent de ne pas allaiter leurs enfants. Mais ces femmes riches qui font venir les nourrices à domicile privent d'autres enfants, ceux de la nourrice, de leur mère. Et par conséquent, à chaque fois qu'une mère refuse de nourrir son bébé, ce sont deux enfants qui sont privés du lait maternel. En rédigeant ses *Essais*, dans les années 1580-1590, Montaigne s'en plaint déjà. Ecoutons-le : « Il est aisé de voir par expérience que cette affection naturelle (amour parental) à qui nous donnons tant d'autorité, a des racines bien faibles. Pour un léger profit, nous arrachons *tous les jours* leurs propres enfants d'entre les bras des mères et leur faisons *prendre les nôtres en charge* ; nous leur faisons abandonner les leurs à quelque chétive nourrice à qui nous ne voulons pas commettre les nôtres, ou à quelque chèvre [20]. »

Montaigne semble affirmer également que la pratique qu'il dénonce est plus courante et plus largement utilisée dans les différentes couches sociales qu'on ne le croit. D'ailleurs Montaigne lui-même, qui n'appartient pas à la haute aristocratie, voulut que sa femme ait recours à des nourrices, tant il était agacé par la présence de petits enfants sous son toit. Quand il fut obligé de faire une exception pour sa dernière enfant (Léonore), ce fut, d'après ses dires, sans grand enthousiasme.

Selon le témoignage des livres de raison de la

---

20. *Essais*, livre II, chap. 8, souligné par nous.

grande bourgeoisie parlementaire, on constate que les mères au XVIe siècle allaitaient elles-mêmes leurs enfants. Les auteurs de *Entrer dans la vie*[21] mentionnent un extrait très révélateur d'un de ces livres de famille. Madeleine le Goux, mariée en 1532 à Anatole Froissard, conseiller au parlement de Dole, eut cinq enfants qu'elle nourrit tous. Ceux-ci commencèrent, lorsqu'ils furent parents, à utiliser plus ou moins les services de nourrices. Par contre, les petites-filles de Madeleine Froissard, mariées au début du XVIIe siècle, placèrent systématiquement leurs enfants en nourrice dès la naissance. Donc en moins de trente ans, notent les rapporteurs de ce témoignage, de la fin du XVIe siècle au début du XVIIe siècle, la mode de la mise en nourrice a gagné cette famille d'une manière irréversible.

Selon de nombreux témoignages, c'est au XVIIe siècle que la mise en nourrice se répand dans la bourgeoisie[22]. A leur tour, les femmes de cette classe penseront avoir mieux à faire et le diront. Une étude de Jean Ganiage[23] sur les nourrissons parisiens en Beauvaisis confirme le fait.

Mais c'est au XVIIIe siècle que la mise en nourrice s'étend dans toutes les couches de la société urbaine. Des plus pauvres aux plus riches, dans les petites ou les grandes villes, le départ des enfants en nourrice est un phénomène généralisé.

Paris, comme d'habitude, donne l'exemple en envoyant ses petits enfants loin hors de ses murs, parfois jusqu'à cinquante lieues de la capitale, en Nor-

---

21. Extrait du livre de raison de la famille Froissard. *Entrer dans la vie,* p. 155.

22. *Entrer dans la vie,* p. 156-158.

23. « Nourrissons parisiens en Beauvaisis » in *Hommage à Marcel Reinhard,* p. 271-273 : « Les premiers décès de nourrissons que nous puissions identifier remontent aux alentours de 1660, mais quinze ou vingt ans plus tôt l'apparition de patronymes inhabituels dans les actes de sépulture trahit la présence d'enfants étrangers à la Paroisse. »

mandie, en Bourgogne, ou dans le Beauvaisis. C'est M. Lenoir, lieutenant général de police, qui donne les précieux renseignements[24] à la Reine de Hongrie. En 1780, dans la capitale, sur 21 000 enfants qui naissent annuellement (pour une population de 800 000 à 900 000 habitants) moins de 1 000 sont nourris par leur mère, 1 000 sont allaités par une nourrice à domicile. Tous les autres, soit 19 000, sont envoyés en nourrice. Sur ces 19 000 confiés à des nourrices hors du toit maternel, 2 000 ou 3 000, dont les parents avaient des revenus confortables, devaient être placés dans la banlieue proche[25] de Paris. Les autres, moins fortunés, étaient relégués au loin.

A Lyon, on constate le même phénomène. Le lieutenant de police et non moins humaniste, Prost de Royer, note que « la population de 180 000, peut-être 200 000, donne tous les ans à Lyon près de 6 000 naissances... Sur ces 6 000 enfants, il en est tout au plus 1 000 à qui les parents puissent donner de bonnes nourrices. Les autres sont jetés... à des nourrices languissantes et misérables ». Aux dires de Prost, on ne peut même pas compter le nombre d'enfants directement nourris par leur mère.

Mais le phénomène ne touche point seulement les grandes villes. L'étude d'Alain Bideau[26] sur la petite ville de Thoissey-en-Dombes entre Mâcon et Lyon prouve que « ses habitants se comportaient comme les Lyonnais, les Parisiens et les Meulanais[27] et mettaient leurs enfants à la campagne ».

24. *Détails sur quelques établissements de la ville de Paris demandés par sa Majesté Impériale, la Reine de Hongrie, à L. Lenoir, lieutenant général de police*, Paris, 1780.

25. Cf. l'article de Galliano sur la « Mortalité infantile dans la banlieue sud de Paris » (1966).

26. *L'Envoi des jeunes enfants en nourrice. L'exemple d'une petite ville : Thoissey-en-Dombes (1740-1840)*.

27. Cf. M. Lachiver, *La Population de Meulan du XVIᵉ au XVIIIᵉ siècle, Etude de démographie historique*, SEVPEN, 1969, p. 123-132.

Grâce à la meilleure tenue des registres paroissiaux, les historiens patients purent détecter la répartition socio-professionnelle des parents des enfants morts en nourrice. Ce qui nous intéresse pour l'instant, c'est davantage l'origine sociale des parents naturels que la proportion des enfants morts que nous étudierons plus loin.

A Thoissey la répartition faite par Bideau est la suivante :

Profession	Nombre	Pourcentage
Inconnue	9	4,4
Marchands	83	40,9
Artisans	53	21,1
Compagnons.........	9	4,4
Bourgeois	14	6,9
Professions libérales ..	17	8,4
Gens de Justice	15	7,4
Journaliers	2	1,0
Paysans	1	0,5
Divers		
TOTAL	203	100,00

Comme à Meulan, d'après les études de Lavicher, ce sont essentiellement les bons bourgeois qui mettent leurs enfants en nourrice. A. Bideau pense que cette attitude est davantage le fait des petites villes où les plus pauvres gardent leurs enfants, que celui des grandes.

Cette hypothèse semble exacte quand on considère la répartition socio-professionnelle des parents dont les enfants sont morts en nourrice à Lyon [28].

28. M. Garden, *Lyon et les Lyonnais au* XVIIIe *siècle*, Flammarion, 1975, p. 60.

Catégories socio-professionnelles	%
Ouvriers en soie et fabricants	34,5
Textiles divers (ou annexes : teinturiers)	5,2
Négociants et marchands	10,7
Bourgeois, nobles et professions libérales	5,7
Commerce de l'alimentation	7,5
Commerce de vin (cabaretiers, aubergistes)...............	2,8
Cordonniers et tailleurs................	6,7
Métiers du bâtiment.................	6,1
Chapeliers	1,6
Journaliers, affaneurs et domestiques ..	2,4
Voituriers et transporteurs	1,1
Artisans divers	15,7
TOTAL	100,0

Ces chiffres montrent qu'à Lyon, ce sont les plus besogneux et non les plus pauvres qui mettent le plus leurs enfants en nourrice, et que c'est davantage une pratique populaire qu'une habitude de possédants.

Dans son étude sur les nourrissons parisiens en Beauvaisis, J. Ganiage constate que la rive droite de la capitale fournissait plus de la moitié des effectifs des nourrissons mis en nourrice : ce sont principalement les quartiers de commerçants et d'artisans ; rive gauche, c'est surtout la paroisse de Saint-Sulpice qui est la plus représentée avec les enfants des intendants, cuisiniers ou laquais des hôtels particuliers [29].

En général, conclut Ganiage, l'éventail social des enfants mis en nourrice s'ouvrait largement de la bourgeoisie aux classes populaires, du conseiller à la cour au travailleur en chambre. Seules la noblesse et la haute bourgeoisie n'étaient quasiment pas représen-

29. *Op. cit.*, p. 281, 283.

tées, car ces familles préféraient le système des nourrices à domicile.

Mais l'origine sociale des enfants mis en nourrice
peut changer sensiblement d'une région à l'autre. Il
est certain que les parents les plus riches des grandes
villes qui envoient leurs enfants en nourrice choisissent les villages et les régions les plus proches de leur
domicile, pour mieux surveiller l'enfant ou pour lui
éviter un trop long trajet dès la naissance. Ces proches
banlieues, fort recherchées, sont aussi les plus chères.
Par conséquent, plus l'origine sociale de l'enfant est
modeste, plus il sera éloigné de ses parents. Paul Galliano a consacré un mémoire très important à l'étude
de la mortalité infantile dans la banlieue sud de Paris
de 1774 à 1794 [30]. Il relève que sur l'ensemble des
enfants morts en nourrice, près de 88 % sont originai-
res de Paris. La rive droite et la rive gauche y sont
également représentées, mais les sections périphériques
du nord de la capitale ne le sont pratiquement pas et
celles de l'est pas du tout. Ce qui ne saurait nous
étonner quand on sait qu'elles sont les plus pauvres de
la ville. Pour elles, la banlieue sud trop proche devait
être trop chère.

En étudiant l'origine sociale de ces enfants, Galliano
constate, comme Ganiage, « combien la mise en nourrice était pratique courante dans les milieux les plus
divers ».

Les plus pauvres, les gagne-deniers, ne sont absolument pas représentés, probablement parce que
l'absence de revenus stables les aurait empêchés de
payer régulièrement une nourrice. Mais les maîtres
marchands constituent à eux seuls presque la moitié
des effectifs. Dans ce tableau, à la différence de
l'étude de Ganiage, on constate la présence d'enfants
nobles.

Quant aux parents nourriciers, ils se recrutent parmi

30. Annales D. H., 1966, p. 166 à 172.

Tableau de Galliano : origine sociale des enfants mis en nourrice

Profession et niveau social des parents	Nombre de cas observés	
Noblesse..................	38	6 %
Officiers civils, professions libérales	100	15,5 %
Officiers militaires et soldats roturiers.......................	12	2 %
Maîtres marchands..............	283	44 %
Ouvriers, compagnons artisans, journaliers.....................	155	24 %
Fermiers, laboureurs, vignerons....	15	6 %
Domestiques	41	6 %
TOTAL	644	100 %

les plus humbles, puisque Galliano, en examinant leur imposition du principal de la taille, constate soit qu'elle était nulle, soit qu'elle variait entre une et cinq livres. Ce sont surtout des jardiniers ou journaliers, parfois de très modestes artisans. Toutes ces études chiffrées prouvent la généralité de la pratique de la mise en nourrice. Il faut remarquer cependant que deux catégories socio-professionnelles brillent par leur absence ou leur rareté dans nos tableaux. Shorter note la quasi-absence des enfants d'ouvriers de fabrique, fer de lance de la modernisation. Les femmes qui travaillaient en usine plaçaient leurs enfants pour la journée, mais les récupéraient, semble-t-il, le soir. Plus importante est l'absence, sur nos listes, des enfants de paysans aisés ou riches.

Or, selon P. Goubert, le monde paysan représente 80 % des Français au XVIIIᵉ siècle. Certes il n'y a pas 80 % de paysans aisés ou riches et l'on a vu paraître dans les tableaux les enfants de journaliers. On sait également que les paysannes les plus pauvres et les plus démunies se trouvaient obligées d'abandonner leurs enfants pour nourrir ceux des villes [31]. Malgré cela, le monde paysan représente une exception de taille, puisqu'il préfère garder ses enfants à la maison que s'en débarrasser.

Faut-il considérer l'éloignement de l'enfant, comme E. Le Roy Ladurie [32] le suggère, comme un signe de la pathologie urbaine ? Le style de vie et les difficultés de la ville engendreraient-ils une déviation du sentiment maternel ? A la campagne l'instinct tient bon, mais à quelques lieues de là, il s'envole en fumée.

Que la ville soit synonyme d'aliénation pour un grand nombre de ses habitants, nul ne songe à le nier. Qu'elle rende à beaucoup la vie familiale impossible, cela est certain. L'aliénation économique peut produire des comportements aberrants en forçant l'instinct de vie à faire taire tous les autres.

Il est sûr que l'enfant est une gêne considérable pour toutes les femmes qui sont obligées de travailler pour vivre. Il suffit de lire le travail de Maurice Garden [33] sur la ville de Lyon pour en être convaincu. Il montre que les femmes d'ouvriers et d'artisans, grandes pourvoyeuses d'enfants pour les nourrices, n'avaient pas vraiment le choix. C'est dans les métiers où la femme est directement associée au travail de son mari qu'il lui est le plus malaisé de garder et d'élever ses enfants. Il en est ainsi des épouses des ouvriers de la soie, dont on connaît les difficultés immenses au XVIIIᵉ siècle. La femme travaille sur le métier aux côtés de son mari. Pour que le travail soit quelque peu rentable, il n'est pas possible de supporter les

31. Toutes les nourrices n'agissaient pas ainsi. Cf. l'article d'Antoinette Chamoux, dans les *Annales de démographie historique*, 1972 : « L'enfance abandonnée à Reims au XVIIIᵉ siècle ». Les nourrices allaitaient leur bébé et un enfant abandonné en même temps ; parfois aussi un troisième, à peu près sûr de mourir.

32. Cf. *Communications*, 31, 1979.

33. M. Garden, *Lyon et les Lyonnais au XVIIIᵉ siècle*, Science-Flammarion, 1975.

retards consécutifs aux soins à donner aux enfants. L'enfant de ces ouvriers sera nécessairement exclu de la famille. On comprend alors que c'est dans cette catégorie socio-professionnelle qu'on trouve le plus grand nombre d'enfants morts en nourrice.

De même dans les métiers d'alimentation, la femme tient traditionnellement la boutique du boulanger ou du boucher. Que la mère nourrisse, et le mari serait obligé d'embaucher un ouvrier pour tenir la place vacante à la boutique. Une telle attitude est révélatrice d'une donnée économique non négligeable : il coûtait moins cher à ces ménages d'envoyer leur enfant en nourrice que d'employer un ouvrier à peine qualifié. Ceci prouve que de nombreuses nourrices étaient payées un salaire de misère [34], et explique en grande partie la condition des enfants qui leur étaient confiés.

Plus misérables encore étaient les femmes de chapeliers et des affaneurs à Lyon. Ne travaillant pas avec leur mari, elles avaient de petits métiers qu'elles pratiquaient chez elles ou à temps partiel ; comme les dévideuses de soie, les brodeuses ou marchandes de fruits et légumes sur les marchés. Dans ces ménages, les gains étaient si faibles que les parents avaient intérêt à garder l'enfant avec eux, incapables de payer la nourrice, la moins chère soit-elle. C'est ce qui explique, selon Garden, que ce soit dans ces catégories sociales les plus défavorisées qu'il y eut le moins d'enfants morts en nourrice.

Pour les ménages les plus pauvres de la société, l'enfant est bien une menace pour la propre survie des parents. Ils n'ont donc d'autre choix que de s'en débarrasser. Soit en l'abandonnant à l'hôpital, ce qui, on le verra, laisse peu de chance de survie à l'enfant ; soit en le livrant à la nourrice la moins exigeante pos-

34. D'où la tentation pour la pauvre nourrice de prendre plusieurs bébés à la fois, ce qui met plus en péril encore la vie de chacun d'eux. Voir aussi A. Chamoux, *op. cit.*, p. 275.

sible [35], ce qui ne donne guère plus de chances au bébé ; soit enfin par une série de comportements plus ou moins tolérés, qui menaient rapidement l'enfant au cimetière. Sur ce dernier point, F. Lebrun pose une série de questions intéressantes :

« Pourquoi conduire le plus vite possible à l'église, pour des cérémonies supplémentaires du baptême, le nouveau-né déjà ondoyé à la maison, pratique désastreuse dans bien des cas (les registres de sépulture en témoignent), et d'autant moins justifiée que l'ondoiement a pleine valeur de sacrement ? Pourquoi, en ville, envoyer l'enfant en nourrice quelques jours après sa naissance, quel que soit son état de santé, la saison et la distance ? Pourquoi cet usage invétéré, en dépit des interdits sans cesse répétés des statuts synodaux, consistant à faire coucher les tout jeunes enfants avec leurs parents, d'où résultent de fréquents accidents mortels par suffocation ? Pourquoi, d'une façon générale, cette absence de précautions élémentaires autour du petit enfant, chez sa mère, ou a fortiori en nourrice, du moins avant la prise de conscience collective des années 1760-1770 ? Ne s'agirait-il pas, au même titre que pour certains avortements, d'une stratégie (plus ou moins consciente allant dans le sens de la sélection naturelle) de limitation du nombre des enfants au sein de la famille [36] ? »

Philippe Ariès le pensait déjà quand il voyait dans ces différentes pratiques « des choses moralement neutres, condamnées par les éthiques de l'Eglise, de l'Etat, mais pratiquées en secret, dans une demi-conscience, à la limite de la volonté, de l'oubli, de la maladresse ».

Il faut cependant insister sur le fait que ces différentes sortes d'infanticides furent le propre des fem-

---

35. Souvent les parents, ne donnant plus aucun signe de vie à la nourrice, l'y abandonnaient complètement.

36. F. Lebrun, *La Vie conjugale sous l'Ancien Régime*, p. 152-153, Paris, A. Colin, 1975.

mes les plus pauvres de la société. On ne dira jamais
assez l'importance du facteur économique dans ces
pratiques meurtrières. Et nul n'aurait l'impudence
d'affirmer que toutes ces femmes qui abandonnent,
d'une façon ou d'une autre, leur enfant le faisaient
par manque d'amour. Elles étaient réduites à un tel
dénuement physique et moral qu'on se demande comment il y aurait eu place pour un autre sacrifice vital ;
comment l'amour et la tendresse auraient-ils pu
s'exprimer dans cet état catastrophique ? Il suffit de
penser à ces femmes de la campagne qui, aussitôt
accouchées, abandonnaient leur nourrisson pour nourrir un bébé de la ville moyennant sept livres par
mois [37]. Ou bien elles trouvaient des femmes plus misérables encore qui acceptaient de nourrir l'enfant
moyennant seulement cinq livres ; tout cela pour un
bénéfice de deux livres. Dans l'un et l'autre cas,
l'enfant avait les plus grandes chances de mourir.

Il n'est donc pas question de s'appuyer sur ces
exemples pour conclure au manque d'amour des
mères. Tout au plus pourrait-on conclure à la supériorité de l'instinct de vie sur l'instinct maternel. La
mère-pélican qui s'ouvre les entrailles pour nourrir ses
petits est un mythe. Même s'il existe de nombreux cas
où la mère sacrifia sa vie à celle de ses enfants. Les
cas particuliers ne feront jamais une loi universelle de
la nature. Or les comportements instinctifs sont de ce
type.

Pour expliquer l'exil massif des enfants de la ville
chez les nourrices, on a le plus souvent invoqué la
situation économique des parents naturels. Si cette
explication est nécessaire, elle ne paraît pas suffisante.
Il suffit de consulter les tableaux des catégories socio-
professionnelles des parents d'enfants morts en nourrice pour s'en convaincre. A côté des enfants d'extrac-

37. Chiffres donnés par Chamousset, *Mémoire politique*, p. 12. Dans
les *Annales de démographie historique*, 1973, A. Chamoux note qu'à
Reims, fin XVIIIe siècle, une nourrice est payée 8, 10 livres par mois.

tion misérable, figurent deux autres types d'enfants appartenant respectivement à des catégories sociales différentes. Tout d'abord, ceux dont les parents travaillent de concert mais dont la situation économique permettait largement à la mère de s'occuper elle-même de son bébé. Il en était ainsi des maîtres marchands dénombrés par Galliano, de nombreux commerçants, marchands de vin, tailleurs ou artisans repérés par Ganiage ou Bideau. Ceux-là pouvaient garder leurs enfants près d'eux et ne le faisaient pas. Pourquoi ? L'explication économique ne suffisant plus, il faut l'abandonner et recourir au facteur social. La raison avancée par E. Shorter semble la plus convaincante : « Si l'amour maternel leur faisait défaut, c'est qu'elles étaient contraintes par des circonstances matérielles et par *l'attitude de la communauté à faire passer le bien-être de l'enfant après certaines autres considérations*, comme la nécessité de faire marcher la ferme ou d'aider leur mari à tisser [38]. »

Il semble bien que, dans le cas de cette petite bourgeoisie travailleuse, les valeurs sociales traditionnelles pèsent d'un poids plus lourd qu'ailleurs : puisque la société valorise l'homme, donc le mari, il est normal que l'épouse fasse passer les intérêts de celui-ci avant ceux du bébé.

Le choix de ces femmes (car économiquement elles pouvaient agir autrement) était déterminé par l'influence de l'idéologie dominante. L'autorité du père et de l'époux domine la cellule familiale. Fondement économique et chef moral de la famille, il en est aussi le centre : tout doit tourner autour de lui [39].

---

38. Shorter, *op. cit.*, p. 210. Souligné par nous pour indiquer que c'est cette seconde raison qui se rapporte au deuxième type de parents.

39. C'est ce dont témoigne la grand-mère de Rétif de La Bretonne quand elle accueille, d'ailleurs avec joie, son fils Edme de retour de voyage : « Je ne dois pas tant m'occuper de ce cher fils que j'oublie le père... Allons, mes filles, servez un peu votre frère ; pour moi, voici mon lot (l'époux), que je ne céderai à personne, pas même à mes enfants », in *La Vie de mon père*, p. 58.

Mais il reste encore une troisième catégorie de femmes dont on a peu cherché jusqu'ici les motifs
d'action : celles sur lesquelles ne pèse aucune hypothè-
que économique, celles également qui sont le moins
soumises aux valeurs traditionnelles. Elles aussi mirent
leurs enfants en nourrice et refusèrent de donner la
mamelle. Moins nombreuses que les autres, c'est pourtant elles qui nous intéresseront au premier chef dans
le chapitre suivant. Car c'est à partir de leur action,
elles qui étaient les plus libres, que l'on pourra le plus
sûrement questionner la spontanéité de l'amour maternel.

L'attitude de ces femmes est d'autant plus remarquable que c'est dans les classes dominantes, auxquelles elles appartenaient, que naquit, comme l'a montré
P. Ariès, le sentiment de l'enfance. Il faut absolument
le lire pour voir naître dès le XVIᵉ siècle la prise en
compte de la spécificité de l'enfant. Pourtant, malgré
les progrès accomplis, certains signes témoignent,
encore au XVIIIᵉ siècle, d'une indifférence persistante
de la société qui tendrait à montrer que l'enfant n'a
toujours pas acquis un statut vraiment signifiant.

Persistance du mépris pour l'enfant

Un jouet

Un premier indice est la représentation courante de
l'enfant comme un jouet ou une machine. On sait
qu'au XVIIIᵉ siècle le petit enfant est désigné par le
terme de « poupart » qui ne signifiait pas ce qu'on
entend aujourd'hui par poupon, bébé, mais ce qu'on
nommerait « poupée ».

Le poupart est considéré très souvent par les parents
comme un jouet amusant que l'on aime pour son plaisir et non pour son bien. Il est une sorte de petit être
sans personnalité, un « jeu » entre les mains des adultes. Dès qu'il a fini de distraire, il cesse d'intéresser.

C'est ce que reprochent certains moralistes aux parents du XVIIIe siècle. Par exemple, Crousaz [40] : Vous traitez vos enfants comme eux-mêmes traitent leur poupée. Vous vous amusez d'eux tant qu'ils sont drôles, naïfs et disent des petites choses amusantes. Mais dès qu'ils prennent de l'âge et du sérieux, ils ne vous intéressent plus. Vous les abandonnez comme on jette des poupées. Alors « aux familiarités excessives succède une sévérité outrée ou une indifférence glacée ». Cette remarque de Crousaz est tout à fait vérifiée par *Le Journal d'Héroard* sur l'éducation du jeune Louis XIII. La familiarité sexuelle des adultes à l'égard de l'enfant et même celle de ses parents montrent que tout cela ne tire pas à conséquence. Le jeune enfant n'est pas un humain à part entière. Certains penseront peut-être que ces jeux, interdits après sept ans, ne témoignent que d'une conception de l'innocence enfantine.

Outre que les théologiens et pédagogues disent le contraire, il semble plutôt que ces attitudes révèlent l'insignifiance du petit enfant : un jouet sans âme plutôt qu'une âme chargée de péché ou qu'une âme parfaitement innocente. Si l'on avait cru à cette innocence, nul doute qu'on aurait craint de la ternir en donnant de mauvais désirs à l'enfant. Pour l'entourage, le petit Roi qui dresse sa guillery en signe de contentement aux caresses qu'on lui prodigue, fait preuve d'un bon réflexe. Rien de plus, la petite machine qu'est l'enfant fonctionne correctement. Ici désirs, passions, péchés n'ont aucune place parce qu'un mécanisme n'en a pas [41].

Quand ils grandissent, on continue de les considérer comme des machines. On pousse si loin la discipline,

---

40. Crousaz, *Traité de l'éducation des enfants* (1722).

41. C'est bien aussi ce que reproche Crousaz quand il écrit : « On regarde ordinairement les enfants comme des petites machines : on en use avec eux comme avec des êtres qui ne raisonnent pas. »

dit Crousaz, qu'on les accoutume à renfermer leurs pensées, à n'exprimer ni sentiment, ni raisonnement. Ils semblent obéir mécaniquement à leurs parents. C'est ce qu'a très bien vu Marivaux dans *Le Spectateur*, quand il décrit des enfants guindés, élevés dans une étroite et sèche étiquette, habitués à tourner impeccablement le compliment. Il est tentant alors de comparer l'enfant à un automate, sans vie et sans âme.

L'idée d'enfant-machine [42] sera reprise par bon nombre de médecins de l'époque. En 1784, le médecin Alphonse Leroy écrivait : « Il est facile de changer les principes qui constituent l'enfant. » Pour lui comme pour d'autres, l'enfant est une machine dont il serait aisé de réformer à notre gré les ressorts, la forme et la matière. Il laisse entendre qu'on pourrait reconstruire, remodeler un enfant sur un nouveau modèle, grâce à la médecine et à l'éducation. Une telle conception n'était possible que si on niait la spécificité de l'enfant, en pensant qu'il devait être ce qu'on en ferait.

Le désintérêt du médecin

Une telle image de l'enfance explique en grande partie l'absence d'une médecine infantile. On sait que la spécialité naîtra au XIXᵉ siècle et que le terme « pédiatrie » ne verra le jour qu'en 1872. Cependant la deuxième partie du XVIIIᵉ siècle montre une prise de conscience médicale de la spécificité de l'enfant qui, de l'aveu d'un médecin anglais, G. Buchan [43], n'avait pas eu lieu jusque-là : « Les médecins, dit-il, n'ont pas été assez attentifs à la manière de gouverner les enfants. On a, en général, regardé cette occupation comme étant seulement du ressort des femmes, et les

---

42. E. Pilon, *La Vie de famille au XVIIIᵉ siècle*, 1978, p. 124-125.
43. *Médecine domestique*, p. 14 à 17 (1775).

médecins ont souvent refusé de voir les enfants en maladie. »

Bien que de nombreuses maladies infantiles fassent l'objet de descriptions précises de la part des médecins, comme la variole, la varicelle, les oreillons, la diphtérie, la coqueluche, la scarlatine[44], etc., la pratique médicale n'est guère brillante. Car on pensait, rapporte le docteur écossais, que les maladies des enfants étaient plus difficiles à soigner que celles des adultes, pour la bonne raison que ces derniers ne parlent pas quand ils sont petits. Or la source principale d'informations était les questions posées au malade et non l'auscultation.

Ceci explique que certains médecins du XVIIIe siècle se soient intéressés à l'étiologie des maladies infantiles, c'est-à-dire à la théorie, et qu'ils aient abandonné la pratique aux bonnes femmes, même s'ils semblent leur en faire grief. Buchan propose une explication de leur désintérêt : « *La médecine a été bien peu attentive à la conservation des enfants et cela par indifférence et méconnaissance de la richesse potentielle de l'enfance... Que de peine, que de dépenses ne fait-on pas tous les jours, pour faire exister encore quelque temps un vieux corps chancelant et prêt à périr, tandis que des milliers de ceux qui peuvent devenir utiles à la société périssent sans qu'on daigne leur administrer le moindre secours, ni qu'on daigne les regarder[45].* »

Le texte de Buchan traduit par le médecin français Duplanil, en 1775, marque très bien le changement d'état d'esprit et l'explique. Ceux qui ont connu les deux idéologies peuvent, mieux que nous-mêmes, faire l'analyse d'attitudes opposées qui furent successivement les leurs. Or Buchan est net : avant, l'enfant comptait peu car il n'apparaissait ni comme irrempla-

---

44. J.N. Biraben, *Le Médecin et l'enfant au XVIIIe siècle* (*Annales de démographie historique*, 1973), p. 215 à 223.
45. Buchan, *op. cit.*, p. 16 (souligné par nous).

çable ni comme une personnalité unique, ni surtout comme une richesse. Et Buchan qui a bien compris la mentalité de ses contemporains conclut : « Les hommes ne savent évaluer les choses que sur l'utilité présente et jamais sur celle qu'elles peuvent leur procurer un jour... Il ne faut pas chercher d'autres causes à l'indifférence générale avec laquelle on envisage la mort des enfants [46]. » Décidément Buchan n'est pas seulement fin psychologue. Il y a du physiocrate dans cet homme-là, car davantage que l'indifférence parentale de ses contemporains, c'est leur mauvais calcul qu'il réprouve. Pour eux l'enfant n'a pas grande valeur, ni valeur spécifique, ni valeur économique à long terme.

En 1804, un autre médecin, Verdier-Heurtin, fait encore un bilan très négatif de la médecine infantile. Il attribue cette carence au fait qu'« on ne s'est pas encore persuadé que c'est une médecine différente de celle des autres âges [47] ». Preuve que les médecins — des hommes — mettront longtemps à admettre la spécificité de ce stade de la vie. Au début du XIXᵉ siècle, la médecine infantile est encore abandonnée aux femmes qui, dit-il, « ont plus confiance dans les rêveries du grand Albert [48] que dans nos modestes ordonnances ».

Son absence dans la littérature

Un troisième signe de l'insignifiance de l'enfant nous est révélé par la place qui lui était faite dans la littérature jusqu'à la première moitié du XVIIIᵉ siècle. D'une façon générale, « il y est considéré comme un objet ennuyeux, en tout cas indigne de retenir l'attention. On est frappé par une sorte d'indifférence, pour ne pas dire d'insensibilité à l'égard du petit enfant [49] ».

46. *Op. cit.*, p. 16-17.
47. Verdier-Heurtin, *Discours sur l'allaitement*, p. 50-53.
48. Allusion à la fausse science qu'est l'alchimie.
49. G. Snyders, *op. cit.*, p. 173.

La Fontaine, La Bruyère ou Boileau rivalisent de condescendance quand ils évoquent l'enfant[50]. Seul Molière adopta une position plus nuancée en cette matière[51]. Mais d'une façon générale, l'état d'esprit des hommes de lettres à l'égard de l'enfance variera peu jusqu'au début du XVIIIe siècle. Il suffit de lire *La Vie de Marianne* de Marivaux (1741) ou les *Mémoires pour servir à l'histoire de la vertu* de l'abbé Prévost pour en être convaincu.

La représentation littéraire de la place de l'enfant dans la société est très importante car les œuvres des auteurs cités touchent les lecteurs nobles et bourgeois (classes qui lisent et vont au théâtre) et leur renvoient une image d'eux-mêmes. Alors que les théories philosophiques et théologiques s'adressent plus particulièrement aux intellectuels, donc à un public spécialisé et restreint, la littérature a une plus large audience et est probablement plus significative de la mentalité régnante au sein de la classe dominante.

A la version tragique et pessimiste de l'enfance, elle oppose un royal mépris de l'enfant. Plus que le mal, l'enfant est plutôt le rien insignifiant ou le presque rien. C'est cette quasi-insignifiance qui explique en partie l'indifférence maternelle du troisième type de femmes évoqué plus haut. Car il fallait une grande dose d'insensibilité pour supporter, comme elles le firent, la mort de leurs enfants, mais aussi pour choisir de les faire vivre, éloignés, dans une sorte d'abandon moral.

L'indifférence de leur classe n'explique pas entièrement le comportement de ces mères. Une part de l'explication se trouve dans leurs désirs et ambitions de femmes.

---

50. *Ibid.*, p. 173 à 177.
51. *Ibid.*, p. 291 à 293.

CHAPITRE III

L'INDIFFÉRENCE MATERNELLE

En cherchant, dans les documents historiques et littéraires, la substance et la qualité des rapports entre la mère et son enfant, nous avons constaté soit de l'indifférence, soit des recommandations de froideur, et en apparence du désintérêt pour le bébé qui vient de naître. Ce dernier point est souvent interprété ainsi : comment se serait-on intéressé à un petit être qui avait tant de chances de mourir avant un an ? La froideur des parents, et de la mère en particulier, servait inconsciemment de cuirasse sentimentale contre les grands risques de voir disparaître l'objet de sa tendresse. Autrement dit : mieux valait ne pas s'attacher pour ne pas souffrir par la suite. Une telle attitude aurait été l'expression parfaitement normale de l'instinct de vie des parents. Etant donné le taux élevé de la mortalité infantile jusqu'à la fin du XVIIIᵉ siècle, si la mère s'était attachée intensément à chacun de ses nourrissons, à coup sûr elle serait morte de chagrin.

Pendant longtemps, les historiens des mentalités ont souvent retenu cette interprétation[1]. On les comprend d'autant mieux que, sans vraiment justifier l'action de ces mères, cette explication nous interdit de les juger. En insistant sur les terribles aléas de la vie de jadis et sur les malheurs divers (pauvreté, épidémie, et autres

---

1. Flandrin, Lebrun et Shorter ne furent pas de ceux-là.

nécessités...) qui s'abattaient sur nos ancêtres, on amène tout doucement le lecteur du XXᵉ siècle à se dire qu'après tout, dans leur situation, nous aurions senti et agi de même. Ainsi s'opère dans les esprits la belle continuité entre mères de tous temps, qui conforte l'image d'un sentiment unique, l'Amour maternel. A partir de là, certains ont conclu qu'il peut y avoir plus ou moins d'amour maternel, selon les difficultés extérieures qui s'abattent sur les gens, mais qu'il y en a toujours. L'amour maternel serait une constante trans-historique.

D'aucuns diront que les sources écrites que nous possédons ne concernent généralement que les classes aisées, pour lesquelles on écrit et à propos desquelles on écrit, et qu'une classe pervertie ne condamne pas l'ensemble des mères. On peut aussi rappeler l'attitude des paysannes de Montaillou[2] qui, à l'aurore du XIVᵉ siècle, bercent, mignotent et pleurent leurs enfants morts. Ce témoignage montre simplement que, de tout temps, il y eut des mères aimantes et que l'amour maternel n'est pas une création *ex-nihilo* du XVIIIᵉ ou XIXᵉ siècle. Mais cela ne prouve en aucun cas que ce fut une attitude universelle.

On a déjà évoqué l'importance du facteur économique sur le comportement des mères, ainsi que le poids des convenances sociales. Mais que dire de ces femmes des classes aisées sur lesquelles ne pesait aucune des deux hypothèques puisque leur mari n'avait pas besoin de leur travail pour compléter le leur ? Que penser de ces femmes qui avaient tous les moyens d'élever leurs enfants auprès d'elles et de les aimer, et qui pendant plusieurs siècles ne l'ont pas fait ? Il semble qu'elles jugèrent cette occupation indigne d'elles et choisirent de se débarrasser de cette charge. Elles le firent d'ailleurs sans provoquer le moindre scandale. Car, à part quelques sévères théologiens et autres intellectuels

2. E. Le Roy Ladurie, *Montaillou, village occitan*, p. 305 à 317.

(tous des hommes), les chroniqueurs de l'époque sem-blaient trouver la chose normale.

D'ailleurs, le fait que ces derniers se soient si peu intéressés aux mères aimantes, ou aux mères dévoyées, tend à prouver que cet amour n'avait pas alors une valeur sociale et morale. Cela montre que sur ces fem-mes privilégiées ne pesaient ni menace ni culpabilité d'aucune sorte. A la limite, on pourrait voir en elles un cas tout à fait exceptionnel d'attitude spontanée. Car si la « mode[3] » n'était pas à la maternité, elles ont largement contribué à la diffuser, même si, à la fin du XVIIIe siècle, elles s'en dirent les victimes.

Il nous a donc semblé important d'analyser leurs comportements et leurs discours, qui selon une loi bien connue se sont propagés du haut en bas de l'échelle sociale, et de rappeler avec précision les consé quences de telles attitudes sur leurs enfants.

Ainsi nous verrons-nous contraints d'inverser la pro-position courante : ce n'est pas parce que les enfants mouraient comme des mouches que les mères s'intéres-saient peu à eux. Mais c'est en grande partie parce qu'elles ne s'intéressaient pas à eux qu'ils mouraient en si grand nombre.

Les marques d'indifférence

C'est à la recherche des preuves d'amour que nous partons maintenant. Ne pas les trouver nous forcerait à conclure en sens inverse.

---

3. Le mot « Mode » est le terme utilisé par Talleyrand dans ses *Mémoires,* p. 8 : « La mode des soins ˝ paternels ˝ n'était pas encore arri-vée (il est né en 1754) ; la mode était tout autre dans mon enfance... » Et plus haut : « des soins trop multipliés auraient paru de la pédanterie, une tendresse trop exprimée aurait paru quelque chose de nouveau et par conséquent de ridicule ». (Au XVIIIe siècle, « paternel » est souvent utilisé dans le sens de « parental ».)

La mort de l'enfant

Nous avons aujourd'hui la conviction profonde que la mort d'un enfant laisse une marque indélébile dans le cœur de sa mère. Même celle qui perd son fœtus à peine viable garde le souvenir de cette mort quand elle désirait l'enfant. Sans sombrer dans les manifestations pathologiques du deuil, toute femme se souvient de ce jour comme celui d'une perte irremplaçable. Le fait de pouvoir en engendrer un autre neuf mois plus tard n'annule pas la mort du précédent. A la qualité que nous attribuons à chaque être humain, y compris le fœtus viable, on ne peut substituer aucune quantité.

C'est la mentalité inverse qui dominait jadis. Dans sa thèse, F. Lebrun écrit : « sur le plan humain, la mort du petit enfant est ressentie comme un accident presque banal qu'une naissance ultérieure viendra réparer[4] ». Ceci témoigne de la moins grande intensité de l'amour d'une mère pour chacun de ses enfants. P. Ariès plaida la cause de cette insensibilité qui « n'est que trop naturelle dans les conditions démographiques de l'époque[5] ». Naturelle ou pas, l'insensibilité nous apparaît bien crûment dans les annales domestiques du XVIIIe siècle. Dans ces livres de raison où le chef de famille rapportait et commentait tous les événements touchant la famille, on enregistre le décès de ses enfants le plus souvent sans commentaire, ou avec quelques formules pieuses qui semblent plus inspirées par le sentiment religieux que par le chagrin.

Ainsi ce chirurgien de Poligny[6] consigne le décès de ses enfants en ajoutant après chacun d'eux, comme pour le décès de ses parents et de ses voisins : « Dieu veuille avoir soin de son âme. Amen. » Le seul regret qu'il semble manifester est pour un fils de vingt-quatre ans qu'il qualifie de « beau jeune homme ».

    4. *Les Hommes et la mort en Anjou aux* XVIIe *et* XVIIIe *siècles*, p. 423, Paris, 1971.
    5. P. Ariès, *op. cit.*, p. 30.
    6. Babeau, *Bourgeois d'autrefois*, 1886, p. 268-269.

Un autre bourgeois, avocat de Vaux-le-Vicomte, se marie en 1759. Ayant eu un enfant chaque année, il en perd successivement six, âgés respectivement de quelques mois à six ans. Il inscrit la perte des cinq premiers sans rien ajouter à leur nom. Au sixième, il ne peut s'empêcher de faire un bilan : « En sorte que je me trouve sans enfant ayant eu six garçons. Bénie soit la volonté de Dieu ! »

Tout ceci est dans la lignée du mot célèbre de Montaigne : « j'ai perdu deux ou trois enfants en nourrice, non sans regrets mais sans fâcherie[7] ».

L'absence apparente de chagrin à la mort de son enfant n'est pas l'apanage des pères. Les mères ont des réactions identiques. Shorter cite le témoignage du fondateur d'un hospice pour enfants trouvés en Angleterre qui était bouleversé par ces mères qui abandonnaient leurs bébés mourants dans les ruisseaux ou sur les tas d'ordures de Londres où ils restaient à pourrir. Ou encore la joyeuse indifférence d'une personne de la bonne société anglaise qui, « ayant perdu deux de ses enfants, faisait remarquer qu'il lui en restait encore treize à la douzaine ».

Les Françaises n'ont rien à envier aux Anglaises sur ce point. Il suffit de lire les propos de Madame Le Rebours dans son *Avis aux mères* en 1767 : « Il y a des mères qui, en apprenant la nouvelle de la mort de leur enfant en nourrice, se consolent, sans en chercher la cause, en disant : hélas, c'est un ange au paradis. Je doute que Dieu leur tienne compte de leur résignation en pareil cas. Il permet qu'il se forme des enfants dans leur sein pour qu'elles tâchent d'en faire des hommes : d'ailleurs parleraient-elles ainsi si elles faisaient réflexion aux cruelles douleurs que ces enfants ont éprouvées avant de succomber ; qu'elles sont souvent cause de leur mort par leur négligence[8] »...

7. Montaigne, *Essais*, II, 8.
8. P. 67-68.

Mais quelle plus belle preuve d'indifférence que l'absence des parents à l'enterrement de leur enfant ! Dans certaines paroisses, comme en Anjou, aucun des deux parents ne se déplace pour l'inhumation de l'enfant de moins de cinq ans. Dans d'autres paroisses, un des deux y assiste, parfois la mère, tantôt le père[9]. Certes, dans de nombreux cas d'enfants mis en nourrice, les parents n'apprennent que fort tardivement leur décès. Il faut bien dire qu'ils ne se donnent pas grand peine pour se tenir au courant de la santé de leur enfant.

Une dernière preuve de cette indifférence nous est offerte par le phénomène inverse : le chagrin à la mort d'un de ses enfants est toujours remarqué par l'entourage. Apparemment, c'est là manifester un curieux comportement.

Lebrun[10] note que le chagrin d'Henri Campion à la mort de sa fille, âgée de quatre ans, en 1653 est si exceptionnel qu'il éprouve lui-même le besoin de s'en expliquer : « Que si l'on dit que ces si *vifs attachements peuvent être excusables pour des personnes faites et non pour des enfants*, je réponds que ma fille ayant incontestablement beaucoup plus de perfections que l'on en avait jamais eu à son âge, personne ne peut, avec raison, me blâmer de croire qu'elle eût été toujours de bien en mieux, et qu'ainsi je n'ai pas seulement perdu une aimable fille de quatre ans, mais une amie telle qu'on peut se la figurer dans son âge de perfection. »

Dans une lettre du 19 août 1671, Madame de Sévigné note rapidement le chagrin de Madame Coetquen à la mort de sa petite fille : « Elle est très affligée et dit que jamais elle n'en aura une si jolie. » Madame de Sévigné ne s'étonne pas devant ce chagrin car

---

9. A. Bideau remarque que la majorité des pères se dérangeaient pour enterrer leur enfant dans la petite ville de Thoissey.

10. *La Vie conjugale sous l'Ancien Régime*, p. 144-145 (souligné par nous).

l'objet regretté était unique. Mais si l'enfant n'avait pas eu un caractère exceptionnel (sa joliesse), aurait-il été davantage pleuré que les autres ?

Cent ans plus tard, Diderot montre la même sensibilité que Madame de Sévigné ou le malheureux Campion. Dans une lettre à Sophie Volland, il évoque la « folle » douleur de Madame Damilaville à la mort subite d'une de ses filles et ne peut l'expliquer, sinon la justifier, qu'en se référant aux qualités exceptionnelles de la petite fille décédée : « Je permets de s'affliger à ceux qui perdent des enfants comme celui-là [11]. »

Tous ces témoignages montrent que l'affliction est exceptionnellement permise et ne dépend que de la qualité particulière de l'enfant mort. Pour tous les autres il aurait paru déplacé de pleurer. Etait-ce parce que les larmes eussent semblé impudiques ? Parce que le chagrin était contraire à l'esprit de la religion ? Ou tout simplement parce qu'il eût été ridicule de regretter une créature aussi inachevée et imparfaite qu'un enfant, comme aujourd'hui on réprouve les gens qui pleurent la mort de leur chien ?

L'Amour sélectif

Une seconde attitude, propre au père et à la mère également, ne peut manquer d'étonner le lecteur du XXᵉ siècle, à savoir l'incroyable inégalité de traitement entre les enfants, selon leur sexe et la place qu'ils occupent dans la famille. Comment l'amour, s'il était naturel et donc spontané, porterait-il davantage sur un enfant plutôt que sur un autre ? Pourquoi, si les affinités sont électives, aimerions-nous davantage le garçon que la fille, l'aîné plutôt que le cadet ?

N'est-ce pas avouer que l'on aime l'enfant d'abord pour ce qu'il nous rapporte socialement et parce qu'il flatte notre narcissisme ? Toute fille coûtera une dot à

11. Lettre du 9 août 1762.

son père sans rien lui rapporter sinon quelques alliances ou l'amitié de son voisin. Peu de chose en fin de
compte si l'on considère qu'alliances et amitiés se
rompent au gré des intérêts. Quant à celle qu'on ne
peut marier faute de l'argent nécessaire à son rang, il
faut lui payer le couvent, la garder comme servante
ou la placer pour servir dans une maison étrangère.
Non, vraiment, la fille n'est pas une affaire pour les
parents et nulle complicité ne semble la rapprocher de
sa mère. La mère garde ses trésors de tendresse et de
fierté pour son aîné, héritier exclusif du patrimoine et
du titre quand ses parents sont nobles.

L'héritier bénéficia dans toutes les couches de la
société d'un traitement familial hautement privilégié. Il
suffisait que les parents aient quelques biens à léguer,
de modestes arpents de terre ou la couronne de
France, pour que ce fils aîné soit l'objet d'une sollicitude exemplaire. A la campagne, la vie quotidienne
apporte à l'aîné des douceurs que ne connaissent pas
les autres, sœurs et cadets. A lui les bons morceaux
de salé et la viande s'il y en a. En revanche, les cadets
n'y goûtent que rarement dans les foyers modestes, et
les filles jamais.

Dans son étude sur le Languedoc, Yves Castan [12]
montre l'ambiguïté du statut de l'aîné. Celui-ci était
d'autant plus obéissant qu'il pouvait redouter d'être
déshérité au profit d'un cadet plus complaisant. Mais
inversement, selon les nombreux documents consultés
par Castan, l'aîné semble avoir la préférence affective
de ses parents. Ainsi la mère, au lieu de partager également son amour entre ses enfants, ou même de privilégier les cadets par plus de tendresse pour compenser leur future misère, se croit tenue de les élever plus
durement ; pour les préparer, dit-on, aux sévérités de
leur sort.

Ainsi la mère garde-t-elle son aîné près d'elle durant

---

12. *Honnêteté et relations sociales dans le Languedoc*, thèse, 1971.

la première enfance. Elle le nourrit et s'en occupe elle-même. Mais elle met volontiers les cadets en nourrice et les y laisse de longues années. Incontestablement, les aînés furent presque toujours plus choyés et mieux éduqués selon les moyens des parents.

Dans ce sentiment si sélectif, où se trouve l'amour maternel dont on dit aisément qu'il existe en tout lieu et en tout temps ? La préférence de l'aîné n'est pas innocente, et probablement pas naturelle. Castan suggère que cette tendresse maternelle reposait sur un solide sens de la prévision dont on note pour une fois la présence : si le père décède avant la mère et si celle-ci devient impotente, de qui dépendra sa survie, sa vieillesse et son bonheur, sinon de l'héritier ? Il est donc nécessaire d'avoir de bons rapports avec celui dont votre sort peut dépendre.

A l'égard du cadet, nul besoin de tant de précautions. Il s'engagera dans l'armée, ou servira de domestique à son frère ou au voisin. S'il a moins de santé et un peu plus d'éducation, il peut espérer porter la soutane. On comprend ainsi les haines fraternelles inexpiables. Même si cette coutume était bien observée à tous les échelons de la hiérarchie sociale, et si tous s'y soumettaient presque unanimement [13], elle n'en était pas moins durement ressentie, du plus humble des paysans au plus titré des nobles.

Dans les familles nobles et riches, les cadets pouvaient espérer se marier plus aisément, mais deux carrières s'ouvraient principalement à eux : les carrières militaire et ecclésiastique. Deux cadets célèbres furent ainsi forcés d'embrasser la voie ecclésiastique : le cardinal de Bernis et l'évêque de Talleyrand qui nous ont laissé des *Mémoires* édifiants.

On sait que Talleyrand eut un frère aîné et deux frères cadets. Il fut baptisé le jour même de sa naissance à l'église Saint-Sulpice (1754) et remis, la céré-

---

13. Castan : le meurtre de l'aîné par le cadet. Cf. « Pères et fils en Languedoc à l'époque classique ». In revue : *Dix-septième siècle*, 1974.

monie terminée, dans les bras d'une nourrice qui
l'emporta immédiatement chez elle, faubourg Saint-
Jacques. Durant plus de quatre années, sa mère ne le
revit pas une seule fois et ne demanda jamais de ses
nouvelles. Elle ignora donc l'accident qui l'estropia et
fit de lui un pied-bot. Elle s'aperçut de sa disgrâce
alors qu'elle avait perdu son premier fils. Devenu
l'aîné, Charles Maurice ne pouvait plus être militaire,
ni représenter glorieusement le nom de sa famille. On
décida contre sa volonté d'en faire un ecclésiastique.
Mais pis, on le força à renoncer à son droit de primo-
géniture en faveur de son frère cadet. Dans ses
Mémoires[14], on rapporte qu'il aurait été dépossédé,
vers l'âge de treize ans, par un conseil de famille, de
son droit d'aînesse au profit de son frère Archambaud
âgé de cinq ans. On peut facilement imaginer cette
scène : l'humiliation et la honte de l'adolescent
infirme devenu l'aîné par accident et rejeté au rang
des cadets à cause d'un autre accident dû, en grande
partie, à l'indifférence maternelle. Mais Madame de
Talleyrand en tira une leçon pratique. Soucieuse de
conserver une descendance à sa famille, elle garda près
d'elle le nouvel héritier et son petit frère qui grandi-
rent sous le toit paternel.

L'histoire de Talleyrand est particulièrement odieuse
probablement à cause de l'infirmité qui en résultait et
qui nous touche parce qu'on se l'imagine. Mais son
cas ne fut pas unique et nous verrons que nombreux
seront les enfants qui reviennent de leur nourrice
estropiés, maladifs ou mourants. Sans parler de tous
ceux qui ne revinrent pas, mais qui, malgré leur nombre considérable, sont noyés pour nous dans une
masse chiffrée et abstraite. Invoquer les nécessités économiques et démographiques à leur propos ne nous
suffit pas. Pour nombre d'entre eux, il y eut, de la
part de leurs parents, des choix à faire entre leurs

14. P. 16, note 1.

intérêts et la vie de l'enfant. Ce fut bien souvent la mort qu'ils choisirent par négligence et égoïsme. Ces mères, ne l'oublions pas, sont aussi à compter dans l'histoire de la maternité. Elles n'en sont peut-être pas les représentantes les plus glorieuses, mais elles ont le mérite d'en dévoiler une image cruelle. Ce n'est certes pas la seule image de la maternité, mais c'en est une qui compte du même poids que les autres.

Le refus de l'allaitement

Les femmes, comme Madame de Talleyrand ou les petites-filles du conseiller Frossard, n'étaient pas disposées à sacrifier leur place et charge à la Cour ou tout simplement leur vie sociale et mondaine pour élever leurs enfants. Le premier acte de ce rejet était le refus de l'allaitement. Pour expliquer cet acte antinaturel, les femmes des milieux aisés invoquèrent un certain nombre d'arguments qui avaient moins pour but de justifier leur action que d'excuser leur inaction. Certaines, pourtant, diront nettement les choses, à savoir : cela m'ennuie et j'ai mieux à faire.

Les explications des femmes

Parmi les arguments les plus souvent cités, deux excuses dominent : l'allaitement est physiquement mauvais pour la mère, et peu convenable. Dans les arguments d'ordre physique, le premier, couramment utilisé par les femmes, est leur propre survie. Elles disaient volontiers que si elles nourrissaient leur bébé, elles se priveraient « d'un chyle précieux absolument nécessaire à leur propre conservation[15] ». Une telle raison, dénuée du moindre fondement médical, pouvait toujours impressionner l'entourage. On invoquait en outre une trop grande sensibilité nerveuse qui serait bouleversée par les cris d'un enfant.

15. Linné, *La Nourrice marâtre* (1770), p. 228.

Mais la même femme qu'un cri bouleverserait est ainsi décrite par le poète Gilbert dans sa satyre du XVIIIᵉ siècle : « Mais aussi qu'à la mort condamné Lalli (Tollendall), en spectacle, à l'échafaud traîné, elle ira première à cette horrible fête, acheter le plaisir de voir tomber sa tête. »

On sait, selon d'autres sources [16], que les femmes du monde n'étaient pas les dernières à courir aux exécutions capitales. Au supplice de Damiens notamment, qui fut particulièrement barbare, certaines montrèrent un enthousiasme proche du délire. Mais les cris du condamné les éprouvaient sans doute moins que ceux de leur enfant !

Au même ordre d'idées appartient l'excuse couramment avancée de la faiblesse de leur constitution, motif absolu de non-allaitement. Mais l'on entendra les moralistes de la fin du XVIIIᵉ siècle se moquer de ce prétexte. Ce sont les mêmes, diront-ils [17], qui évoquent complaisamment leur fragilité et leur pauvre santé, et font de terribles banquets en mangeant les mets les moins digestifs, vont danser au bal jusqu'à tomber de lassitude et courent étouffer à tous les spectacles.

Parfois, au lieu d'attendrir sur leur santé, les femmes utilisent l'argument esthétique et jurent que si elles nourrissent, elles y laisseront leur beauté, c'est-à-dire l'essentiel de leur bien. L'allaitement passait (et passe toujours) pour déformer la poitrine et rendre les tétons mous. Beaucoup ne voulaient pas risquer un tel outrage et préféraient s'en remettre à une nourrice.

Mais si risquer de perdre sa santé et sa beauté ne suffisait pas à émouvoir sur leur sort, les femmes pouvaient en appeler à l'ordre social et moral qui ne laissait personne indifférent.

D'abord les femmes (donc les familles) qui se

16. Barbier, Collé ou Casanova.
17. Verdier-Heurtin, *Discours sur l'allaitement*, p. 25.

croyaient au-dessus du vulgaire pensaient qu'il était peu glorieux d'allaiter elles-mêmes leurs enfants. Puisque les dames de la noblesse avaient depuis longtemps donné l'exemple, cette négligence était rapidement devenue une marque de distinction pour les autres. Nourrir soi-même son enfant revenait à avouer qu'on n'appartenait pas à la meilleure société. Du coup, un médecin du XVIIIᵉ siècle, Dionis, remarquait : « Les bourgeoises jusqu'aux femmes des moindres artisans se déchargent de leurs obligations maternelles sur d'autres. » Réflexion peut-être trop générale et rapide, mais qui montre un aspect des mentalités.

De leur côté, des intellectuels comme Burlamaqui et Buffon montraient le même dédain pour l'allaitement maternel. Parlant du petit enfant, Buffon écrit : « Passons sur le dégoût que peut donner le détail des soins que cet état exige [18]. » Propos masculins qui ne furent nullement démentis par les femmes. Apparemment, « le détail des soins » à donner aux enfants ne leur apportait aucune satisfaction.

Au nom de la bienséance, on déclara l'allaitement ridicule et dégoûtant. Le mot « ridicule » revient souvent dans les correspondances et les Mémoires. Mères, belles-mères et sages-femmes déconseillent à la jeune mère de nourrir elle-même, car la tâche n'est pas assez noble pour une dame de qualité. Il ne sied pas de sortir la mamelle à chaque instant pour nourrir le bébé. Outre que c'est donner là une image animalisée de la femme « vache à lait », le geste manque de pudeur. Cette raison n'est pas un vain mot au XVIIIᵉ siècle. La pudeur est un sentiment réel qu'on ne peut compter pour rien dans ce refus de nourrir. Si la mère allaitait, elle devait se cacher du monde pour le faire et cela brisait pour un long moment sa vie sociale et celle de son époux.

18. R. Mercier, L'Enfant dans la société au XVIIIᵉ siècle (avant l'Emile), p. 55, Dakar, 1961.

Les maris de leur côté ne furent pas sans responsabilité dans le refus de leur épouse de nourrir leurs enfants. D'aucuns se plaignent de l'allaitement de leur femme comme d'une atteinte à leur sexualité et une restriction à leur plaisir. Manifestement certains trouvent dégoûtantes les femmes qui allaitent, avec leur forte odeur de lait[19] et leurs seins qui suintent sans cesse. Pour eux, l'allaitement est synonyme de saleté. Un véritable remède contre l'amour.

Même si le père n'est pas dégoûté, le petit bébé nourri par sa mère le gêne considérablement. Car médecins et moralistes de l'époque s'accordent toujours à proscrire les rapports sexuels non seulement pendant la grossesse mais pendant toute la durée de l'allaitement. Le sperme, dit-on, gâte le lait et le fait tourner. Il met donc la vie de l'enfant en danger. Comme la médecine continue au XVIIIe siècle à diffuser ce faux slogan, le père se voit réduit à une longue période de continence sans plaisir. Comme, d'autre part, en défiant le tabou, on s'était aperçu que la femme qui allaitait était moins fertile durant cette période, le père se trouvait devant une alternative désagréable. Ou bien se faire plaisir sans trop redouter un nouvel enfant (tentation bien agréable) et mettre la vie du bébé en danger. Ou bien se priver pour le conserver. La solution la plus évidente était de fuir le lit conjugal pour quelques amours adultères. Solution qui évidemment déplaisait fort aux épouses. Dans un cas comme dans l'autre, la cohésion familiale était menacée.

Le nourrisson est objectivement une gêne pour ses parents et l'on peut comprendre qu'il fut remis aux bons soins de la nourrice mercenaire jusqu'à son sevrage. Mais les mères ne s'en tiennent pas là, car c'est l'enfant à tout âge qu'elles rejettent en bloc. Il gêne la mère non seulement dans sa vie conjugale,

---

19. Louis Joubert, cité dans *Entrer dans la vie*, p. 160.

mais aussi dans ses plaisirs et dans sa vie mondaine.
S'occuper d'un enfant n'est ni amusant, ni chic.

Celles qui placent leur tranquillité et leurs plaisirs
au premier rang adhèrent tout à fait au petit poème
de Coulanges :

> « Fut-il jamais rien moins charmant
> qu'un tas d'enfants qui crient ?
> L'un dit papa, l'autre dit maman
> et l'autre pleure après sa mie.
> Et pour avoir cet entretien
> Vous êtes marqué comme un chien. »

Les plaisirs de la femme du monde résident essentiellement dans la vie mondaine : recevoir et rendre
des visites, montrer une nouvelle robe, courir à
l'Opéra et à la Comédie. La mondaine joue et danse
tous les soirs jusqu'aux premières heures du matin.
Elle aime alors « à jouir d'un sommeil tranquille, ou
qui ne soit du moins interrompu que par le plaisir [20] ».
« Et midi la trouve au lit [21]. »

Ces femmes ont toutes la conscience bien tranquille
puisque l'entourage admet la nécessité de la vie mondaine quand on est d'un certain rang et que des médecins eux-mêmes reconnaissent que ces obligations sont
des excuses valables pour ne pas materner. N'est-ce
pas un médecin, Moreau de Saint-Elier, qui affirmait
au milieu du XVIIIᵉ siècle que le soin des enfants « est
une charge embarrassante... dans la société ».

Si l'on ajoute à cela que rien n'est moins chic selon
l'idéal mondain de l'époque que « de paraître trop
aimer ses enfants [22] » et d'aliéner son précieux temps

---

20. Toussaint, *Les Mœurs* (1748).
21. Madame Le Prince de Beaumont, *Avis aux parents et aux maîtres
sur l'éducation des enfants* (1750), p. 77.
22. Vandermonde, *Essai sur la manière de perfectionner l'Espèce
humaine* (1750). Ainsi pensait Montesquieu, cité par le R.P. Dainville :
« tout ce qui a rapport à l'éducation des enfants, au sentiment naturel,
paraît quelque chose de bas au peuple ». De même dans les classes aisées :
« nos mœurs sont qu'un père et une mère n'élèvent plus leurs enfants, ne

pour eux, on a la réponse la plus évidente au problème de l'abandon des enfants par leurs mères aisées
ou riches. Car les petites-bourgeoises, femmes de
négociants ou du juge local, guère sujettes aux mondanités, s'empressaient de copier leurs sœurs plus favorisées. A défaut d'une vie sociale brillante, elles pouvaient acquérir un premier signe de distinction, en se
débarrassant elles aussi de leurs enfants. Mieux valait
ne rien faire du tout que de paraître s'occuper
d'objets aussi insignifiants.

Mais tout ceci ne peut suffire à expliquer ce comportement.

Rappelons-nous les avertissements des théologiens
au XVIᵉ siècle qui reprochaient aux mères leur tendresse coupable pour leurs enfants. A la fin du
XVIIIᵉ siècle, toute l'intelligentsia leur fera le reproche
inverse et stigmatisera leur dureté. Il faut donc poser
la question : que s'est-il passé durant deux siècles ?

Certes l'absence du sentiment de l'enfance préexistait à cette période. Mais les femmes allaitaient
presque unanimement leurs enfants, et les gardaient
près d'elles, du moins jusqu'à huit, dix ans. Et bizarrement, c'est au moment même où commence à naître
et se développer ce sentiment de l'enfance, que les
femmes prennent du recul par rapport à leurs devoirs
maternels. Les faits ne sont contradictoires que si l'on
restreint la définition de la femme dans les bornes de
la maternité.

Or, justement, les XVIIᵉ et XVIIIᵉ siècles forment
une période durant laquelle la femme qui en avait les
moyens tenta de se définir comme femme. L'entreprise fut facilitée par le fait que la société n'accordait
pas encore à l'enfant la place qu'on lui connaît. Pour

les voient plus, ne les nourrissent plus. Nous ne sommes plus attendris à
leur vue, ce sont des objets qu'on dérobe à tous les yeux et une femme ne
serait plus du bel air si elle paraissait s'en soucier ». Dans le même esprit,
Turgot confie dans la lettre à Madame de Grafigny en 1751 : « on rougit
de ses enfants ».

ce faire, il lui fallut oublier les deux fonctions qui jadis définissaient le tout de la femme : l'épouse et la mère, qui ne lui donnaient d'existence que par rapport à un autre.

L'émancipation des femmes

En tentant de se définir comme des êtres autonomes, les femmes devaient fatalement connaître une volonté d'émancipation et de puissance. Les hommes, la société, ne purent empêcher le premier acte, mais ils surent très habilement faire obstacle au second et ramener la femme au rôle qu'elle n'aurait jamais dû quitter : celui de mère. En prime, ils récupéreront leur épouse.

Pour comprendre le comportement de rejet de la maternité par les femmes, il faut se rappeler qu'à cette époque, les tâches maternelles ne sont l'objet d'aucune attention, d'aucune valorisation de la part de la société. Au mieux, c'est normal ; au pire, c'est vulgaire. Les femmes ne gagnaient donc nulle gloire à être mères, et pourtant telle était leur fonction principale. Elles comprirent que pour avoir droit à quelque considération, elles devaient emprunter une autre voie que celle du maternage, dont personne ne leur savait vraiment gré.

Mais pour pouvoir seulement y penser, il fallait déjà être bien libérées des fardeaux propres à la condition féminine la plus commune : contingences matérielles, autorité du mari, et isolement culturel. Il valait donc mieux être française qu'italienne, aristocrate ou bourgeoise plutôt qu'ouvrière, femme de la ville plutôt que campagnarde.

Pourquoi les Françaises ?

C'est un fait unanimement reconnu que les Françaises furent les premières à confier leurs enfants légitimes à des nourrices. Elles le firent si massivement qu'au milieu du XVIIIᵉ siècle, on considère que les enfants des villes allaités par leur mère étaient des exceptions. Roger Mercier affirme que cette pratique fut plus couramment copiée qu'on ne le croit dans d'autres pays d'Europe [23]. Mais pas dans tous. Curieusement, on oublia le cas de l'Angleterre et de l'Allemagne pour ne garder en mémoire qu'une attitude typiquement française. Ainsi Hélène Deutsch [24] évoque l'attitude des Françaises pendant ces deux siècles, comme s'il avait été unique en Europe. Aberration inexplicable, selon ses dires, par rapport à la norme maternelle universelle.

Il est difficile de donner une explication entièrement satisfaisante de ce phénomène français, mais aussi anglais et accessoirement allemand. Tout au plus peut-on faire remarquer que la France et l'Angleterre passaient pour les pays les plus libéraux d'Europe à l'égard des femmes. Pillorget [25] note que, dès la fin du XVIe siècle, les Françaises sont plus libres de vie et d'allure que les Espagnoles et Italiennes, mais que les Anglaises le sont davantage encore que les Françaises. Il cite le témoignage d'un contemporain anglais affirmant que « l'Angleterre est un paradis pour les femmes... ». A la même époque, nos bons auteurs en disent autant des Françaises. L'opinion générale fait de la France le pays par excellence de la liberté féminine [26]. Non seulement on se moquait de la barbarie

---

23. *Op. cit.*, p. 31-32 : S'appuyant sur des ouvrages de morale et de médecine, Mercier confirme qu'« en Angleterre, non seulement les femmes des classes élevées, mais toutes celles à qui leurs moyens financiers le permettent, au besoin en se privant à côté, refusent d'allaiter leurs enfants... En Allemagne, même abandon, puisque, à défaut de nourrices, on recherche un moyen d'y suppléer par l'allaitement artificiel ». Par contre, en Hollande et dans les pays du Nord, comme en Suède, l'allaitement mercenaire était peu pratiqué.

24. *Psychologie de la femme*, tome II, p. 9, Paris, P.U.F.

25. Pillorget, *La Tige et le Rameau*, p. 57, Paris, Calmann-Lévy, 1979.

26. L'Abbé de Pure, *La Précieuse* : « La plus grande des douceurs de notre France est celle de la liberté des femmes ; et elle est si grande dans tout le royaume que les maris y sont presque sans pouvoir et que les femmes y sont souveraines. La jalousie n'est pas moins honteuse du mari que le désordre de sa femme. »

des mœurs turques, mais on se flattait aussi de ne pas imiter la jalousie tyrannique des Espagnols et des Italiens.

Il est vrai que, contrairement à ses sœurs méditerranéennes, la Française aisée a toute liberté d'aller et venir et d'avoir commerce avec le monde. La vie sociale qui est cultivée facilite la rencontre des sexes, sans provoquer de drame à l'italienne. La galanterie, mais pas la débauche, comme le dit Pradon[27] en réponse à la satire 10 du misogyne Boileau.

On ne peut pas expliquer cette liberté féminine française ou anglaise par une attitude particulière de l'Eglise à leur égard. Mais on peut noter que ces deux nations étaient regardées comme les plus développées d'Europe, leurs mœurs comme les plus raffinées du monde.

En France, les aristocrates furent les premières à pratiquer l'art de vivre sans enfant. Plus libérées des soucis matériels, possédant temps et argent en abondance, elles semblent avoir illustré avant la lettre le principe de Tocqueville selon lequel ce sont les personnes les plus favorisées qui supportent le plus mal la moindre aliénation. Ayant peut-être considéré que leur temps serait mieux employé à faire autre chose que ce que n'importe quelle autre femme pouvait faire à leur place, moyennant quelque argent, elles affichèrent une volonté de distinction et de puissance. Des occasions leur furent fournies par les guerres intestines. Leurs modèles furent éclatants puisque trois femmes furent régentes du royaume en moins de cent ans.

En ces temps troublés, de nombreuses châtelaines furent les auxiliaires utiles de leurs époux. Elles surent

---

27. Magendie, *La Politesse mondaine et les théories de l'honnêteté en France au XVIIe siècle*, p. 88-89 : « L'honnête liberté que l'on permet en France, loin d'accroître le vice en bannit la licence ; sans se servir ici comme en d'autres climats, de grilles, de verrous, de clés, de cadenas, qui ne font qu'enhardir souvent les plus timides, l'honneur et la vertu servent ici de guides. »

défendre leurs châteaux et garder intacts les biens
familiaux, à l'instar de la célèbre Chrétienne d'Aguerre
qui levait des armées, se faisait écouter dans les
conseils, et disputait la Provence au duc de Savoie.
Madame de la Guette, la baronne de Bonneval, la
comtesse de Saint-Balmont et bien d'autres, ne firent
pas moins impression. Toutes ces femmes qui firent
preuve de courage en des moments périlleux montrèrent aux autres femmes de leur caste qu'elles pouvaient remplir les mêmes fonctions que les hommes, et
aussi bien qu'eux.

Quand vint la Fronde, les grandes aristocrates voulurent s'en mêler. L'occasion était trop belle pour ne
pas s'y distinguer. La duchesse de Chevreuse, la
Grande Mademoiselle, la duchesse de Montbazon et
bien sûr la duchesse de Longueville rivalisèrent d'intri-
gues, d'exploits et de chevauchées. Chefs de guerre
pour le service des Princes, ces femmes oublièrent leur
sexe pour la gloire. La Fronde était beaucoup plus
leur triomphe que leur époux ou leur enfant.

Certes les sus-nommées ne représentent qu'un tout
petit noyau d'aristocrates, mais leurs actions firent
grand bruit, et toutes les femmes du monde eurent la
passion de la politique. On cite souvent, par exemple,
le mot de la petite-fille de Madame de Rambouillet :
« Or çà, ma grand-maman, parlons d'affaires d'Etat à
cette heure que j'ai cinq ans. » Et celui de Mazarin
qui se plaignait de cette passion propre aux Françaises
pendant les négociations du traité des Pyrénées. Il
aurait alors confié au ministre espagnol Don Luis de
Haro [28] : « Vous êtes bien heureux ; *vous avez comme
partout ailleurs, deux sortes de femmes, des coquettes
en abondance* et fort peu de *femmes de bien* : celles-là
ne songent qu'à plaire à leur galant, et celles-ci à leur
mari ; les unes et les autres *n'ont d'ambition que pour
le luxe et la vanité. Les nôtres* au contraire, soit pru-

28. Cité par L. Batiffol, *La Duchesse de Chevreuse*, p. 212 (souligné
par nous), Paris, Hachette, 1913.

des, soit vieilles, soit jeunes, sottes et habiles, veulent se mêler de toutes choses. Une femme de bien ne coucherait pas avec son mari, ni une coquette avec son galant s'ils ne leur avaient parlé ce jour-là d'affaires d'Etat ! Elles *veulent tout voir, tout connaître, tout savoir et, qui pis est, tout faire et tout brouiller.* »

Voilà qu'entre la courtisane et la femme de bien (l'épouse, la mère) se profile une femme qui n'est ni l'une ni l'autre, qui veut « tout savoir... et tout faire ». Un être mi-chair mi-poisson qui ressemble à un homme, qui veut l'imiter et qui n'en est pas un. Facteur de trouble aux yeux du Premier ministre d'une Régente, le sexe faible a le seul tort de vouloir jouer au sexe fort et être son égal. Là est le désordre dans une société monarchiste paternaliste et ô combien hiérarchisée.

Les Parisiennes les plus aisées, nobles et bourgeoises, voulurent imiter les grandes aristocrates. A défaut d'ambitions politiques, elles cherchèrent à leur tour à affirmer leur indépendance et briller par quelque distinction. Le fait de vivre dans une grande ville leur offrait deux possibilités rares en ce début du XVIIᵉ siècle : une vie sociale raffinée et une vie culturelle sans précédent ; l'art de la galanterie vertueuse ou bien le savoir traditionnellement réservé aux hommes. Ces deux options seront successivement celles des précieuses et des femmes savantes jusqu'au milieu du XVIIIᵉ siècle. Ainsi elles tenteront d'égaler les hommes, voire de les soumettre.

Il faut revenir un instant au phénomène urbain, jugé pathologique par les uns, aliénant par les autres. Puisqu'on a vu précédemment les facteurs de l'aliénation urbaine, venons-en à l'autre aspect des choses. La ville, et spécialement la grande ville, est aussi un lieu de libération pour d'autres catégories de personnes. Pour les plus favorisées, elle signifie rencontres et culture. Elle est par excellence le lieu du savoir, là où règnent l'esprit et les occasions de dialogue.

On peut imaginer que les femmes les plus privilégiées eurent envie de briller à l'extérieur de chez elles, plutôt que de rester confinées à la maison entre les devoirs ménagers et maternels qui ne leur valaient aucune reconnaissance particulière. Bientôt elles ne pensèrent qu'à leur salon, n'eurent plus de temps pour s'occuper des leurs et tenir le ménage. Tout à elles-mêmes, elles n'eurent plus une seconde à consacrer à autrui.

Là est la grande différence avec la paysanne riche. Les conditions de vie de celle-ci peuvent expliquer sa fidélité à l'allaitement maternel et au maternage en général. La campagnarde, même si elle en a les moyens, n'a aucune occasion de faire autre chose. Elle sort peu de sa ferme et de ses terres et il serait très mal vu qu'elle abandonne son bébé pour un livre, à supposer d'abord qu'elle sache lire couramment. Rien ni personne ne peut l'amener sur un autre terrain que celui du maternage. Ni galanterie, ni culture ne la menacent. Toute sa vertu (sa valeur) réside dans sa modestie, et son pouvoir ne dépasse pas le cadre de sa cuisine et de son poulailler : tout au plus en impose-t-elle à ses enfants, le valet de ferme et la basse-cour. Aucune sollicitation extérieure ne pouvant parvenir jusqu'à elle, elle reste attachée à ses fonctions traditionnelles, certains diront naturelles. Mais peut-être est-ce faute de choix ?

Par opposition, les femmes aisées des villes eurent toutes les tentations possibles pour les distraire de ces fonctions traditionnelles. Apparemment, du moins, elles y trouvèrent leur bonheur durant une longue période, avant de s'apercevoir qu'elles avaient peut-être été grugées. Nul doute qu'elles pensaient accéder au pouvoir en partageant à parts égales le savoir jadis réservé aux hommes. Forcées de constater leur échec, elles abandonneront cette partie pour en jouer une autre.

Avant d'en arriver à ce changement d'attitude des

femmes, voyons d'abord comment elles gagnèrent les premières batailles féministes, au détriment, il faut bien le dire, de leurs enfants.

Les moyens de l'émancipation

Dès le début du XVIIᵉ siècle, les femmes qui voulurent se distinguer trouvèrent leur terrain d'élection dans la galanterie. Après trente ans de guerres civiles, les mœurs françaises étaient empreintes de grossièreté, voire de brutalité.

La rénovation des mœurs ne vint pas de la cour du Roi Gascon, mais des salons parisiens tenus par des femmes aux ambitions nouvelles. C'est dans les salons aristocratiques dont le modèle demeure celui de Madame de Rambouillet [29], puis bourgeois, que va renaître la politesse mondaine oubliée avec la cour des Valois. C'est là et plus tard dans les ruelles des Précieuses qu'apparaissent une nouvelle civilité et une culture élitiste, dont les femmes furent incontestablement l'élément le plus actif.

La cause première de ce mouvement précieux est un goût forcené de la distinction. Et pour se distinguer, il fallait avant tout s'opposer aux valeurs en cours. Puisque le commun des mortels était jouisseur, esclave et ignare, elles cherchèrent à être platoniciennes, libres et savantes. Le pire des maux étant la vulgarité qui s'attache au corps et délaisse la pensée, les Précieuses se firent un devoir de cultiver l'esprit et de dominer leurs sens. Revenant à l'antique philosophie de la liberté par l'ascèse, les Précieuses, plus que les femmes philosophes du XVIIIᵉ siècle, ne voulurent plus être que de purs Intellects. C'est ainsi que les définit l'abbé de

---

29. L'hôtel de Rambouillet, construit en 1610, connut une grande influence de 1620 à la Fronde.

Pure : « un précis de l'esprit, un extrait de l'intelligence humaine ».

Ces femmes du Grand Siècle avaient compris que leur corps était le point d'ancrage principal de leur esclavage. Quand l'homme en jouit, il possède en même temps le tout de la femme, qu'elle soit sa maîtresse ou son épouse. C'est pourquoi *L'Astrée* (1610), bible de l'amour pendant un demi-siècle, concluait à la nécessité d'une vertueuse froideur.

Résolument hostiles au mariage et à la maternité, les Précieuses ne renoncent pas à l'amour. Elles veulent le spiritualiser en le dégageant des appétits sensuels. Ces « jansénistes de l'amour [30] » préconisent la méthode dans le désir comme Descartes dans la raison. Tout leur art consiste à se faire convoiter sans se laisser posséder.

Contrairement aux propos de certains moqueurs, toutes n'eurent pas les coquetteries vulgaires des allumeuses. Mais tant qu'elles se faisaient respecter, elles maîtrisaient leur amour et les désirs de l'autre. Elles pouvaient exiger sans cesse plus de marques d'attachement, de respect et de soumission. En un mot être libre et souveraine à la fois. Exactement le contraire de la condition de la femme épouse et mère.

C'est pourquoi Mademoiselle de Scudéry repousse résolument mariage et possession qui vont de pair [31]. Elle fait peu de cas « des dames qui ne savaient être autre chose que femme de leur mari, mère de leurs enfants et maîtresse de leur famille ». Même quand l'amour préside au mariage, cette union est source de dégoût. La continuité des soins mutuels altère la

---

30. Expression attribuée à Ninon de Lenclos et reprise par Saint-Evremond.

31. « Je veux, dit-elle, un amant sans vouloir un mari, et je veux un amant qui se contentant de la possession de mon cœur, m'aime jusqu'à la mort... » Soit la situation très exactement opposée aux liens coutumiers entre l'homme et la femme qui se marient sans amour et engendrent la soumission de l'épouse.

pureté initiale des sentiments et l'autorité de la belle-
famille est un joug insupportable [32]. Mais il y a encore
une autre déconvenue qui peut paraître douce et n'en
est pas moins aigre. Ecoutons Eulalie : « une belle
dame qui a enseveli avec honneur ses beaux-parents,
aïeuls et marâtre... quand elle se croit délivrée d'un
mal, elle retombe dans un autre. Elle a eu à se plaindre de la vieillesse, elle se plaint maintenant de la jeunesse féconde et trop abondante, qui l'a faite mère et
l'expose tous les ans à un nouveau poids, à un péril
visible, à une charge importune, à des douleurs indici-
bles et à mille suites fâcheuses. Cependant il les faut
subir et souffrir sans mot dire : la pensée du devoir
survit à toutes les autres et vous reproche tous les
moments d'indifférence que vous pouvez avoir [33]... »

Ce texte de Michel de Pure est certainement l'un
des morceaux les plus cruels que l'on ait jamais écrit
contre le mariage. Mari, belle-famille et enfants sont
impitoyablement relégués au rang des malheurs de la
femme. Robert Bray [34] note qu'on pourrait croire que
la diatribe est outrancière et donc exceptionnelle.
Pourtant, dit-il, la tendance qu'elle exprime semble
avoir été assez répandue.

En inversant totalement les valeurs sociales de leur
époque, les Précieuses parisiennes ne furent pas, quoi
qu'on ait dit, un microcosme ridicule. La si grande
résistance et les moqueries qu'on leur opposa ne sont
que les signes d'une influence non négligeable. Molière
ironise sur leur compte parce que leurs idées prenaient
quelque importance non seulement dans la capitale,
mais en province. Cathos et Magdelon en sont les
preuves. Avec elles, sont cruellement ridiculisées toutes

---

32. Cf. Diatribe contre le mariage par l'une des Précieuses de l'abbé de
Pure, citée par G. Mongrédien, *Les Précieux et les Précieuses*, p. 149-150,
Paris, Mercure de France, 1939.
33. *Ibid.*
34. *La Préciosité et les Précieux*, 1948, p. 164.

les « pecques » de province qui veulent sortir de leur
condition sociale et féminine. Elles affirment mala-
droitement leurs aspirations mondaines, non seulement
pour sortir de leur classe petite-bourgeoise, mais aussi
pour mieux s'opposer à leur future vie de mère de
famille.

Peut-être ridicules pour tous ceux qui ne souffrent
pas qu'on veuille sortir de sa condition, ces premières
féministes sont émouvantes comme tous les autodidac-
tes. Leur maladresse n'empêcha pas certaines de leurs
idées de se propager. Dans les milieux qui se voulaient
raffinés, les hommes changèrent sensiblement d'attitude à l'égard de leurs épouses ou maîtresses. Les
valeurs familiales traditionnelles perdirent de leur
poids, bien que ces Précieuses eurent de farouches
ennemies parmi celles qui pensent que « la vertu scrupuleuse voulait qu'une dame ne sût rien faire autre
chose que d'être femme de son mari, mère de ses
enfants et maîtresse de sa famille et de ses
esclaves [35] ».

Elles eurent aussi des adversaires acharnés parmi les
bourgeois si bien décrits par Molière, attachés aux
valeurs traditionnelles : les Sganarelle, Gorgibus ou
Chrysale « qui ne regardent les femmes que comme les
premières esclaves de leurs maisons, et défendaient à
leurs filles de lire d'autres livres que ceux qui leur ser-
vaient à prier Dieu ».

Il leur fallut bien du courage et de la persévérance
pour lire les livres défendus. Non qu'elles risquaient
grand-chose en contournant les interdits, mais elles
avaient reçu une éducation si médiocre, pour ne pas
dire si nulle, qu'on reste étonné de leur ambition intellectuelle. Et, pour finir, de leur réussite.

La première génération de femmes ambitieuses avait
certainement plus sacrifié à la forme qu'au fond. Par-

---

35. Texte du *Grand Cyrus*, tome X.

fois plus vaniteuses que savantes, le rêve d'une Académie féminine les exaltait davantage que le dur labeur intellectuel. Leurs ennemis profitèrent de cette faiblesse et moquèrent ce travers à outrance. Il est vrai que les authentiques intellectuelles comme Mademoiselle de Scudéry n'étaient pas légion. La grande majorité des femmes avaient un trop lourd handicap au départ, leur absolue ignorance, pour pouvoir escompter, sauf à être géniales, le lever réellement. Tout au plus pouvaient-elles espérer, avec quelque talent, le dissimuler.

Pour mieux mesurer le chemin parcouru par certaines d'entre elles, il faut se souvenir que toute éducation proprement intellectuelle leur était interdite. A l'école, à la maison ou au couvent, on se gardait bien de développer ces esprits. Et même s'il y eut çà et là quelques petits changements de programme, le contenu de l'enseignement des petites filles fut d'une médiocrité inouïe jusqu'à la première moitié du XIXᵉ siècle, car la finalité était toujours la même : faire de ces filles des épouses croyantes, des ménagères et des maîtresses de maison efficaces.

Dans un pensionnat ou un couvent du XVIIᵉ siècle, on enseigne plus ou moins bien à lire et à écrire, mais l'essentiel de l'enseignement se partageait entre les travaux d'aiguille et les cours de religion. Dans de nombreux établissements, les jeunes filles abandonnées à elles-mêmes ressortaient de là aussi ignorantes qu'elles y étaient entrées. Et quand leur éducation se faisait à la maison, sous la soi-disant direction de la mère, les résultats n'étaient, sauf exception, guère plus brillants. Riches comme la princesse d'Orléans, elles avaient droit essentiellement à des leçons de maintien. Petites filles pauvres de la noblesse de province, comme Madame de Maintenon, elles gardaient les dindons en apprenant quelques pages des *Quatrains* de Pibrac.

Au total il reste peu de choses de cet enseignement.

L'*Histoire mondiale de la femme*[36] fait mention d'une enquête portant sur le nombre des conjoints capables de signer leur acte de mariage à la fin du siècle : 79 % des hommes et 85 % des femmes étaient des illettrés totaux. Si les femmes de la noblesse le sont moins que les autres, il reste dans leur rang de nombreux cas de jeunes filles à peine alphabétisées, comme la mère du duc de Rohan incapable d'apprendre à lire à son fils, ou Mademoiselle de Brézé qui dut retourner au couvent, après son mariage avec le futur Grand Condé, pour apprendre à lire et à écrire. En plein XVIIIᵉ siècle, les mémorialistes rapportent que l'une des filles de Louis XV sortit du couvent sans savoir lire.

Pour celles qui avaient appris à lire et à écrire, il restait encore un long chemin à parcourir pour être Philaminte ou Madame du Châtelet un siècle plus tard. Il fallait bien un formidable goût du savoir pour se hisser de la morale de Pibrac aux discussions philosophiques, décider qu'on serait stoïcienne ou épicurienne, pour la physique de Descartes ou celle de Gassendi.

Les Précieuses ont donc persévéré dans la voie de la culture et du savoir. Leurs filles furent savantes et, pour y parvenir, elles utilisèrent toutes les occasions possibles. Puisque ni la maison, ni le pensionnat ne leur apprenaient quelque chose, elles en sortaient aussitôt qu'elles le pouvaient pour rencontrer de plus favorisées qu'elles en ces matières. C'est pourquoi on nous décrit ces femmes courant par monts et par vaux, de salon en salon, de leçons en conférences... Ne pouvant apprendre que de la bouche d'autrui et n'ayant d'autre jauge que leur bonne volonté, il leur arrivait bien sûr de confondre un Vadius et un Trissotin avec un philosophe.

36. *Histoire mondiale de la femme* (XVIᵉ et XVIIIᵉ siècles), p. 19, Paris, Nouvelle Librairie de France, 1965.

Il reste que c'est bien grâce à leur vie sociale, qui offrait maintes occasions de dialogues et de leçons, qu'elles purent apprendre les premiers rudiments des sciences et de la philosophie. Après quoi leurs lectures faisaient le reste.

Mais pères et maris ne voyaient pas d'un si bon œil cette boulimie de culture. Comme ils ne pouvaient pas en faire cesser la cause, ils mirent tout en œuvre pour en ralentir les effets. De la fin du XVIe siècle au milieu du XVIIIe siècle, la plupart des hommes, et les plus grands parmi eux, s'unirent pour essayer par un même discours de les dissuader de suivre cette voie. De Montaigne à Rousseau, en passant par Molière et Fénelon, on les conjure de revenir à leurs fonctions naturelles de ménagère et de mère. Le savoir, disent-ils, gâte la femme en la distrayant de ses devoirs les plus sacrés.

Il faut bien reconnaître que précieuses et savantes faisaient peu de cas de l'économie domestique et laissèrent le souvenir de ménagères exécrables. G. Faniez [37] les décrit toutes plus désintéressées les unes que les autres de leur maison. Madame de Rambouillet en était incapable, tout comme Madame du Sablé qui ne laissa presque rien à ses enfants. Le maréchal de Coligny enleva la direction de la maison à sa femme et l'on raconte que Marie de Montauron, fille d'un célèbre financier, ne se servait de ses dix doigts que pour tenir ses cartes...

Les exemples sont nombreux qui vont en ce sens et nul ne peut nier que Chrysale ait raison : la science des femmes nuit infiniment à la bonne marche du ménage [38]. Armande, Bélise ou Philaminte n'en disconviendraient pas. Mais Armande a répondu par anticipation à toutes ces diatribes dès la première scène des *Femmes savantes*. Ses propos résument l'idéologie féministe de ses consœurs. Comparant les joies du

---

37. G. Faniez, *La Femme et la société française* (1929), p. 1973.
38. *Les Femmes savantes*, acte II, scène VII.

mariage à celles de la philosophie, l'éloge de celle-ci ne va pas sans le procès de celui-là. A la femme mariée, dans l'esprit traditionnel, elle dit :

« Que vous jouez au monde un petit personnage,
    de vous claquemurer aux choses de ménage,
    et de n'entrevoir point de plaisirs plus tou-
chants
    qu'un idole d'époux et des marmots d'en-
fants ! »

Elle conseille à la réticente Henriette de se donner plutôt à l'Esprit : « Mariez-vous, ma sœur, à la philo-sophie, qui nous monte au-dessus de tout le genre humain et donne à la raison l'empire souverain. »

Armande comme Philaminte ne cachent pas leurs ambitions et leur volonté de puissance. Elles attendent du savoir qu'il les hausse au rang des hommes et leur donne même prestige. Peut-être même veulent-elles plus que l'égalité des sexes. Il y a de l'esprit revan-chard chez ces femmes, comme si elles attendaient du pouvoir intellectuel qu'il fasse payer aux hommes leur soumission traditionnelle. Armées du savoir, Phila-minte et ses sœurs entrent en guerre avec la race des maris. Comme le dit fort bien Bénichou[39] : « Là où elles disent égalité on entend revanche démesurée... elles répondent à l'oppression par le désir d'oppri-mer. »

Leurs contemporains masculins entendirent fort bien le message. Selon leur degré de libéralisme, ils y oppo-sèrent plus ou moins de virulence. Mis à part Poulain de la Barre, aucun n'accepta l'idée d'une égalité des sexes, pas même dans le domaine du savoir. Molière, par la bouche de Clitandre « consent qu'une femme ait des clartés de tout... » mais réclame « qu'elle sache ignorer les choses qu'elle sait ».

39. *Morales du Grand Siècle*, p. 198, Paris, Gallimard, 1948.

Fénelon, au début du siècle des Lumières, est encore plus sévère et limitatif. Il acquiesce pleinement au devoir de modestie pour les filles : « Une fille ne doit parler que pour de vrais besoins, avec un air de doute et de déférence : elle ne doit pas même parler des choses qui sont au-dessus de la portée commune des filles, quoiqu'elle en soit instruite [40]... »

Mais il refuse au sexe féminin les quelques libéralités que lui avait accordées le bourgeois Molière, et compare la curiosité scientifique à une impudeur proche du délit sexuel : « Retenez leurs esprits le plus que vous pourrez dans les normes communes et apprenez-leur qu'il doit y avoir pour leur sexe une *pudeur sur la science presque aussi délicate que celle qui inspire l'horreur du vice* [41]. »

Au nom de quoi, Fénelon établit un programme minimum pour l'éducation des filles comprenant un peu de mathématique (science abstraite, donc virile par définition) et de littérature classique et religieuse. Mais il leur interdira le droit, l'espagnol et l'italien... Et ne leur permettra qu'un soupçon de latin et d'histoire quand cela sera vraiment rendu nécessaire par la Morale et la Religion. L'essentiel de leur temps devra être consacré, comme toujours, à acquérir les connaissances utiles à leur vie future.

En dépit de cette résistance masculine presque unanime, nos ambitieuses firent leur chemin. Abandonnant petit à petit la voie de la préciosité, leur féminisme changea de caractère. A partir des années 1660, l'élément scientifique en devint le propos dominant. Elles prennent sérieusement le goût de la philosophie, de l'astronomie et des sciences physiques. Van Beekon [42] rappelle leur réussite en ces matières et cite la gloire des cartésiennes comme Madame de Grignan

40. Fénelon, *De l'éducation des filles*, chap. 10.
41. *Ibid.*, chap. 7 (souligné par nous).
42. Van Beekon, *De la formation intellectuelle et morale de la femme* (1922), p. 208.

(1646-1705), des humanistes comme Madame Dacier
(1651-1720), des physiciennes comme Madame de La
Sablière (1636-1693), ou des auteurs de souvenirs ou
de mémoires historiques comme Madame de Motteville
(1621-1689) et Mademoiselle de Montpensier (1627-
1693). Sans parler de Madame de La Fayette (1634-
1692) ou de Madame de Sévigné (1626-1696). Même si
la plupart de ces femmes nous sont presque inconnues, leurs exemples firent tache d'huile. Dans les
salons des provinces éloignées, toutes les femmes un
peu aisées et ambitieuses rêvaient de les imiter. Et si
elles ne pouvaient pas acquérir leur talent, elles pouvaient du moins essayer de copier leur façon de faire.
Toutes ces stars de la culture lisaient beaucoup, apprenaient les langues et fréquentaient les meilleurs esprits.
A Marseille ou ailleurs, on tâche de faire de même
avec les moyens (les bons esprits) du bord !

La philosophie des Lumières encouragea cet état
d'esprit. Bien que Diderot ait applaudi à la pièce de
Molière, ce n'est pas un hasard si *Les Femmes
savantes* connurent une éclipse au XVIIIe siècle, avant
de retrouver un meilleur public au XIXe. Des hommes
comme Voltaire, lié à Madame du Châtelet, ou
d'Alembert avec Julie de Lespinasse, sans parler de
l'authentique féministe que fut Condorcet, ne purent
que condamner une pièce qui ridiculisait l'émancipation intellectuelle des femmes.

Au XVIIIe siècle, plus qu'à aucun autre siècle, mis à
part le nôtre, les femmes des classes les plus favorisées
purent accéder à l'autonomie intellectuelle. Un petit
noyau de femmes, au regard des 80 % de leurs sœurs
illettrées, sut faire la preuve qu'avec du temps et de
l'argent les femmes pouvaient être les égales des hommes. A cette époque, les Philaminte agressives ont fait
place aux femmes lucides, mais désenchantées, comme
Madame du Deffand ou Madame du Châtelet. Cette
dernière est le meilleur prototype de celles qu'on
nomma les « femmes philosophes ». Authentique intel-

lectuelle, nul ne peut lui reprocher d'être un amateur.
Au château de Cirey qui abrite ses amours studieuses
avec Voltaire, elle étudie à fond la physique cartésienne, qu'elle n'aime pas, et celle de Newton, qu'elle
adore. Elle se consacre aux mathématiques, aidée du
meilleur professeur de l'époque : Maupertuis.

Moins aimée qu'elle ne l'aurait rêvé, par Voltaire,
Madame du Châtelet nous a laissé divers traités dont
un *Discours sur le bonheur* qui nous livre sa sagesse
épicurienne. Peut-être déçue des limites de la passion
du grand homme, elle confie que son amour de
l'étude fut la seule compensation réelle à sa condition
de femme. Ecoutons-la, elle résume, croit-on, toute
l'idéologie féministe de son temps : « L'amour de
l'étude est bien moins nécessaire au bonheur des hommes qu'à celui des femmes... Ils ont d'autres moyens
d'arriver à la gloire. Mais les femmes sont exclues de
toute espèce de gloire et quand par hasard il s'en
trouve quelqu'une qui est née avec une âme assez élevée, il ne lui reste que l'étude pour la consoler de toutes les exclusions et de toutes les dépendances auxquelles elle se trouve condamnée par son état. »

Les propos de Madame du Châtelet sont bien significatifs. Non seulement ils révèlent ce qui fait courir
un certain nombre de femmes depuis plus d'un siècle,
c'est-à-dire le savoir comme seul moyen de l'émancipation, mais ils dressent également un constat d'échec.
Le savoir ne suffit pas à s'emparer du pouvoir. Tout
au plus, quand on est femme, peut-on rêver au rôle
de conseillère occulte d'un grand homme. Un pouvoir
par procuration dont Madame du Châtelet n'est pas
dupe. Madame de Pompadour, toute-puissante qu'elle
fût, n'était d'abord que la maîtresse du Roi.

Il faut donc être assez lucide pour comprendre que
le savoir n'est qu'une consolation pour les femmes, un
plaisir solitaire qui ne peut pas satisfaire la volonté de
puissance.

C'est à Madame d'Epinay, rousseauiste de la première heure, qu'il revint de tirer les conclusions des propos de sa consœur en esprit. Puisqu'on interdit à la connaissance féminine d'être mêlée à l'action, on condamne la science des femmes à n'être que légère : « La femme la plus savante ne peut avoir que des connaissances très superficielles... Pour pouvoir faire un usage de ses connaissances, il faut joindre la pratique à la théorie, sans quoi on a des notions fort imparfaites. Que de choses dont il ne leur est pas permis d'approcher ! Tout ce qui tient à la science de l'administration, de la politique, du commerce leur est étranger, leur est interdit... Et voilà les seules grandes causes par lesquelles les hommes instruits peuvent être utiles à leurs semblables, à l'Etat et à leur Patrie. »

Les propos de ces deux grandes dames du XVIIIᵉ siècle sont très significatifs d'un changement idéologique important dans le destin des femmes. Madame du Châtelet représente l'ancien état d'esprit et achève la période féministe conquérante. Toute à ses études, ce n'est pas un hasard si elle semble avoir eu si peu de chagrin à la mort de son bébé. Par opposition, Madame d'Epinay, grande amie de Rousseau, ouvre une nouvelle ère de l'histoire de la femme. Abandonnant la science aux hommes, elle s'empare symboliquement d'un nouveau rôle laissé vacant depuis fort longtemps : celui de mère. Au lieu d'un traité de mathématique, Madame d'Epinay publie des *Lettres* à son fils qui lui valent un article dithyrambique dans le *Mercure de France* de juin 1756. Sous le titre : *Lettre à une dame occupée sérieusement de l'éducation de ses enfants*, un auteur anonyme, que l'on dit être Grimm, fait l'éloge de ce nouveau type de femmes qui s'appelle la bonne mère et accuse les autres de fausse philosophie, qui les fait paraître détachées de tous liens humains. C'est en quelque sorte le tout premier coup d'envoi de la nouvelle mode.

Pour résumer les motivations traditionnelles invoquées ou dissimulées par les femmes pour ne pas s'occuper de leurs enfants, nous pensons qu'elles tiennent à deux raisons non exclusives l'une de l'autre. D'une part, l'égoïsme qui leur fait préférer leur liberté et leur personne à toute autre ; d'autre part, l'amour-propre qui les empêche de borner leur dignité de femmes dans les limites de la maternité. Ainsi se sont révélés trois types de femmes plus ou moins libérées ou aliénées bien qu'elles invoquent toutes leur liberté comme motif essentiel de leur action.

Pour les unes, la liberté c'est de faire ce que l'on veut au moment où on le veut. Dans leur cas, l'enfant est une entrave matérielle à cette vie de plaisir. Il semble que pour ces femmes, aucun devoir, aucune obligation morale ou sociale particulière ne viennent s'opposer à leur plaisir réclamé haut et fort. Point de principe de réalité pour contrebalancer et faire obstacle au principe de plaisir.

Pour les mondaines, si elles invoquent la liberté, ce n'est plus pour faire ce qu'elles veulent quand elles le veulent. La mondaine se doit de faire ce que les autres mondaines, les aristocrates et toute femme chic, font au moment où elles le font. Leur liberté consiste à se soumettre le plus totalement possible aux modes et aux impératifs sociaux.

Délivrées de leurs enfants, elles s'empressent d'obéir à tous les caprices de la classe dominante. Leur plaisir est limité par la morale... du plaisir ; leur liberté par l'obligation sociale d'apparaître libre : de tous préjugés moraux, de tous liens sentimentaux et bien sûr de toutes obligations économiques.

L'apparence est le grand maître de ces femmes, continuellement changeante comme le bon ton. Leur but est de se distinguer par tous les moyens de la bourgeoisie si méprisée par la noblesse. Puisque la bourgeoise se définissait comme épouse et mère, on s'empressa d'être l'opposé. Résultat : si elles réussirent à se libérer de ces deux fonctions, ce fut pour mieux se soumettre à un modèle stéréotypé de femmes libérées. Elles s'épuisèrent littéralement à paraître libres en affichant un mode de vie d'où la morale et les sentiments étaient absents.

Les Goncourt [43] décrivirent avec humour et talent la vie de ces femmes dont tous les actes, du petit lever à onze heures du matin au coucher tard dans la nuit, sont empreints de mondanité : le réveil, la toilette, les visites, l'équitation, la lecture, les promenades, les spectacles, les soupers étaient autant d'occasions de se montrer sous son meilleur jour. Obsédées par « le paraître », elles échangeaient une servitude pour une autre sujétion.

Les « femmes philosophes » empruntent aux deux types de femmes précédents, mais s'en distinguent aussi. Des premières, elles ont l'égoïsme, puisqu'elles veulent se débarrasser de toute entrave matérielle pour mieux vivre pour elles-mêmes. Comme les secondes, elles affichent un grand désir de liberté. Mais contrairement aux premières, leur liberté ne se définit pas en termes de plaisir. Par opposition aux secondes, le terme de liberté est synonyme d'autonomie réelle et d'indépendance à l'égard du modèle féminin le plus répandu, signe d'une triple servitude : la maternité qui vous soumet à l'enfant, la conjugalité qui vous soumet au mari, la mondanité qui vous soumet à un code. Pour elles, la liberté n'est pas donnée, mais elle s'acquiert par un long travail de libération intellectuelle. Or, chacun sait, depuis Aristote, que la science exige des loisirs et une réelle indépendance à l'égard des besoins et autres entraves matérielles ou sentimentales.

Mais qu'elles soient philosophes, mondaines ou jouisseuses, toutes ces femmes furent unies par le même solide égoïsme. Toutes sacrifièrent leurs obligations maternelles à leurs désirs personnels, aussi dérisoires ou légitimes fussent-ils. A celles, moins favori-

---

43. E. et J. Goncourt, *La Femme au XVIIIᵉ siècle*, p. 99 à 105.

sées, qui ne rêvaient que de les imiter, elles offrirent
l'exemple de l'indifférence, laquelle fut élevée au rang
de valeur dominante.

Nous allons voir à présent de quel prix ce choix fut
payé, et quel fut le destin tragique de leurs enfants. A
lire les registres des sépultures des XVIIᵉ et XVIIIᵉ siècles, on est bien tenté d'inverser le propos hégélien et
de dire que la vie des parents se paye de la mort des
enfants.

Les trois actes de l'abandon

Au XVIIᵉ siècle et surtout au XVIIIᵉ siècle l'éducation
de l'enfant des classes bourgeoises ou aristocrates suit
toujours à peu près le même rituel, ponctué par trois
phases différentes : la mise en nourrice, le retour à la
maison puis le départ au couvent ou en pension. Tout
au plus l'enfant vivra en moyenne cinq ou six ans
sous le toit paternel, ce qui ne signifie aucunement
qu'il vivra avec ses parents. D'ores et déjà nous pouvons dire que l'enfant du maître marchand ou du maître artisan, comme celui du magistrat ou de l'aristocrate de cour, connaîtra une solitude prolongée, parfois
le manque de soins et souvent un réel abandon moral
et affectif.

La mise en nourrice

Fréquemment, le premier acte de l'abandon se joue
quelques jours, voire quelques heures après la naissance de l'enfant, comme ce fut le cas pour le jeune
Talleyrand. A peine sorti des entrailles maternelles, le
nouveau-né est remis à une nourrice. Les témoignages
sont nombreux sur cette coutume qui veut que
l'enfant disparaisse rapidement de la vue de ses
parents. Sébastien Mercier, en bon observateur des
mœurs de son temps, décrit, non sans ironie, la visite
à l'accouchée parisienne. Pour fêter la délivrance, les

parents organisent une réception dans leur domicile afin que chacun puisse complimenter l'heureuse famille. Pourtant, remarque S. Mercier [44], il manque à la mère « le charme le plus intéressant et qui donnerait à son état un air plus respectable : l'enfant dans son berceau ». Puis il ajoute : « j'ai remarqué que personne n'osait parler du nouveau-né au père ni à la mère ».

Notons d'abord l'étonnement de Mercier devant un comportement très répandu qui ne s'explique que par la tardive rédaction de son œuvre, de 1782 à 1788. A cette époque, la mode est aux idées rousseauistes. Mercier juge donc l'ancien comportement maternel avec les lunettes de l'*Emile* [45]. Ensuite, Mercier laisse entendre que cette cérémonie lui semble déplacée, sinon immorale. Il trouve choquant que la célébration d'une naissance soit prétexte à une mondanité parmi d'autres, et qu'au lieu de fêter l'enfant et sa mère, on rende hommage à une femme dont il faut oublier qu'elle est mère.

Pendant que les parents reçoivent leurs relations, le nourrisson est déjà dans les bras de sa nourrice. Selon le lieutenant de police de Lyon : « il y a, dans notre peuple, trois manières de se procurer des nourrices : on les retient ; on les rencontre ; on a recours à des messagères [46] ».

La première méthode est pratiquée par les grandes familles. Les parents, avec l'aide d'un médecin, choisissent avec soin la nourrice, comme ce fut le cas pour le jeune duc de Bourgogne en 1682, ou les enfants de Marie-Antoinette. Pour ce faire, on sélectionne celle qui paraît « la plus saine et d'un bon tempérament, avoir bonne couleur et la chair blanche. Elle ne doit

---

44. Sébastien Mercier, *Tableaux de Paris*, tome V, p. 465.
45. *Emile*, livre I, p. 258 : « on respecte moins la mère dont on ne voit pas les enfants. »
46. Prost de Royer : *Mémoire sur la conservation des enfants* (1778), p. 14.

être ni grasse, ni maigre. Il faut qu'elle soit gaie, gaillarde, éveillée, jolie, sobre, douce et sans aucune violente passion [47] ».

Si l'on considère que sur les 21 000 bébés parisiens nés en 1780, il y en eut près de 1 000 allaités à domicile par une nourrice, il n'y eut certainement pas 1 000 nourrices choisies avec autant de soin que celles des nourrissons royaux. Et Prost de Royer note que, dans les familles moins riches et moins célèbres, il arrive souvent qu'on retienne une nourrice sans pour autant trouver ce que l'on cherche. « On prend un commissionnaire au coin de la rue qui s'égare ou se trompe. Le jour venu, la nourrice n'existe pas, ne fut jamais mère, n'a rien promis ou s'est vendue ailleurs. Celle qui arrive est une femme dégoûtante et malsaine que la mère ne voit pas et dont le père s'inquiète peu. »

La deuxième méthode, plus caractéristique des classes populaires, consiste à se préoccuper du choix de la nourrice quand l'enfant est né : « c'est quand les douleurs de l'enfantement commencent que le père se met à chercher une nourrice ». Alors, on voit celui-ci s'adresser aux voisins, parcourir les marchés et les rues et arrêter la première paysanne sans examen de sa santé ou de son lait, sans même être sûr qu'elle en a.

La troisième méthode, la plus commune, est de faire appel à des messagères dites « recommanderesses », qui sont des intermédiaires se tenant sur les marchés ou les grandes places. Elles tiennent des sortes de bureaux de placement, lesquels ne seront vraiment réglementés qu'en 1715.

Avant cette date, et hors de Paris, elles ont une activité très anarchique. « Sans nom, sans domicile, elles assistent au baptême, reçoivent les étrennes, emportent l'enfant, le remettent au rabais, ou le livrent au premier venu... Elles ne donnent pas à la

---

47. *Dictionnaire de Trévoux*, article *Nourrice*.

nourrice le nom de l'enfant... Elles ne donnent point à la famille le nom d'une nourrice qu'elles n'ont pas encore et qu'elles espèrent seulement trouver par la suite [48]. »

D'où cette constatation amère du lieutenant de police de Lyon en 1778 : « Tandis que nos hôpitaux enregistrent et numérotent tous les enfants abandonnés à leur charge... que le chasseur marque son chien, de crainte qu'on ne le change ; tandis que le boucher distingue soigneusement les animaux destinés à être égorgés pour nous nourrir, l'enfant du peuple sort de nos murs sans extrait de baptême, sans écrit, sans signalement, sans qu'on sache ce qu'il va devenir. » Sa vie dépend d'une entremetteuse qui n'a pas de registre et qui ne sait pas lire. Qu'elle disparaisse ou qu'elle meure, tous les enfants dont elle avait la charge sont perdus avec elle.

Cette critique très sévère de Prost de Royer est confirmée par les moralistes de la fin du XVIIIe siècle. Ils soulignent tous avec ironie que la plupart des gens sont plus attentifs et plus exigeants lorsqu'il s'agit de choisir une servante, un palefrenier pour soigner leurs chevaux, et davantage encore un cuisinier pour les nourrir. De cette nonchalance initiale, s'ensuit naturellement une situation catastrophique des bébés envoyés en nourrice.

Les plus pauvres d'entre eux commencent par subir l'épreuve cruelle du voyage qui doit les mener à la campagne. Selon le médecin Buchan, on les entasse dans les charrettes à peine couvertes où ils sont en si grand nombre que les malheureuses nourrices sont obligées de les suivre à pied. Exposés au froid, au chaud, au vent et à la pluie, ils ne sucent qu'un lait échauffé par la fatigue et l'abstinence de leur nourrice. Les enfants les plus fragiles ne résistaient pas à

48. Prost de Royer, *op. cit.*, p. 15.

un tel traitement et souvent les meneurs les ramenaient morts aux parents quelques jours après leur départ.

M. Garden rapporte quelques anecdotes [49] qui figurent dans les rapports de police de Lyon ou de Paris sur ces horribles conditions de transport. Ici, c'est une entremetteuse qui emporte six enfants dans une petite voiture, qui s'endort et ne s'aperçoit pas qu'un bébé tombe et meurt écrasé par une roue. Là, c'est un meneur chargé de sept nourrissons qui en perd un sans qu'on ait pu savoir ce qu'il était devenu. Une autre fois, c'est une vieille femme chargée de trois nouveau-nés qui dit ne pas savoir à qui elle les destine.

La société tout entière montre tant d'indifférence qu'il faudra attendre 1773 pour que la police ordonne aux meneurs et autres transporteurs d'enfants de se servir de voitures dont le fond soit en planches suffisamment garnies de paille neuve, de couvrir leurs voitures avec une bonne toile, et d'exiger que les nourrices soient avec eux dans la voiture pour veiller à ce qu'aucun ne tombe...

Ceux qui survivent à l'épreuve du voyage (il en meurt entre 5 et 15 % selon les saisons) ne voient pas pour autant leur malheur prendre fin. La raison première est la situation catastrophique des nourrices elles-mêmes. Médecins et moralistes du XVIIIᵉ siècle les accuseront de tous les péchés : appât du gain, paresse, ignorance, préjugés, vices et maladies. Mais, à notre connaissance, peu d'entre eux réfléchiront aux causes de ces péchés. L'un d'eux pourtant, le docteur lyonnais Gilibert, reconnaîtra en 1770 que la raison de tant d'erreurs souvent mortelles est la pauvreté indicible de ces nourrices : « des femmes hébétées de misère, vivant dans des taudis [50] ».

Gilibert les décrit obligées de travailler aux champs

49. Garden, *op. cit.*, p. 70.
50. E. Shorter, *op. cit.*, p. 222.

à la sueur de leur front et passant la plus grande partie de la journée éloignées de leur chaumière. « Pendant ce temps, l'enfant est absolument abandonné à lui-même, noyé dans ses excréments, garrotté comme un criminel, dévoré par les moustiques... Le lait qu'il pompe est un lait échauffé par un exercice violent, un lait âcre, séreux, jaunâtre. Aussi les accidents les plus effrayants les mettent à deux doigts du tombeau [51]. »

Ces pauvres nourrices sont parfois malades : affaiblies car mal nourries, vérolées par la ville, quelquefois galeuses ou porteuses d'écrouelles et de scorbut. Leurs maladies altèrent le lait et contaminent le bébé. Comment leur en faire grief dans cette indifférence générale ?

Comment aussi leur reprocher de garder leur propre bébé et de nourrir l'enfant des autres avec les restes qu'elles complètent de bouillies parfaitement indigestes ? Mélange d'eau et de pain qu'elles mâchent préalablement avant d'en nourrir l'enfant. Parfois aussi elles leur donnent des châtaignes écrasées, un peu de truffe ou du gros pain macéré dans du petit vin aigre. Comment s'étonner de la constatation de Gilibert : « Bientôt tout le ventre est empâté, les convulsions surviennent et ces petits malheureux meurent. »

Il faut attendre le XVIIIᵉ siècle pour que les nourrices donnent du lait de vache dans des petites cornes trouées (ancêtres des biberons) car selon un préjugé solidement ancré dans la mentalité populaire, on pense qu'en suçant le lait, on suce aussi le caractère et les passions de l'être nourricier. Mais le procédé n'est pas sans danger, car on sait mal doser le lait qui doit être coupé d'eau [52].

---

51. Gilibert, *Dissertation sur la dépopulation*, 1770, p. 286.

52. L'usage du biberon était pourtant largement répandu dans d'autres pays d'Europe. Par exemple, en Allemagne et en Russie ; cf. A. Chamoux, « L'allaitement artificiel », *Annales D.H.*, 1973, p. 411-416.

Dans son *Autobiographie*, Thomas Platter rapporte qu'il fut nourri au cornet.

Enfin l'enfant est nourri sans règles ni horaires. Il
tète quand cela arrange la nourrice. Trop ou trop peu.
De là découle une avalanche de petits maux qui peuvent devenir fatals : aigreurs, vents, coliques, diarrhées
vertes, convulsions ou obstructions et fièvres.

A cette mauvaise alimentation, il faut ajouter les
pratiques qui sont souvent meurtrières, comme l'utilisation des narcotiques qu'on administre à l'enfant
pour le faire dormir et avoir la paix. Sirop de dia-
code, laudanum, eau-de-vie [53] sont d'usage courant
dans les provinces méridionales. Là, les apothicaires
en délivrent si facilement qu'il n'est pas rare, raconte-
t-on, que les enfants meurent d'une trop forte dose.

Mais quand l'alimentation n'est pas fatale au bébé,
il reste à sa nature à vaincre un mal redoutable : la
saleté et le manque d'une hygiène minimale. Le médecin Raulin [54], entre autres, dresse un tableau catastrophique de l'enfant croupissant dans son ordure durant
des heures, parfois des jours entiers, sinon plus. Les
nourrices laissent quelquefois passer des semaines sans
changer certains vêtements du bébé ou la paillasse sur
laquelle il repose.

De là aussi vient une foule de maladies en dépit des
avertissements réitérés des médecins qui ne parviennent
pas jusqu'aux nourrices, mais qui auraient pu être
entendus des parents...

Le médecin Gilibert témoigne personnellement :
« Combien de fois, en débarrassant les enfants de
leurs liens, ne les avons-nous vus couverts d'excréments
qui annonçaient assez leur long séjour par des exhalai-
sons empestées ; la peau de ces malheureux était tout
enflammée. Ils étaient couverts d'ulcères sordides. A
notre arrivée, ils auraient percé le cœur le plus féroce
par leurs gémissements ; jugez de leurs tourments par
le prompt soulagement qu'ils ressentaient quand ils

53. Shorter, *op. cit.*, p. 224.
54. Raulin, *De la conservation des enfants*, 1769.

étaient libres et déliés... ils étaient tout écorchés, si on les touchait un peu rudement, ils jetaient des cris perçants. Toutes les nourrices ne poussent pas la négligence jusqu'à ce point criant. Mais nous pouvons assurer qu'il y en a très peu qui soient assez vigilantes pour conserver leurs enfants dans un état de propreté satisfaisant, c'est-à-dire pour leur éviter entièrement les maladies qui les menacent [55]. »

L'usage de l'emmaillotement était un autre facteur de malaises et de maladies pour le bébé. On lui mettait d'abord une petite chemise, linge grossier qui fait plusieurs plis et fronces, et un lange par-dessus ; puis on lui collait les bras contre la poitrine et on passait une large bande sous les aisselles qui bloquait bras et jambes. On repliait linges et bandes entre les cuisses et on enfermait le tout par une bande circulaire serrée au maximum des pieds au cou.

Les résultats de ce paquetage étaient des plus mauvais. La ligature circulaire presse les plis tranchants contre la peau du bébé et quand on le délange, son petit corps paraît tout sillonné, rouge et meurtri. Les paquets de linge repliés entre ses cuisses ont les mêmes inconvénients, et empêchent urine et excréments de s'éloigner du corps. D'où la formation de rougeurs et boutons scrofuleux. Les bandes serrées présentaient aux yeux des nourrices un double avantage : éviter la luxation de la colonne vertébrale et faire refouler la graisse sous le menton pour faire paraître le nourrisson plus gras. Mais le bandage refoulait les côtes vers l'intérieur et gênait les poumons, donc la respiration. Ceci provoquait des toussotements ou des vomissements car la digestion se faisait mal. La plupart du temps l'enfant ainsi ficelé pleure à perdre haleine et fait des convulsions.

Nul ne peut reprocher cette coutume aux nourrices. Depuis des siècles et jusqu'au XIXe, on emmaillotait

55. Gilibert, op. cit.

ainsi les bébés de crainte que leur mollesse n'entraîne quelque accident, et pour qu'ils grandissent droits et bien formés. Nous ne suivrons pas non plus les moralistes du XVIIIe siècle qui fustigèrent la nourrice marâtre. Si elles pendent, durant des heures, leurs enfants à un clou par leur maillot c'est dans la bonne intention qu'ils ne soient ni mangés ni blessés par les animaux de la ferme. Il n'y a aucune méchanceté dans ce geste, même si les résultats sont cruels pour l'enfant dont le sang circule mal.

Bien sûr certaines nourrices sont dures avec les enfants qui leur sont confiés et bien souvent elles les ressentent comme une gêne qu'on ne regrette pas quand ils meurent. Mais en quoi seraient-elles plus blâmables que les mères qui leur abandonnent leurs enfants ?

Il n'est pas exagéré de parler d'abandon maternel, car une fois remis à la nourrice, les parents se désintéressent du sort de leur enfant. Le cas de Madame de Talleyrand qui ne demande pas une fois en quatre ans des nouvelles de son fils n'est pas exceptionnel. Et pourtant, contrairement à bien d'autres, elle avait toute facilité pour le faire. Elle savait écrire et son fils résidait chez une nourrice parisienne.

Quatre ans est bien la durée moyenne du séjour de l'enfant chez sa nourrice. Sevrés à quinze ou dix-huit mois, voire à vingt mois, les jeunes enfants ne rentrent pas pour autant dans leur famille. Les nourrices les gardent pour faire le sevrage jusqu'à trois, quatre ou cinq ans. Parfois plus.

Pendant tout ce temps, les parents paraissaient peu préoccupés du sort de l'enfant éloigné. Ils venaient rarement lui rendre visite. Parfois ils écrivaient pour s'assurer que tout allait bien. Les nourrices, aidées du curé, répondaient invariablement par des paroles rassurantes et une demande d'argent pour des frais supplémentaires. Rassurée, la mère n'en demandait pas plus, soit par désintérêt évident, soit que, trop pauvre, elle préférât se faire oublier de la nourrice[56].

Le désintéressement n'est pas l'apanage exclusif des plus déshérités. Les anecdotes sont nombreuses qui montrent qu'il touche toutes les classes de la société. Garden en cite plusieurs, notamment celle d'un nourricier de Nantua qui écrit en 1755 au père naturel, compagnon chapelier à Lyon : « Vous n'avez pas demandé, depuis que nous l'avons, comment il se porte. Mais grâce à Dieu il se porte bien. » La même année, un maître charpentier (qui n'est pas dans la misère) se plaint du mauvais état dans lequel les nourriciers lui rendent un enfant. Ceux-ci répondent : « Ce n'est pas à nous à avertir les pères et mères, mais à eux d'aller voir leurs enfants. »

Il est vrai que lorsque l'enfant rentre au foyer paternel, quand il y rentre, il est souvent estropié, malformé, rachitique, malingre et même tout à fait malade. Les parents s'en plaignent amèrement et peut-être plus bruyamment que si leur enfant était mort. Car un enfant en mauvaise santé représente beaucoup de frais à venir et peu de bénéfices à long terme.

Gouvernante et précepteur

Pour l'enfant des classes aisées également, voici venue l'heure de faire son entrée dans la maison familiale. Le cas du jeune Talleyrand envoyé, sitôt sorti des bras de sa nourrice, chez sa grand-mère à la campagne sans voir ses parents, est plutôt rare. La plupart des enfants font enfin la connaissance de leurs parents. Ils ont quatre ou cinq années pour essayer

---

56. Prost de Royer a très bien résumé le cas de cette dernière : « L'enfant est livré à des mains inconnues, on le change dans la route, on l'expose, on le tue sans que les parents s'en doutent et s'en inquiètent. Malheureux ! Ils craignent des nouvelles qu'accompagne toujours la demande des mois de nourrice... Ils se cachent pour fuir, sinon l'enfant qu'on rapporte, du moins la nourrice qui réclame des gages. Quelquefois, ils ont disparu avant d'être cités et l'hôpital reçoit l'enfant comme abandonné. »

d'y parvenir. Quand il revient de chez sa nourrice, l'enfant des classes aisées est aussitôt remis entre les mains d'une gouvernante jusqu'à sept ans. Après quoi, si c'est un garçon, on le confie à un précepteur.

Voici comment les frères Goncourt décrivent l'existence de la petite fille : « Elle est logée avec la gouvernante dans les appartements du comble... la gouvernante essaye d'en faire une petite personne avec beaucoup de flatteries et de gâteries... car elle ménageait déjà une fortune... Elle lui apprenait à lire et à écrire (pas toujours très bien)... lui recommandait de se tenir droite et de faire la révérence à tout le monde... c'est à peu près tout ce que la gouvernante lui enseignait [57]. »

La mère, pendant ce temps, semble réserver toute son affection à son petit chien qui lui sert de jouet et dort dans sa chambre sinon dans son lit. Avec sa fille elle entretient des rapports rares et distants. Des petits appartements où la gouvernante gardait la fillette, celle-ci « ne descendait guère chez sa mère qu'un petit moment le matin à onze heures, quand entraient dans la chambre aux volets à demi fermés les familiers et les chiens ». Puis s'engageait un court monologue tenu par la mère du type de celui que rapporte le prince de Ligne [58] :

— Comme vous êtes mise ! disait la mère à sa fille qui lui souhaitait le bonjour.

— Qu'avez-vous ? Vous avez bien mauvaise mine aujourd'hui. Allez mettre du rouge. Non, n'en mettez pas, vous ne sortirez pas aujourd'hui.

Puis, se tournant vers une de ses visiteuses, la mère ajoute :

— Comme je l'aime, cette enfant ! Viens, baise-moi ma petite. Mais tu es bien sale, va te nettoyer les

57. Les frères Goncourt, *La Femme au XVIIIe siècle*, p. 23.
58. Le prince de Ligne : *Mélanges militaires, littéraires et sentimentaires* (Dresde 1795-1811 : vol. xx).

dents... ne me fais donc pas tes questions, à l'ordinaire ; tu es réellement insupportable.

La visiteuse se croyait obligée d'ajouter :

— Ah ! Madame, quelle tendre mère !

— Que voulez-vous ! répondait la mère, je suis folle de cette enfant.

Commentaire des Goncourt : mère et fille n'avaient point d'autres rapports que ceux-ci, c'est-à-dire une visite filiale de convenance commencée et finie le plus souvent par un baiser sous le menton de sa mère pour ne pas déranger son rouge [59]. Il était d'usage, chez la mère à la mode, de garder une physionomie sévère et grondeuse. Elle croit qu'il y va de sa dignité de conserver avec son enfant une sorte d'indifférence : « Aussi la mère apparaît-elle à la petite fille comme l'image d'un pouvoir presque redoutable, d'une autorité qu'elle craint d'approcher. La timidité prend l'enfant... la peur vient où ne doit être que le respect [60]. »

D'où ce témoignage, trouvé dans les lettres de d'Aguesseau, de parents qui s'étonnent de l'aspect craintif de leur enfant et demandent à leur fille d'« effacer le tremblement qu'elle met dans son amour filial [61] ».

L'existence du jeune aristocrate n'était pas plus douce que celle de sa sœur. Bien au contraire. Sans aller jusqu'aux excès de violence de Frédéric-Guillaume à l'égard de son fils, la dureté des parents était chose commune. Le fils du maréchal de Noailles a raconté comment, petit, on le levait à cinq heures du matin, on lui donnait une soupe de rave et que parfois il avait si faim qu'il essayait de voler un morceau de viande dans les plats somptueux qui reve-

---

59. Michel de Decker dans *La Princesse de Lamballe* (Perrin, 1979) rapporte que pour la jeune Marie-Thérèse, « la mère... est une dame à qui l'on baise la main à la toilette » (p. 130).

60. Goncourt, *op. cit.*, p. 6.

61. *Lettres inédites de d'Aguesseau* publiées par Rives, 1823, vol. I.

naient de la table paternelle. Si les valets le dénonçaient, son père lui faisait donner le fouet. Même témoignage de Lauzun : « les plus jolis habits pour sortir, nu et mourant de faim à la maison [62] ».

Que disent les mères de ces enfants de sept, huit ans ? Rien, elles approuvent silencieusement et vaquent à leurs affaires. La preuve de cette attitude générale des mères nous est offerte par un contre-exemple suffisamment exceptionnel pour qu'il soit cité comme un modèle à suivre : la lettre déjà mentionnée du *Mercure de France* qui félicite une grande dame (Madame d'Epinay) de s'occuper sérieusement de ses enfants. L'auteur dressait un tableau très négatif des attitudes maternelles courantes et concluait : « Rien n'est si rare qu'une mère tendre et éclairée capable de faire marcher sur la même ligne le sentiment et la raison. » Et il s'émerveille que cette bonne mère « ne les laisse pas un moment abandonnés à eux-mêmes... qu'elle fasse elle-même leur éducation... qu'elle ait sur eux une douce autorité... qu'elle étudie par elle-même le tempérament, le caractère et le goût de ses enfants ».

Si Madame d'Epinay était cette bonne mère, il n'empêche qu'elle avait, pour lui éviter toute fatigue, une gouvernante pour sa fille et un précepteur pour son fils...

Le précepteur prenait la relève de la gouvernante. Il faisait partie des domestiques au même titre que le valet de pied, mais, note Crousaz : « Il est plus honorable de se débarrasser de la présence de ses enfants auprès d'un précepteur qu'auprès d'un valet de pied [63]. » Il devait enseigner à lire et écrire, quelques mots de latin, un poil de géographie et une pincée d'histoire. Pour ces raisons, on n'a pas besoin de se donner grand mal pour en trouver un capable de rem-

---

62. *Lauzun*, 14, cité par Duff Cooper, 7.
63. Crousaz, *Traité de l'éducation des enfants*, 1722, p. 112-114.

plir cet office. « On se borne au premier venu : la
recommandation d'un domestique ou de quelques personnes aussi peu intelligentes, mais avec qui on est lié
par quelques intérêts, détermine à remettre ce qu'on
doit avoir de plus précieux en des mains inconnues. »

Le choix du précepteur n'est pas sans rappeler celui
de la nourrice. On se détermine couramment pour le
moins cher. Au XVIIIᵉ siècle, les bourgeois riches
auraient tous pu dire ce qu'écrivait Voltaire à propos
du précepteur qu'il cherchait pour Mademoiselle Cor-
neille : « Si vous connaissez quelques pauvres hommes
qui sachent lire et écrire et qui puissent avoir une tein-
ture géographique et d'histoire... nous les logerons,
chaufferons, blanchirons, abreuverons et paierons,
mais paierons très médiocrement [64]. »

En effet on ne les paye pas cher. On trouve de jeunes séminaristes pour 300 livres d'honoraires par an.
Certains étaient compétents comme Rousseau, précepteur du jeune Mably, et chargé aussi de la direction de
la cave [65]. D'autres étaient ignorants et brutaux. On en
changeait tout le temps, comme de domestiques.
Crousaz note avec amertume que les parents sont peu
exigeants dans le choix du précepteur : « Un homme
riche ne remet pas le soin de ses chevaux à un
inconnu, il veut être témoin par lui-même de son habi-
leté à les dresser. Mais se donne-t-il le même soin
pour connaître à qui il abandonne ses enfants [66] ? »

Les enfants s'en aperçoivent et « leur cœur en
conclut qu'il n'est leur maître que de nom et que dans
le fond il est infiniment au-dessous d'eux... tout au
plus est-il leur premier domestique [67] ». En réalité, les
parents tiennent souvent davantage compte de leur
valet de chambre que du précepteur. D'ailleurs, note

64. Voltaire, *Lettre* du 16 décembre 1760.
65. Rousseau, *Confessions* I, VI.
66. Crousaz, *op. cit.*, p. 112 à 114.
67. *Ibid.*

encore Crousaz, s'il arrive que les premiers s'ouvrent
un chemin vers la fortune, il est bien peu de précepteurs auxquels on ait marqué la reconnaissance que
l'on avait pour leurs soins.

Départ en pension

Vers huit, dix ans, l'usage voulait qu'on éloignât à
nouveau l'enfant de la maison afin de parfaire son
éducation. Avant le XVIIᵉ siècle, l'enfant faisait son
apprentissage chez des voisins. Les familles échangeaient réciproquement leur progéniture pour servir
comme domestiques ou apprentis. Pratique étonnante
si l'on considère que l'enfant va apprendre ailleurs ce
que les parents auraient pu eux-mêmes lui enseigner.
Mais cet usage montre qu'on est plus facilement meilleur patron que bon parent. Comme si, lorsque interviennent les liens du sang, les rapports se faisaient
plus difficiles...

Progressivement, depuis la fin du XVIᵉ siècle, l'école
se substitue à l'apprentissage comme moyen d'éducation. Au XVIIᵉ siècle on voit se multiplier les écoles
pour garçons et filles, les collèges avec internats pour
les plus grands et les couvents pour les petites jeunes
filles. Jésuites et oratoriens vont rivaliser pour mieux
élever les jeunes gens de bonnes familles. Leurs joyaux
sont Louis-le-Grand et le collège de la Flèche d'une
part, Juilly et Sainte-Barbe de l'autre.

Avec les écoles et surtout, à la fin du XVIIᵉ siècle,
la création des internats qui séparent radicalement les
adultes des enfants, commence, selon Ariès, « un long
processus d'internement des enfants (comme les fous,
les pauvres et les prostituées) qui ne cessera plus de
s'étendre jusqu'à nos jours [68] ». Philippe Ariès suggère
que cette mise à l'écart et cette « mise à la raison »
des enfants est l'une des faces de la grande moralisa-
tion des hommes ; que celle-ci n'a été rendue possible

---

68. Ph. Ariès, p. III de la préface à la nouvelle édition.

que par « la complicité sentimentale des familles ». Il pense que cette affection des parents s'exprime par la place attribuée à l'éducation et que c'est là une preuve nouvelle de l'importance reconnue à l'enfant.

Les propos d'Ariès appellent quelques réserves. Certes, il est sûr que le désir d'éducation et d'enseignement est signe d'intérêt pour l'enfant. Il est vrai aussi que la bourgeoisie considère le savoir (plus que la noblesse qui l'a longtemps méprisé) comme un moyen de promotion sociale puisque, grâce à lui, elle s'empara des places de fonctionnaires et de grands commis de l'Etat, du type intendant. Mais ne peut-on également voir dans cette nouvelle attention des parents pour leur progéniture la marque d'un autre intérêt pour eux-mêmes ? L'expression d'un nouvel orgueil qui veut que les enfants soient la gloire des parents, une autre manière de satisfaire à l'éternel narcissisme. Et quand la mode est lancée, plus personne n'y résiste.

De plus, si l'on tient compte de l'attitude générale des parents à l'égard des enfants et notamment de l'indifférence et de l'égoïsme que l'on a pu observer, on est bien tenté de voir dans la mise à l'école et surtout la mise en pension un moyen moralement honorable de s'en débarrasser.

Cette explication apparaît çà et là dans la littérature ou les Mémoires particuliers. Ainsi Buchan regrette « l'erreur commune à presque tous les parents et qui détériore la constitution de leurs enfants, de les envoyer trop jeunes à l'école [69] », c'est-à-dire à partir de sept ans quand on n'a pas de précepteur. « On ne le fait le plus souvent, continue Buchan, que pour s'en débarrasser. Quand un enfant est à l'école on n'a plus à veiller sur lui. C'est le maître d'école qui fait office de nourrice. »

---

69. Buchan, *opus cité*, p. 71-72. En Grande-Bretagne, l'Ecole est synonyme de pension ou de collège.

Et le traducteur de Buchan de questionner les parents français : si vous voulez tous des enfants instruits, que ne les instruisez-vous vous-mêmes ? Sans illusion il répond : « Les travaux, les affaires, les occupations de la vie, l'amour des plaisirs, l'indolence sont autant d'obstacles qui s'opposeront toujours à ce que les parents emploient auprès de leurs enfants des moments qu'ils regarderaient comme sacrifiés à leur intérêt. »

Les couvents où l'on met en pension les petites filles en attente de mariage sont la meilleure preuve de cette indolence des parents, le moyen pour eux de se débarrasser de leurs filles. On les y laissait parfois dès l'âge de six ans. Cette éducation plus mondaine que réelle fut adoptée par la très grande majorité des parents avec d'autant plus d'empressement qu'elle était peu coûteuse. Sous Louis XIV, dans une abbaye importante, la pension ne dépassait pas 200 livres [70] par an, donc elle était moins chère qu'un précepteur. Une fois mise au couvent, les parents ne revoyaient que rarement leur fille, au cours de quelques visites épisodiques. C'est là qu'elle attendait un époux, à l'abri de toute tentation contraire à sa vertu. Si nul mari ne se présentait pour les pauvres, il n'était pas rare qu'on laissât la jeune fille au couvent pour qu'elle y prît le voile.

Quand elle rentrait définitivement à la maison, les parents n'avaient plus qu'une idée fixe : la marier et en être débarrassés.

Gorgibus, le père des Précieuses, et spécimen de milliers et milliers du même genre, n'y va pas par quatre chemins pour dire le fond de sa pensée : « je me lasse de vous avoir sur les bras, et la garde de deux filles est une charge un peu trop pesante pour un homme de mon âge [71] ». On a souvent voulu excuser

---

70. Babeau, *opus cité*, p. 286... Au XVIIIe siècle les prix augmenteront jusqu'à 600 livres dans les couvents les plus renommés.
71. *Les Précieuses*, scène V.

ce père en alléguant qu'il prononçait de tels mots en pleine colère. Mais c'est justement parce qu'il ne se contrôle plus qu'il dit exactement ce qu'il pense. Beaucoup de parents, comme lui, qui avaient abandonné leurs filles au couvent pendant de longues années, avaient l'impression quand elles en revenaient de se trouver face à des étrangères gênantes. N'ayant pas eu le temps de faire leur connaissance, ils n'avaient tous qu'un même désir : les marier au plus vite afin de s'en débarrasser, cette fois pour de bon, dans les bras d'un mari.

La majorité des parents observaient le même processus à l'égard de leur fille et généralement sans le moindre sentiment de culpabilité. Madame de Sévigné, qui, elle aussi, avait placé sa fille dans le couvent des filles de Sainte-Marie à Nantes, fut l'une des rares à exprimer des remords. Elle s'étonne par la suite de ce qu'« elle avait eu la barbarie de la mettre en prison [72] ». On sait qu'elle fut plus désolée encore qu'on envoie dès l'âge de six ans sa petite-fille à Sainte-Marie-de-la-Visitation d'Aix. Manifestement ses regrets n'étaient pas partagés par Madame de Grignan. Il faudra bien attendre cent ans pour que les mères aient envie de garder près d'elles leur enfant.

Le même enfermement touchait les jeunes garçons. Après le préceptorat, on les envoie de plus en plus couramment terminer des études classiques dans des collèges. D'abord modérément, car l'usage est encore de faire coucher les élèves dans des familles bourgeoises proches du collège ou bien chez des pédagogues, répétiteurs qui abritaient plusieurs écoliers et surveillaient leur travail. Mais peu à peu, les parents souhaitèrent que leurs enfants restent sous la surveillance constante de leurs maîtres. Certes, les jansénistes réclamaient depuis longtemps une telle mesure. Mais le

72. M. Monnerqué : *Lettres de Madame de Sévigné*, Grands écrivains, T.I. : lettre à Madame de Grignan, 6 mai 1676.

R.P. de Dainville [73] signale que les jésuites n'étaient pas favorables à l'internat et qu'ils ne cédèrent à la demande des familles que pour ne pas perdre la clientèle de leurs enfants. C'est ainsi que le nombre de pensionnats des jésuites passa de cinq au XVIIᵉ siècle à quatorze au XVIIIᵉ siècle. D'autre part, le R.P. de Dainville mentionne la multiplication des pensions séparées des collèges qu'il compare à nos « boîtes » actuelles. Celles-ci se vantent de former plus rapidement et à moindres frais les jeunes gens qu'on leur confie.

Les grands collèges, tels que Louis-le-Grand ou Sainte-Barbe se réorganisèrent en conséquence : on développa l'internat au point de supprimer presque totalement l'externat. Celui-ci est peu à peu déconseillé aux familles, car on finit par voir en lui le germe de toutes les anarchies et subversions.

C'est pourquoi le nombre des pensionnaires alla en augmentant jusqu'en 1789 [74] et se stabilisa ensuite aux alentours de 1825. A titre d'exemple, nous voyons que le collège de Troyes n'accueille en 1675 que huit pensionnaires sur cinq cent vingt-trois élèves. En 1744, il en recevra quarante-quatre pour un total de cent quatre-vingt-dix élèves. A la fin du XVIIIᵉ siècle, Louis-le-Grand comptera 85 % d'internes, ce qui fait dire à Ariès qu'on « reconnaissait la valeur morale et pédagogique de la réclusion ».

Si le développement de ces grands collèges représente un incontestable progrès pour l'éducation des jeunes gens, celui de l'internat est plus ambigu. Il correspond à la fois à la volonté nouvelle d'écarter l'enfant du monde des adultes [75], et peut-être souvent

73. *Annales de démographie historique*, 1973, p. 288-289.
74. Selon un rapport de Villemain (1843), la France comptait à la fin de l'Ancien Régime 562 collèges rassemblant 73 000 élèves.
75. Ariès, *opus cité*, p. 313-317.

au désir de se débarrasser [76] de sa progéniture. Autant nous comprenons que les parents ne puissent se substituer aux enseignants des collèges, autant on saisit mal pourquoi ils ne veulent même pas assumer leur éducation morale. Mis à part certaines incompatibilités, comme l'éloignement entre le domicile familial et le collège et autres cas particuliers d'ordre matériel, on se demande pourquoi les parents adoptent si communément l'internat. Aujourd'hui, sauf exceptions, la mise en pension constitue un constat d'échec de la part des parents. On remet à d'autres la charge qu'on ne peut assumer. Au XVIIIe siècle, on n'essaie même pas de l'assumer. Comment expliquer cette attitude sinon par un désintérêt réel pour les fonctions parentales ? A tout le moins, un louable souci pédagogique fit bon ménage avec l'égoïsme. On pouvait se débarrasser de ses enfants en invoquant les meilleurs motifs intellectuels et moraux. « Pour le bien des enfants », on peut faire figure de parents exemplaires, et cela à bon marché [77] et au bénéfice de sa tranquillité.

Quand on regarde les trois actes de l'éducation, (mise en nourrice, gouvernante ou précepteur et départ au collège) on ne peut pas ne pas voir l'idée directrice qui y préside : « comment s'en débarrasser en gardant la tête haute ». Tel est le souci majeur des parents car, en ce domaine, la mère ne se distingue aucunement du père.

En ce temps-là il est vain de parler d'amour maternel dans les classes aisées. Tout au plus peut-on évoquer un sens du devoir, en accord avec les valeurs dominantes et propre aux deux parents. Pour la majo-

76. M. Dainville cite le témoignage très intéressant des Mercuriales du chancelier d'Aguesseau qui évoquait l'opposition de conception entre les magistrats de la génération précédente, soucieux de donner une éducation de qualité à leurs enfants et le désintérêt de ses contemporains au début du XVIIIe siècle pour ces responsabilités.

77. Mis à part les collèges de grande réputation, comme Louis-le-Grand, la plupart des écoles ne sont pas trop coûteuses.

rité d'entre eux, le devoir consiste à supporter ces far-deaux divins dont on contrôle bien mal encore la venue. Car même si les couples, à la fin du XVIIIᵉ siècle, commencent à pratiquer une certaine forme de contraception[78], il demeure que la divine surprise est plus fréquente qu'on ne le voudrait. Quand l'enfant est né, il n'y a plus qu'à s'en remettre à la sage nature qui sélectionnera les meilleurs. Le moins qu'on puisse dire est que la mère ne fait pas grand-chose pour contrecarrer la nature, soit, en l'espèce, pour aider le bébé à lutter contre les aléas. On serait même tenté d'évoquer, dans ce laisser-faire non-chalant, une sorte de substitut inconscient à notre avortement. La mortalité effrayante des enfants au XVIIIᵉ siècle en est le plus criant témoignage.

La mortalité infantile

Dans la France des XVIIᵉ et XVIIIᵉ siècles, la mort de l'enfant est une chose banale. Selon les chiffres avan-cés par F. Lebrun[79], la mortalité d'enfants de moins d'un an est toujours sensiblement supérieure à 25 %. Dans l'ensemble de la France le taux de mortalité infantile est, à titre d'exemple, de 27,5 % de 1740 à 1749 et de 26,5 % de 1780 à 1789[80].

Dans son étude sur les nourrissons en Beauvaisis, dans la deuxième moitié du XVIIIᵉ siècle, J. Ganiage trouve à peu près la même moyenne, soit un enfant sur quatre qui ne dépasse pas le stade de la première année. Après cette première étape fatidique, le taux de

78. Goubert, *Histoire économique et sociale de la France*, II, P.U.F., 1970, p. 80 : sur le *coïtus interruptus* « pratique passagère et jamais systé-matique... dont l'ignorance paraît attestée jusque vers 1750 ou 1770 ».

79. F. Lebrun, « 25 ans d'études démographiques sur la France d'Ancien Régime. Bilans et perspectives », *Historiens et géographes*, oct. 1976, p. 79.

80. J. Dupaquier, *Caractères originaux de l'histoire démographique*, avril-juin 1976.

mortalité diminue sensiblement. Selon Lebrun, le nombre moyen de survivants aux différents âges pour 1 000 enfants s'établit ainsi : 720 survivent à la première année (soit les 25 % de morts déjà cités), 574 passent leur cinquième année et 525 célèbrent leur dixième anniversaire[81]. On constate donc que l'hécatombe est particulièrement lourde la première année et surtout le premier mois de la vie.

Mais ces chiffres globaux doivent être modulés car la mortalité infantile varie beaucoup d'une région à l'autre, en fonction de la salubrité, du climat et de l'environnement de celle-ci[82].

Le deuxième facteur à prendre en considération, et le plus important pour notre étude, est la différenciation introduite dans la mortalité infantile selon le mode de nourrissage de l'enfant. L'enfant du XVIIIᵉ siècle est plus ou moins bien nourri selon qu'il est allaité par la mère, mis en nourrice par ses parents ou mis en nourrice par l'Hôpital.

En règle générale, les enfants gardés et nourris par leur mère meurent deux fois moins que ceux qu'elle met personnellement en nourrice.

Ainsi, J.-P. Bardet[83] signale que la mortalité infantile des bébés de la ville de Rouen laissés à leur mère ne dépasse pas 18,7 % entre 1777 et 1789. Encore faut-il remarquer qu'il s'agit des mères secourues par l'Hôpital Général, donc peu argentées. Durant la

81. Les chiffres donnés par Ganiage dans *Trois villages d'Ile-de-France au XVIIIᵉ siècle* sont sensiblement les mêmes : 767 à 1 an, 583 à 5 ans, 551 à 10 ans.

82. A Crulai, en Normandie, le régime général semble plus favorable à la survie des enfants puisque 698 sur 1 000 d'entre eux passent le cap des 5 ans. Par contre, dans une petite ville du littoral insalubre du Languedoc comme Frontignan, seuls 399 y parviennent. Entre ces deux exemples, nous connaissons une multiplicité de chiffres plus ou moins morbides. A Lyon, M. Garden confirme les chiffres avancés par Prost de Royer : au milieu du siècle des Lumières, c'est un enfant sur deux qui meurt les meilleures années. Mais en moyenne les 2/3 des enfants lyonnais ne voient pas leur 20ᵉ année.

83. Art. cité, p. 28-29.

même période, la mortalité des enfants mis en nourrice par leurs parents, assistés par l'Hôpital Général, est de 38,1 %.

Dans le petit village du Cotentin, Tamerville, P. Wiel [84] ne dénombre que 10,9 % d'enfants morts allaités par leur mère.

Dans la banlieue sud de Paris, Galliano [85] relève quelques chiffres optimistes concernant les enfants morts en nourrice, puisque seulement 17,7 % succombent durant leur première année. Mais il faut se rappeler que la clientèle de ces nourrices est relativement aisée et que le trajet qui sépare les parents de la nourrice est bien court. Donc le voyage est moins éprouvant : « les petits Parisiens moins aisés, placés par le bureau de nourrice, mouraient à raison de un sur quatre ». Mais même dans ces conditions optimales, Galliano remarque que la mortalité exogène est le double de la mortalité endogène.

Enfin les chiffres concernant la ville de Lyon et ses environs sont encore plus tragiquement parlants. Les mères secourues par le bureau de bienfaisance maternelle de 1785 à 1788 [86] qui nourrissent leurs bébés n'en perdent que 16 % avant l'âge de un an. En revanche, selon le médecin lyonnais Gilibert [87], la mortalité des enfants confiés à des nourrices est dévastatrice puisqu'il écrit : « Nous avons trouvé que les Lyonnais, tant bourgeois qu'artisans, perdaient environ les 2/3 de leurs enfants sous la direction des nourrices mercenaires. »

Une remarque du docteur Gilibert sur l'origine sociale des enfants est intéressante car elle montre que la mort n'est pas réservée aux enfants pauvres. Ceci est confirmé par l'étude d'Alain Bideau [88] sur la petite

84. P. Wiel, « Tamerville », *Annales de démographie historique*, 1969.
85. Galliano, article cité, p. 150-151.
86. Garden, *op. cit.*
87. Gilibert, *op. cit.*, p. 326.
88. A. Bideau, article cité, p. 54.

ville de Thoissey, dont les enfants d'origine relativement aisée mouraient aussi en grand nombre chez les
nourrices des paroisses environnantes. Ici, comme ailleurs [89], les enfants allaités par leur mère sont privilégiés.

Le sort des enfants trouvés, dont le nombre fut en
constante augmentation au XVIIIᵉ siècle, était bien pire
encore. F. Lebrun [90] constate qu'entre 1773 et 1790 le
chiffre moyen d'enfants abandonnés annuellement est
de 5 800. Ce qui est énorme quand on pense que les
naissances annuelles à Paris tournent autour de 20 000 à
25 000 enfants. Même si l'on sait que des mères étrangères à la capitale viennent les y abandonner, le chiffre reste impressionnant.

Parmi ces enfants abandonnés, il faut encore faire
la part entre enfants légitimes et illégitimes. Bardet a
montré qu'à Rouen les seconds meurent davantage et
plus vite que les premiers. A. Chamoux [91] confirme ce
phénomène à Reims. La raison en est simple : ils sont
les plus maltraités de tous.

Lebrun pense qu'en l'absence de chiffres précis, on
peut estimer grossièrement qu'il y avait 1/3 d'enfants
légitimes pour 2/3 d'illégitimes. Si, à Reims, la cause
presque générale de l'abandon des enfants est la terri-

---

89. A. Chamoux, « L'Enfance abandonnée à Reims à la fin du
XVIIIᵉ siècle », in *Annales de démographie historique*, 1973, p. 277 : « Double est la mortalité si le nouveau-né n'est pas nourri par sa mère. »

Les témoignages de particuliers renforcent cette impression de désola-
tion. Gilibert cite le cas du village Morancé, près de Lyon, où sur
22 enfants amenés de Lyon par des nourrices, il en mourut 16 en 2 ans. Il
interrogea le curé de la paroisse qui lui dit que depuis quinze ans il gémis-
sait des mêmes malheurs, et que tous ses confrères émettaient les mêmes
plaintes. A la même époque, un pasteur anglais fait de semblables
constatations sur son village situé à 20 km de Londres. Certes, les enfants
qui meurent ainsi comme des mouches sont probablement des enfants
assistés ou abandonnés. Mais tel n'était pas le cas des enfants de Montaigne qui les perdit tous en nourrice, ni celui des frères et sœurs de Madame
Roland qui raconte dans ses *Mémoires* que ses parents avaient eu 7 enfants
dont 6 étaient morts en nourrice.

90. F. Lebrun, *op. cit.*, p. 154-155.

91. *Op. cit.*, p. 277.

ble misère des parents, il faut peut-être nuancer le propos à Paris. Une étude portant sur 1 531 parents ayant abandonné un enfant à la Couche en 1778 montre que la qualité ou la profession de ceux-ci n'est pas toujours celle qu'on imagine. Lebrun[92] remarque que, parmi eux, on compte un tiers de bourgeois de Paris, un quart de maîtres artisans et de marchands, un autre quart de compagnons ouvriers et gagne-deniers.

Les raisons majeures de l'abandon sont principalement d'ordre économique et social[93]. Cependant il y a aussi bon nombre de petits-bourgeois qui abandonnent leurs enfants avec l'idée de les reprendre quelques années plus tard. Ils pensent qu'ils recevront de meilleurs soins à l'hôpital que ceux qu'ils pourraient leur donner eux-mêmes. Mais seul un nombre infime de parents reprennent effectivement leurs enfants par la suite. D'une part, parce qu'ils oubliaient de les réclamer, d'autre part, parce que la réalité hospitalière était tout autre que ce qu'ils avaient imaginé.

Dans le dernier tiers du XVIIIe siècle il meurt, avant un an, plus de 90 % d'enfants abandonnés à l'hôpital de Rouen, 84 % à Paris et 50 % à Marseille[94].

Ces chiffres montrent de façon définitive les plus grandes chances de survie des enfants allaités par leur mère, ou à défaut, par de bonnes nourrices, payées convenablement et soigneusement choisies par les parents. De façon générale, on constate un pourcentage de mortalité qui varie du simple au double selon que l'enfant est ou non allaité par sa mère, et de un à six ou un à dix selon que l'enfant est, ou non, abandonné.

Donc le nourrissage est « objectivement » un infanticide déguisé. Cela est d'autant plus frappant que l'on sait que le plus gros de l'hécatombe se situe dans

92. Lebrun, *op. cit.*, p. 156.
93. Cf. la difficulté d'avoir un enfant avant ou hors mariage, cause du désarroi de nombreuses mères.
94. Bardet, *op. cit.*, p. 27 ; Tenon, *Mémoire sur les hôpitaux de Paris*, p. 280.

la première année de l'enfant, et surtout dans le premier mois de la vie[95]. Passé le premier mois fatidique, les chiffres se tassent et l'on constate qu'après un an, la mortalité des enfants mis en nourrice ne dépasse guère celle de ceux qui sont nourris par leur mère.

On se prend à rêver que si tous ces enfants avaient été gardés, ne serait-ce qu'un ou deux mois, par leur mère, avant d'être abandonnés ou confiés à des nourrices, près du tiers d'entre eux auraient survécu. Pour expliquer cette attitude inconsciemment meurtrière, on a toujours invoqué la misère et l'ignorance qui l'accompagne : comment de pauvres gens illettrés auraient-ils pu savoir ce qui attendait leurs enfants chez la nourrice ou à l'hôpital ?

L'argument est incontestable pour une grande partie de la population. Mais pas pour tous. Même si généralement on ne sait pas ce qu'il advient de son bébé abandonné, la répétition des accidents et des décès aurait dû alerter et inquiéter sur le sort de ceux-ci. Le moins que l'on puisse dire est que l'on n'a pas vraiment cherché à savoir ce que devenaient tous ces enfants. Quant aux bébés mis en nourrice par les parents eux-mêmes, l'excuse de l'ignorance est encore plus discutable. D'ailleurs, à la fin du XVIIIe siècle, beaucoup de mères d'origine modeste portent plainte contre les mauvaises nourrices qui leur rapportent leur enfant en piètre état.

A Lyon, Prost de Royer cite le cas de plusieurs mères qui pleurent des larmes de sang en voyant leur enfant revenir mourant à la maison. L'une d'entre elles, qui a perdu sept enfants en nourrice demande au lieutenant de police[96] « si pour les pauvres femmes du peuple qui ne peuvent allaiter, il n'y a donc aucun moyen de conserver leurs enfants ». D'autres femmes

---

95. Les études faites à Rouen ou à Reims en témoignent. Là, 69,8 % des enfants abandonnés meurent avant un mois. Ici, un peu moins de 50 %. A Paris, 82 % à l'Hôtel-Dieu.

96. Prost, *op. cit.*, p. 21.

font des procès contre les mauvaises nourrices qui leur
« gâtent » leur enfant. Mais tout cela n'empêche pas
la majorité des mères d'avoir toujours recours à elles,
car la nécessité de leur travail leur interdit de nourrir
elles-mêmes.

Cependant comment expliquer l'attitude des artisans
et marchands aisés ? Comment croire un seul instant
Rousseau quand il dit, pour justifier l'abandon de ses
cinq enfants contre le désir de Thérèse, qui laissera
faire quand même : « Tout pesé, je choisis pour mes
enfants le mieux ou ce que je crus l'être. J'aurais
voulu, je voudrais encore avoir été élevé et nourri
comme ils l'ont été [97]. »

L'égoïsme de Rousseau laisse rêveur !

Que penser enfin du comportement de bourgeois
bien installés comme les parents de Madame Roland
qui, en dépit du massacre successif de tous leurs
enfants, continuent imperturbablement à mettre les
suivants en nourrice ? Dans ces cas-là, ni la misère ni
l'ignorance ne peuvent servir de paravents à ces infanticides. Seuls le désintérêt et l'indifférence peuvent
rendre compte d'une telle attitude, laquelle jusqu'à
une période avancée du XVIIIᵉ siècle n'était pas réellement condamnée par l'idéologie morale ou sociale. Ce
dernier point est capital car il semble montrer que si
la mère ne subit aucune pression de ce genre, elle agit
selon sa nature propre qui est égoïste, et non poussée
par un instinct qui commanderait qu'elle se sacrifie à
l'enfant qu'elle vient de mettre au monde.

Certains émirent l'hypothèse que ce furent les pères
qui pesèrent sur leurs épouses pour qu'elles adoptent
une telle attitude. C'est la faute à Rousseau si Thérèse
abandonne ses enfants, celle du charcutier si la char-
cutière envoie les siens en nourrice, celle du mondain
si la mondaine en fait autant. Il y eut sûrement de

---

97. Rousseau, *Les Confessions*, livre VIII, éd. la Pléiade, t. I, 1959,
p. 357-358.

nombreux cas où les choses durent se passer ainsi. Mais comment s'en tenir à cette explication qui vise uniquement à justifier les femmes en en faisant les victimes des hommes ? Toutes les femmes ne furent pas soumises à des bourreaux qui auraient exigé d'elles le sacrifice de leur instinct et de leur amour. Au contraire, on a vu que les pères traditionnels, du type de Chrysale, se plaignent amèrement de ce que leur épouse méprise le soin des enfants.

Il est plus juste de conclure à une connivence entre père et mère, mari et femme, pour adopter les comportements que l'on vient de voir. Simplement, on est moins choqué de l'attitude masculine car nul n'a jamais, jusqu'à ce jour, érigé l'amour paternel en loi universelle de la nature. Il faut, croyons-nous, se résigner à relativiser également l'amour maternel et constater que « le cri de la nature » peut ne pas s'entendre.

On verra qu'il faudra, à la fin du XVIIIe siècle, déployer beaucoup d'arguments pour rappeler la mère à son activité « instinctive ». Faire appel à son sens du devoir, la culpabiliser et même la menacer pour la ramener à sa fonction nourricière et maternante, dite naturelle et spontanée.

DEUXIÈME PARTIE

UNE NOUVELLE VALEUR :
L'AMOUR MATERNEL

C'est dans le dernier tiers du XVIIIᵉ siècle que s'opère une sorte de révolution des mentalités. L'image de la mère, de son rôle et de son importance, change radicalement même si, dans les faits, les comportements ont du mal à suivre.

Après 1760, les publications abondent qui recommandent aux mères de s'occuper personnellement de leurs enfants et leur « ordonnent » de les allaiter. Elles créent l'obligation pour la femme d'être mère avant tout, et engendrent un mythe toujours bien vivace deux cents ans plus tard : celui de l'instinct maternel, ou de l'amour spontané de toute mère pour son enfant.

A la fin du XVIIIᵉ siècle, l'amour maternel fait figure de nouveau concept. On n'ignore pas que ce sentiment a existé de tout temps sinon tout le temps et partout. On se plaît d'ailleurs à en rappeler l'existence dans les temps anciens et nous-mêmes avons constaté que le théologien J.L. Vivès se plaignait de la trop grande tendresse des mères au milieu du XVIᵉ siècle. Mais ce qui est nouveau, par rapport aux deux siècles précédents, c'est qu'on exalte l'amour maternel comme une valeur à la fois naturelle et sociale, favorable à l'espèce et à la société. D'aucuns, plus cyniques, y verront à long terme une valeur marchande.

Ce qui est nouveau également c'est l'association des deux mots « amour » et « maternel », qui signifie non seulement la promotion du sentiment, mais aussi celle de la femme en tant que mère. Le phare idéologique, en se déplaçant insensiblement de l'autorité vers l'amour, éclaire de plus en plus la mère au détriment du père qui rentrera progressivement dans l'ombre.

Si, jadis, on insistait tant sur la valeur de l'autorité paternelle, c'est qu'il importait avant tout de former des sujets dociles pour Sa Majesté. En cette fin du XVIIIᵉ siècle, l'essentiel pour certains est moins de dresser des sujets dociles que de faire des sujets tout court : produire des êtres humains qui seront la richesse de l'Etat. Pour ce faire, il faut empêcher à tout prix l'hémorragie humaine qui caractérise l'Ancien Régime.

Le nouvel impératif est donc la survie des enfants. Et ce nouveau souci passe à présent avant l'ancienne préoccupation du dressage de ceux qui restaient après l'élimination des déchets. Les déchets intéressent l'Etat qui cherche à les sauver de la mort. L'important n'est donc plus tant la deuxième période de l'enfance (après sevrage), que la toute première étape de la vie que les parents avaient pris l'habitude de négliger et qui était pourtant le moment de la plus forte mortalité.

Pour opérer ce sauvetage, il fallait convaincre les mères de s'atteler aux tâches oubliées.

Moralistes, administrateurs, médecins se mirent à l'ouvrage et déployèrent leurs arguments les plus subtils pour les persuader de revenir à de meilleurs sentiments et de « redonner la mamelle ». Une partie des femmes furent sensibles à cette nouvelle exigence. Non parce qu'elles obéissaient aux motivations économiques et sociales des hommes mais parce qu'un autre discours, plus séduisant à leurs oreilles, se profilait derrière celui-ci. C'était le discours du bonheur et de l'égalité qui les concernait au premier chef. Pendant presque deux siècles, tous les idéologues leur promirent monts et merveilles si elles assumaient leurs tâches maternelles : « Soyez de bonnes mères et vous serez heureuses et respectées. Rendez-vous indispensables dans la famille et vous obtiendrez droit de cité. »

Inconsciemment, certaines d'entre elles devinèrent qu'en produisant ce travail familial nécessaire à la société, elles prenaient une importance considérable que la plupart d'entre elles n'avaient jamais eue. Elles crurent aux promesses et pensèrent gagner le droit au respect des hommes, la reconnaissance de leur utilité et de leur spécificité. Enfin une tâche nécessaire et « noble » que l'homme ne pouvait, ou ne voulait pas assumer ! Devoir, de surplus, qui devait être la source du bonheur humain.

Pourtant, pour des raisons différentes, les femmes ne furent pas toutes aussi sensibles à ces arguments. Même si Rousseau fut entendu d'une poignée d'entre elles, qui n'étaient pas sans influence, il ne fut que le précurseur d'un courant de pensée. Tout au long du XIXe siècle et jusque dans la France pétainiste, les idéologues reviendront inlassablement sur tel ou tel aspect de la théorie rousseauiste de la mère. A quoi bon cette répétition monotone des mêmes arguments s'ils avaient été suivis de tous les effets souhaités ? N'est-ce pas la preuve que toutes les femmes ne se laissèrent pas définitivement convaincre ? Si beaucoup se soumirent joyeusement aux nouvelles valeurs, un grand nombre d'entre elles firent semblant de s'y plier et eurent la paix. D'autres résistèrent et on leur fit la guerre.

CHAPITRE PREMIER

PLAIDOYERS POUR L'ENFANT

Il ne fallut pas moins de trois discours différents pour que les femmes connaissent à nouveau les douceurs de l'amour maternel et que leurs enfants aient de plus grandes chances de survie : un discours économique alarmant qui ne s'adressait qu'aux hommes éclairés, un discours philosophique commun aux deux sexes et enfin un troisième discours qui s'adressait exclusivement aux femmes.

Le discours économique

Il résulte de la prise de conscience de l'importance de la population pour une nation. Cette prise de conscience fut en grande partie l'œuvre d'une nouvelle science : la démographie.

L'intérêt pour les recherches démographiques est relativement récent dans notre histoire, puisqu'il n'apparaît vraiment qu'au milieu du XVIIe siècle. C'est Colbert qui, le premier, ordonna une grande enquête nationale sur la population. Il fit faire en 1663 un questionnaire qu'il envoya à tous les intendants du Royaume. Mais rares furent ceux qui y répondirent correctement.

En 1697, le duc de Beauvillier renouvela la tentative pour servir à l'information de son élève le duc de

Bourgogne. Pierre Goubert [1] considère que ce fut là le premier essai sérieux d'évaluation de la population. En 1707, Vauban en donna le résultat global et fit publier le dénombrement par Saugrain en 1709. Selon les calculs obtenus, la France comptait 19 millions d'âmes, résultat entaché, selon Goubert, d'une erreur de 1/10e. Mais les dirigeants eurent la certitude que la France, mis à part la Russie, était le pays le plus peuplé d'Europe.

Après cette publication, l'opinion éclairée se passionna pour le dénombrement. Tout au long du XVIIIe siècle, nombreux furent ceux qui tentèrent de préciser les données numériques : le comte de Boulainvilliers, Expilly, Messance, Moheau se mirent à l'ouvrage. En outre, les ministres des Finances Orry, Bertin, Laverdy, Terray, Necker et Calonne ordonnèrent tous des recensements. Peu d'entre eux aboutirent à des résultats convenables, car, dans l'ensemble, l'intendance suivait mal et le peuple n'était pas coopérant, prévenu « contre toute opération du gouvernement, qui... lui fait voir des impôts partout [2] ».

Les résultats obtenus à la fin du XVIIIe siècle sont presque tous inférieurs à la réalité. En 1784, Necker pense que la France compte 24,8 millions d'âmes, alors qu'en 1790 les chiffres des impositions de l'Assemblée nationale en donnent 26,3 millions. La population française se serait donc accrue depuis 1709 de 7 millions d'habitants en presque un siècle, en tenant compte de l'annexion de la Corse et de la Lorraine. Le taux de croissance moyen fut donc de 3 % [3]. Bilan modeste, dit Soboul, face à celui de bien des Etats européens qui atteignent 10 % durant la même

---

1. *Histoire économique et sociale de la France*, 2, « Les fondements démographiques » p. 11 à 13.
2. Moheau, Recherches et considérations sur la population de France (1778).
3. Chiffres donnés par Albert Soboul dans *La Civilisation et la Révolution française*, Arthaud, 1970, chap. 6.

période. Croissance moins importante également que celle du XVIᵉ siècle. Le XVIIIᵉ siècle rattrape quelque peu les désastres du XVIIᵉ siècle, mais dans l'ensemble le primat démographique de la France est en voie de disparition.

Si le XVIIIᵉ siècle a vu un léger recul de la mortalité, cela concerne d'abord celle des adultes grâce à la disparition des grands fléaux traditionnels : la guerre, la peste, et progressivement après 1750 les grandes famines. La mortalité infantile, par contre, n'avait pas sensiblement changé en un siècle[4].

La réalité démographique du XVIIIᵉ siècle n'était pas catastrophique si on la compare aujourd'hui à celle du XVIIᵉ siècle. Mais les hommes du XVIIIᵉ siècle n'eurent pas conscience du léger mieux qui s'opérait progressivement. Certains considéraient le niveau de population comme constant, d'autres le crurent en recul. Soboul explique le mythe de la stagnation par le fait que, pendant plus de cinquante ans, on reprit sans les modifier les chiffres de 1709. Par contre, le mythe du recul est une idée des philosophes et un argument des économistes physiocrates dont l'origine fut probablement les estimations fantaisistes et trop faibles que l'on obtint au milieu du siècle.

Compte davantage pour nous l'opinion que se firent les contemporains de la démographie que la réalité des faits. Même s'ils n'étaient pas justifiés, les cris d'alarme de Montesquieu, Voltaire, Rousseau et des physiocrates ne furent pas sans conséquence. Car, à force d'entendre de voix aussi autorisées que la France se dépeuplait, tous ceux qui avaient quelques responsabilités admirent l'idée comme un fait indiscutable et donc un problème à résoudre. Nul ne songea à s'étonner des calculs de Montesquieu qui trouva « qu'il y a à peine sur terre 1/10ᵉ des hommes qui y étaient dans

---

4. Sous Louis XIV, on estime qu'un enfant sur deux arrive à l'âge du mariage.

les anciens temps[5] ». Ni à se rassurer des statistiques
avancées par Voltaire, selon lesquelles six cents
enfants sur mille arrivaient à l'âge de vingt ans[6]. Ni à
demander des précisions à Rousseau qui affirmait
péremptoirement[7] que l'Europe se dépeuplait car les
mères ne voulaient plus faire leur devoir.

Au contraire, l'heure était plutôt au pessimisme,
lequel fut renforcé dans la deuxième partie du siècle
par les arguments des physiocrates et les mesures de
leurs ministres. Dans *L'Ami des Hommes*[8], Mirabeau
soutenait que la dépopulation de la France avait pour
causes la grande propriété, le luxe, la fiscalité et la
décadence de l'agriculture qui étaient autant de freins
à la production, donc à la richesse, donc à la natalité.
Les réformes proposées paraissaient impossibles à réaliser. Par contre, il était plus facile de s'intéresser à la
natalité présente et d'essayer de remédier aux causes
du gaspillage humain. Tel fut le nouveau propos des
responsables de la nation.

Dans sa *Dissertation sur la dépopulation*[9], le médecin Gilibert signale que Louis XV « avait tourné ses
regards paternels sur les germes précieux de la Société,
et engagé les hommes de génie à développer dans des
ouvrages les causes des maladies, les moyens de les
préserver et les méthodes les plus efficaces de les guérir ». Il ajoute que l'Europe entière imitait ce bon roi.
Témoin, l'Académie de Hollande qui proposa un prix
à celui qui aurait tracé la meilleure méthode pour
conserver les enfants. Ce fut Ballexserd, compatriote
de Rousseau, qui l'emporta.

Pour les ministres tels que Turgot, Bertin, Necker et
Calonne, le problème de la conservation des enfants
est à l'ordre du jour. Il le restera jusqu'à la guerre de

---

5. *L'Esprit des lois*, livre XXIII.
6. *Essai sur les mœurs.*
7. *Emile*, I, p. 256.
8. *L'Ami des hommes ou Traité de la population* (1756-1758).
9. 1770, avant-propos.

1914. Tous cherchent les moyens d'enrayer la surmor-
talité des premiers mois de l'enfant, voire des premières heures. Le ministre physiocrate Bertin donna une
nouvelle impulsion à l'obstétrique en en étendant l'enseignement [10]. Il s'agissait d'abord de donner des conseils
aux sages-femmes, souvent responsables, par leur
ignorance, d'un grand nombre d'accidents durant
l'accouchement. Bertin demanda au grand Joseph
Raulin, médecin du Roi, un ouvrage destiné aux sages-
femmes de province, et le fit traduire dans les différentes langues de l'hexagone. De son côté, le jeune
intendant Turgot, proche lui aussi de l'Ecole physio-
cratique, créa dans sa généralité limousine la première
école de sages-femmes.

A côté des préoccupations humanitaires de ces
grands commis de l'Etat, il existe un réel intérêt
d'économiste pour la production en général. Bertin fut
tout aussi préoccupé par la production animale que
par la production humaine. Peut-être même davantage
par la première ! En 1762, il crée une école vétérinaire à Lyon et en 1766 la très célèbre école d'Alfort.
Dans le même esprit, il encouragea l'agriculture, l'hor-
ticulture et créa sans cesse des écoles afin de mieux
produire. On ne peut s'empêcher, sans vouloir ironiser, de comparer la sage-femme, le vétérinaire et
l'agriculteur qui ont tous pour fonction de donner la
vie, ou de la rendre possible. Pour une nation, cela
signifie plus de richesses et de bien-être.

Le fait est là, l'enfant, spécialement à la fin du
XVIIIe siècle, prend une valeur marchande. On s'aperçoit qu'il est potentiellement une richesse économique.
Ecoutons Moheau parler, car on ne peut pas être plus
net : « S'il est des Princes dont le cœur soit fermé au
cri de la nature, si de vains hommages ont pu leur
faire oublier que leurs sujets sont leurs semblables...

10. J.-N. Biraben : « Le médecin et l'enfant au XVIIIe siècle », *Annales
de démographie historique*, 1973. p. 216.

ils devraient du moins observer que *l'homme* est tout à la fois le dernier terme et l'instrument de toute espèce de produit ; et en ne le considérant que comme un *être ayant un prix*, c'est le plus précieux trésor d'un souverain [11]. »

On appréciera le réalisme du célèbre démographe qui continue ainsi : « L'homme est le principe de toute richesse... une matière première propre à ouvrager toutes les autres et qui, amalgamée avec elles, leur donne une valeur et la reçoit d'elles [12]. » Du travail humain résulte donc une foule de moyens de subsistance et de jouissance.

En parlant de l'homme en termes de prix et de matière première, Moheau utilise le discours capitaliste de la quantité. Alors que dans l'ancienne version chrétienne de l'homme, c'était la qualité de l'Ame qui comptait avant tout, en cette fin du XVIIIᵉ siècle c'est d'abord la quantité d'hommes qu'il convient d'apprécier car celle-ci est source de jouissance. Pour être plus explicite encore, Moheau se réfère à l'Angleterre où « on *a calculé le prix de chaque homme suivant ses occupations* : on estime un matelot autant que plusieurs cultivateurs et quelques artistes autant que plusieurs matelots. Ce n'est pas le lieu d'observer... si le métier qui donne le plus d'écus est réellement le plus utile à l'Etat, mais nous observons que dans ce mode d'évaluation, on voit l'homme, suivant l'emploi de ses forces ou de son industrie être le principe de la Richesse Nationale [13] ».

L'être humain est devenu une denrée précieuse pour un Etat, non seulement parce qu'il produit des richesses, mais aussi parce qu'il est garant de sa puissance militaire. Par conséquent, toute perte humaine est à présent considérée comme un manque à gagner pour l'Etat. En 1770, Didelot résume la nouvelle idéologie

---

11. Moheau, *op. cit.*, chap. 3, p. 10-11 (souligné par nous).
12. Moheau, *op. cit.*, p. 11.
13. Moheau, *op. cit.*, p. 15 (souligné par nous).

en ces termes : « Un Etat n'est puissant qu'autant qu'il est peuplé... que les bras qui manufacturent et ceux qui le défendent sont plus nombreux [14]. »

Il est vrai que cent ans plus tôt, Colbert avait déjà eu très fortement cette intuition mercantiliste et inauguré une politique économique en ce sens [15]. En même temps qu'il avait développé l'idéologie du travail, enfermé les pauvres dans les hôpitaux, pour mieux les faire travailler (façon radicale, mais peu efficace de réduire le chômage et d'avoir de la main-d'œuvre à bon marché), Colbert lutta de toutes les façons contre le trop grand nombre de gens « improducteurs ». Il se plaignait sans cesse des prêtres et des nonnes qui « non seulement se soulagent du travail qui irait au bien commun, mais même privent le public de *tous les enfants qu'ils pourraient produire* pour servir aux fonctions nécessaires et utiles [16] ». Il prit diverses mesures populationnistes en encourageant les familles qui ne plaçaient pas leurs enfants dans les ordres. Il exempta de la taille les pères de famille parvenus à élever dix enfants et accorda des facilités fiscales aux garçons mariés à vingt ans au plus tard.

Enfin, il interdit aux Français d'immigrer à l'étranger. Colbert avait donc pensé à tout sauf à faciliter la survie des bébés, et les mesures fiscales se révélèrent, comme toujours, insuffisantes à résoudre le problème de la natalité [17].

Il faut attendre le milieu du XVIIIe siècle pour que réapparaisse, après éclipse, l'idéologie de la production sous la plume des physiocrates.

Dans cette nouvelle optique quantitative, tous les bras humains ont de la valeur, même ceux que jadis

14. Didelot, *Instruction pour les Sages-Femmes*, 1770, Avant-propos.
15. Il pensait que le travail de la production et de la vente étaient des obligations des sujets envers l'Etat, des devoirs civiques.
16. Lavisse, *Louis XIV*, Paris, Tallandier, 1978, p. 172 (souligné par nous).
17. Babeau note qu'à la fin du règne de Louis XIV, la population a sensiblement diminué. Les causes en sont les guerres, disettes, etc.

on considérait avec quelque mépris. Les pauvres, les mendiants, les prostituées et bien sûr les enfants abandonnés deviennent intéressants en tant que forces de production possible. Par exemple, on pouvait les envoyer peupler les colonies françaises, grands réservoirs de richesses qui n'attendaient que des bras solides pour donner leurs meilleurs fruits.

Au XVIIᵉ siècle déjà Colbert avait bien essayé de peupler le Canada en envoyant chaque année, de force, « des filles saines et fortes pêle-mêle avec des animaux reproducteurs [18] ». Mais cela n'avait pas suffi à peupler convenablement les colonies.

En 1756, le problème fut réexaminé méthodiquement par un célèbre « philanthrope » : Monsieur de Chamousset. Mieux que Colbert, il avait deviné que les mesures les plus efficaces concernaient la survie des enfants, y compris ceux qu'on abandonnait traditionnellement à la mort.

Dans son *Mémoire politique sur les enfants* [19], Chamousset montre dès la première phrase le fil directeur de sa pensée : « Inutile de chercher à prouver combien la conservation des enfants est importante à l'Etat. » Or, constate-t-il, les enfants abandonnés meurent comme des mouches sans aucun profit pour l'Etat. Pis, ils coûtent à la nation, puisqu'on est obligé de les entretenir jusqu'à ce qu'ils meurent. Voici comment le philanthrope pose le problème dans les termes les plus réalistes, pour ne pas dire cyniques, de l'économie : « Il est affligeant de voir que les *dépenses considérables* que les hôpitaux sont obligés de faire pour les enfants exposés (abandonnés), *produisent si peu d'avantages à l'Etat...* La plupart périssent avant d'être arrivés à un âge où l'on en pourrait *tirer quelque utilité...* On n'en trouvera pas un dixième à l'âge

---

18. Dans une note on peut lire : « nous préparons les 150 filles, les cavales, chevaux entiers et brebis qu'il faut faire passer au Canada ».
19. Paru en 1756 et plusieurs fois réédité jusqu'à la fin du siècle.

de 20 ans... Et que devient ce dixième *si coûteux*, si l'on répartit sur ceux qui restent la dépense que l'on a faite pour ceux qui sont morts ? Un très petit nombre apprend des métiers ; le reste sort de l'hôpital pour faire des mendiants et vagabonds ou passe à Bicêtre avec un billet de pauvre[20]. »

Tout le projet de Chamousset est de transformer cette perte pour l'Etat en profit, faire de ce poids mort (poids de morts) une force de production rentable pour la société. Plusieurs solutions sont envisageables. La première consisterait à exporter ces enfants préalablement nourris au lait de vache à la Louisiane dès l'âge de cinq ou six ans. Les différentes cultures auxquelles on les emploierait, relativement à leur force et à leur âge, seraient un « profit immense[21] » et fourniraient de quoi les élever.

De l'âge de dix ans jusqu'à ce qu'ils soient mariés, on les occuperait les dimanches et jours de fête aux exercices militaires, en réservant bien sûr un temps pour l'apprentissage des principes de la Religion. Ils seront ainsi élevés selon « les sentiments conformes à une sainte Politique[22] ». Puis on les marierait entre vingt et vingt-cinq ans et on leur donnerait alors autant de terres qu'ils pourront en cultiver.

En conclusion, Chamousset se livre à un calcul des profits qui constitue presque un véritable encouragement à l'abandon.

On abandonne, dit-il, dans la seule ville de Paris, près de 4 300 enfants. Si le reste du pays en produit le

20. Chap. 4, p. 243 : « Des moyens de former une colonie nombreuse et qui doit procurer de grands avantages à la France » (souligné par nous).

21. *Op. cit.*, p. 244-245 : Ainsi, en débarquant, ils pourraient être occupés à élever le ver à soie, « opération facile, dont on tirerait un grand profit ».

Pour justifier cette précoce mise au travail des jeunes enfants, Chamousset, qui ne veut effaroucher personne, ajoute un argument qui ne manque pas d'hypocrisie. Il dit : puisque dans les pensions les petits enfants s'en amusent... il ne sera pas difficile de leur faire faire ce travail « qui fait naturellement leur récréation ».

22. *Op. cit.*, p. 247.

double, on disposera à peu près de 12 000 enfants trouvés tous les ans. Si l'on suit sa proposition de nourrir tous ces enfants au lait de vache (il est l'un des premiers à préconiser l'allaitement artificiel), il jure qu'il en restera au moins 9 000 à exporter tous les ans. Au bout de trente ans de ce régime, nos colonies seraient plus riches de 200 000 colons. Et, en moins d'un siècle, on aurait peuplé un pays plus grand et plus fertile que la France qui en augmenterait considérablement les richesses.

Cependant, la conservation des enfants trouvés pouvait servir à autre chose qu'à peupler nos colonies. D'autres besoins se faisaient sentir en France et Chamousset ne manqua pas de suggérer différentes utilisations de cette main-d'œuvre tombée du ciel.

On sait que durant la période qui va de Louis XIV à Napoléon [23], les nombreuses guerres firent sentir la nécessité d'une France mieux peuplée pour faire face aux coalitions européennes. Mais les besoins militaires du pays se heurtaient aux nécessités économiques. Tous les jeunes gens envoyés à la guerre étaient autant de bras qu'on ôtait à l'agriculture. Les physiocrates demandaient bien qu'on exemptât les cultivateurs de la milice ; mais il était impossible de leur donner satisfaction puisque c'étaient les mêmes bras campagnards qui tenaient la faux en temps de paix et le fusil en temps de guerre.

C'est encore le bon Chamousset qui suggéra la solution en proposant une autre utilisation des enfants trouvés. Voici son raisonnement : « Des enfants qui

---

23. Napoléon prit des mesures pour prévenir à long terme une insuffisance de recrutement. Les archives communales de Thuin, dans le Hainaut, rapportent comment était encouragé l'élevage d'enfants. « Moins il meurt d'enfants en bas âge, plus on trouve de soldats à vingt ans... L'Empereur, par décret du 5 mai 1810, a ordonné la création d'une Société maternelle de l'enfance, destinée à donner des soins aux femmes en couches et aux jeunes enfants. » En outre, Napoléon promettait à toute famille qui aurait sept enfants « mâles » d'en prendre un à sa charge. Tant pis pour les malheureux parents qui faisaient sept filles !

ne connaissent de mère que la patrie... doivent lui appartenir et être employés de la façon qui lui sera le plus utile : sans parents, sans soutien que celui qu'un sage gouvernement leur procure, ils ne tiennent à rien, n'ont rien à perdre. La mort même pourrait-elle paraître redoutable à de pareils hommes que rien ne semble attacher à la vie, et que l'on pourrait familiariser de bonne heure avec le danger, si on les destinait à faire des soldats [24] ? »

Puisque l'éducation peut tout sur les hommes, ajoute Chamousset, il ne doit pas être difficile de « faire regarder la mort et les dangers avec indifférence à des gens que l'on élèvera dans ces sentiments et qui n'en seront pas distraits par une tendresse réciproque ou par des liaisons de parenté [25] ».

Plus concrètement, Chamousset propose que l'Etat et son administration fassent des efforts pour conserver en vie les petits enfants abandonnés, qu'ils développent l'hygiène et l'allaitement artificiel afin que survivent ces futurs hommes. Après le sevrage, tout village qui voudrait s'exempter de la milice se chargerait de huit de ces enfants, jusqu'à leur entrée dans l'armée. Chaque père et mère s'en occuperaient convenablement car ils verraient dans leur conservation la liberté de leur propre famille. Et pour indemniser l'Etat des dépenses faites pour les élever, ces jeunes miliciens seraient obligés de le servir jusqu'à vingt-cinq ans ou trente ans. En outre, pendant leurs années de service, l'Etat économiserait un salaire de matelot ou de soldat plus important que ce que coûte un enfant par an.

Tel est le calcul sordide qui poussa Chamousset à s'intéresser à la survie des enfants abandonnés. L'intérêt [26] ne laisse ici percevoir aucune trace d'humanisme,

---

24. *Op. cit.*, p. 236.
25. *Op. cit.*, p. 237.
26. Il ne négligea aucune possibilité de profit puisque pour les petites filles abandonnées aussi, il sut trouver des solutions rentables pour l'Etat.

ou même de charité chrétienne. Monsieur de Chamousset fit pourtant figure en son temps de grand philanthrope ! A défaut de justice sociale, son discours prouve que l'enfant a changé de statut : il est devenu une valeur marchande possible. Le sens de la prévision et de l'anticipation s'étant développé chez les hommes de la fin du siècle, on ne voit plus en lui la charge qu'il représente à court terme, mais la force de production qu'il incarne à long terme. Il devient un investissement profitable pour l'Etat qu'il serait bien bête et « imprévoyant » de négliger. Cette nouvelle vision de l'être humain en termes de main-d'œuvre, profit et richesse est l'expression du capitalisme naissant. Lorsque Chamousset (plus que Colbert, qui, lui, ne voit que l'intérêt de l'Etat) parle de « profit de l'Etat [27] », il s'exprime au nom des classes dominantes et de leur expression étatique.

Si le discours cynique d'un Chamousset est relativement exceptionnel, en ce sens que d'autres mettront plus de formes pour dire la même chose, il reste que son propos ne choque pas et que la préoccupation populationniste ne cessera de motiver la plupart des discours philanthropiques et humanistes. En 1804, c'est le médecin Verdier-Heurtin qui fait sienne une phrase de Juvenal désormais à la mode : « Vous ne méritez rien de la patrie pour lui avoir donné un citoyen, si par vos soins, il n'est utile à la République dans la paix et dans la guerre, et s'il n'est propre à faire valoir vos terres [28]. » Mais le ton culpabilisant de Juvenal fait parfois place au cri d'alarme. A la veille de la guerre de 1870, Brochard, les yeux tournés vers la Prusse, et conscient du problème de la dénatalité, supplie les mères françaises de faire leur devoir, c'est-à-dire d'assurer la survie de leurs enfants.

---

27. Expression que l'on trouve des dizaines de fois dans son court mémoire politique.
28. Verdier-Heurtin, *Discours sur l'allaitement*, 1804, p. 17.

Dès la fin du XVIIIᵉ siècle, l'Etat et des personnes privées prennent des initiatives pour aider les mères nécessiteuses. Les municipalités, comme celle de Rouen, rétribuent les mères nourricières et il se crée un peu partout, dans les grandes villes telles que Paris, Lyon ou Bordeaux, des sociétés de protection maternelle qui viennent en aide aux pauvres mères qui veulent allaiter leur bébé. Dans l'ensemble, la mortalité de ces enfants fut moindre que celle des bébés nourris par des mercenaires. Mais ces initiatives ponctuelles furent très limitées, et la mortalité infantile nationale en fut peu modifiée.

A cette époque, les discours populationnistes des économistes et philanthropes s'adressaient en priorité aux hommes « responsables ». S'il était bon de les convaincre du bien-fondé de la survie des enfants, ce n'était pas tant eux-mêmes qu'il fallait toucher que leurs femmes. Elles seules pouvaient, par leurs soins intensifs, sauver les enfants de la mort trop souvent promise par les nourrices. Or, la seule évocation des nécessités économiques et politiques n'a jamais suffi à changer les comportements et les mœurs. Les cris d'alarme des uns et les abjurations des autres étaient trop éloignés des préoccupations des femmes pour que celles-ci se résolvent à faire le sacrifice demandé. Car, pour beaucoup d'entre elles, c'était bien de sacrifice qu'il s'agissait.

En exigeant qu'elles reprennent les tâches oubliées depuis deux siècles, on attendait rien moins qu'elles fassent taire leur égoïsme au profit de leurs enfants. L'impératif économique et social n'aurait eu aucune chance d'être entendu des femmes s'il n'avait été corroboré, au même moment, par un autre discours plus gratifiant et exaltant qui touchait à la fois les hommes et leurs épouses. Il ne parlait pas le langage du devoir, des obligations et du sacrifice, mais celui de l'égalité, de l'amour et du bonheur.

Une nouvelle philosophie

La philosophie des Lumières propagea deux grandes idées complémentaires qui favorisèrent à un degré ou à un autre le développement de l'amour et de son expression : les idées d'égalité et de bonheur individuel.

L'égalité

Pour ce qui est de l'égalité, il semble que la philosophie de la deuxième partie du siècle ait anticipé, et de loin, sur la pratique quotidienne. Il est vrai aussi qu'elle milita davantage pour l'égalité des hommes entre eux (égalité des ordres) que pour celles des êtres humains : l'homme, la femme et les enfants.

Il reste cependant qu'un courant égalitaire et libertaire traverse la société à la fin du siècle. Et si peu de gens s'intéressent à l'égalité politique de l'homme et de la femme, on voit se modifier le statut du père, de la mère, et même celui de l'enfant, dans le sens d'une plus grande homogénéité. Ces premiers coups portés à l'autorité paternelle profitaient non seulement à l'enfant, mais aussi à sa mère qui pouvait se mettre davantage en valeur et prendre une certaine autonomie.

L'image du père et de son pouvoir se transforme : la puissance paternelle n'est rien d'autre à présent que l'aide momentanée par laquelle il supplée à la faiblesse de l'enfant. Deux textes donnent la mesure du changement des mentalités. Le premier est l'article de l'*Encyclopédie* consacré à la puissance paternelle, l'autre, un passage du *Contrat social* de Rousseau.

L'article de l'*Encyclopédie* est particulièrement intéressant parce qu'il est un concentré de l'ancienne et de la nouvelle idéologie. Il développe à la fois la vieille théorie de l'origine naturelle et divine du pouvoir paternel et l'idée nouvelle de ses limites. D'une part, le père et la mère ont le même « droit de supériorité et de correction sur leurs enfants », d'autre part, leurs droits sont bornés par les besoins de l'enfant. Le pou-

voir, plus parental que strictement paternel, est maintenant fondé sur la faiblesse de l'enfant « incapable de
veiller lui-même à sa propre conservation ». C'est à
présent le bien de l'enfant qui justifie l'autorité des
parents, plutôt qu'un droit aussi abstrait qu'absolu.
L'*Encyclopédie*, ayant pris note des nouvelles aspirations, dit aussi que la conservation des enfants est
plus importante que la formation de sujets dociles.
Plus que Dieu ou le monarque, c'est la nature de
l'enfant qui appelle la puissance des parents et lui
impose en même temps de justes bornes. Comme
l'essence enfantine est changeante par définition,
l'*Encyclopédie* distingue différents degrés de l'autorité
des pères et mères qui doit évoluer en même temps
que l'enfant.

Dans le premier âge, le petit de l'homme n'est pas
capable de jugement. Il a donc besoin de l'autorité
entière de son père et de sa mère pour assurer sa protection et sa défense. A la puberté, il commence à
réfléchir, mais il est encore si volage qu'il a besoin
d'être dirigé : « La puissance des pères et mères est un
pouvoir d'administration domestique », pouvoir un
peu semblable à celui qu'Aristote reconnaissait au
mari sur sa femme.

Quand l'enfant est devenu adulte, ses parents voient
leur autorité extrêmement limitée, certains diront
inexistante. Qu'on en juge par les propos mêmes de
l'*Encyclopédie* : « Dans le troisième âge... les
enfants... doivent toujours se ressouvenir qu'ils doivent à leur père et mère la naissance et l'éducation ;
ils doivent conséquemment les regarder *toute leur vie
comme leurs bienfaiteurs* et leur en marquer leur
reconnaissance par tous les devoirs de respect, d'amitié et de considération dont ils sont capables. C'est sur
*ce respect et sur l'affection que les enfants doivent
avoir pour leur père et mère*, qu'est fondé le pouvoir
que les pères et mères conservent encore sur leurs
enfants dans le troisième âge. »

Peut-être penserons-nous aujourd'hui que cette ultime forme d'autorité n'en est pas une. L'affection et le respect pour les parents ne relèvent pas de l'obligation morale, mais de la nature. Ces sentiments tout naturels et spontanés ne seraient donc pas objets de commandement. Apparemment tel n'était pas l'avis des rédacteurs de l'*Encyclopédie* puisque, dans l'article qu'ils consacrèrent à l'*Amour*, on peut lire que l'amour des parents est spontané parce qu'il ne diffère pas de l'amour-propre, tandis que l'amour des enfants est beaucoup plus aléatoire. Pessimistes, ils reprennent le propos de Vauvenargues : « Que si l'on n'est homme de bien, il est rare qu'on soit bon fils. » Les Encyclopédistes proches de nos valeurs actuelles estiment que les parents ont le droit d'exiger affection et respect de la part de leurs enfants. Et c'est pour cette raison qu'ils leur accordent cette ultime autorité morale qui ne s'éteint qu'avec la mort.

Leurs propos ne mériteraient pas d'être relevés tant ils semblent aller de soi aujourd'hui, s'ils n'avaient été contredits par un philosophe qui était pourtant l'un des leurs : Rousseau.

Dans *Le Contrat social*, Rousseau expose une théorie radicalement nouvelle de la famille. Il dit ceci : « La plus ancienne de toutes les sociétés, et la *seule* naturelle, est celle de la famille, encore les enfants ne restent-ils liés au père qu'aussi longtemps qu'ils ont *besoin* de lui pour se conserver. Sitôt que ce besoin cesse, *le lien naturel se dissout. Les enfants exempts de l'obéissance qu'ils devaient au père*, les pères exempts des soins qu'ils *devaient* aux enfants, rentrent tous également dans *l'indépendance*. S'ils continuent de rester unis, ce n'est plus naturellement, c'est volontairement, et la famille elle-même ne se maintient que par convention [29]. »

Ce texte appelle un certain nombre de réflexions.

---

29. *Le Contrat social*, I, 2 (souligné par nous).

Curieusement, de ce passage du *Contrat social* qui ne parle que de la famille, on a davantage retenu la portée politique que la signification propre et ses implications. Or, il est non seulement fort original par rapport à son temps, mais il dérange encore nos valeurs actuelles.

En affirmant, d'abord, que la famille est la « seule » société naturelle, Rousseau refuse toute légitimation de l'autorité politique du Roi sur ses sujets à partir du modèle de l'autorité du père sur ses enfants [30].

Du point de vue strictement familial, le désaccord de Rousseau avec ses prédécesseurs n'est pas moins grand quand il affirme que la famille n'est qu'une société provisoire. En effet, le lien « naturel » entre parents [31] et enfants ne se maintient qu'autant que les enfants en ont « besoin » pour se conserver. Seule leur faiblesse naturelle appelle les soins et l'aide des parents. C'est un devoir pour eux d'y répondre adéquatement. On peut noter au passage que, ni dans ce texte ni dans l'*Emile*, Rousseau ne parle des soins donnés aux enfants en termes d'instinct, mais toujours dans ceux de la morale. Là encore la société a fait taire la voix de la nature au point de l'étouffer. A moins que la nature ne commande pas grand-chose...

Quand Rousseau imagine l'hypothétique état de nature, il décrit ainsi les rapports des membres de la famille naturelle : « Les mâles et les femmes s'unissaient fortuitement selon la rencontre, l'occasion et le désir... ils se quittaient avec la même facilité. *La mère allaitait d'abord ses enfants pour son propre besoin* ;

---

30. On se souvient que Bossuet voulait légitimer l'autorité monarchique absolue en la déduisant de l'autorité paternelle, historiquement première et naturelle de surcroît. La ruse du despotisme était d'apparaître comme le substitut du pouvoir paternel et ayant son fondement en lui.

31. Rousseau utilise dans ce texte le mot « père » dans le sens plus général de « parent » : on trouve le même usage de ce mot dans d'autres textes du XVIIIe siècle, notamment dans l'*Encyclopédie*.

puis, *l'habitude* les lui ayant rendus chers, elle les nourrissait ensuite pour le leur [32]. » On remarque que dans cet état quasiment animal, la femme-femelle ne nourrit d'abord son petit que pour satisfaire son propre besoin, c'est-à-dire pour être soulagée des douleurs de la montée de lait. C'est le besoin et non l'amour qui lui fait d'abord donner la mamelle et qui est donc la première cause du maternage. Tous ceux qui discoururent sur l'amour maternel et le dévouement spontané de la mère furent peu loquaces sur cet aspect des choses. On oublia que l'allaitement était d'abord l'effet de l'égoïsme maternel plutôt que celui de son altruisme [33].

La mère naturelle éprouve le besoin répétitif de se décharger de son lait et donc de faire téter le bébé. La répétition de l'acte crée l'habitude d'un contact régulier avec l'enfant. Et de cette habitude naît la tendresse maternelle. C'est celle-ci qui, dans une deuxième période, donne à la mère une attitude généreuse, le temps que les besoins de l'enfant soient à leur tour satisfaits. Mais si l'amour n'est pas premier, et si son apparition dépend du besoin de la mère, que se passera-t-il lorsque l'on pourra artificiellement faire taire ce besoin ? Si l'on arrête la montée de lait, que devient l'amour maternel ?

Et le père ? Il n'existe tout simplement pas dans l'hypothèse de Rousseau. Il n'y a qu'un mâle qui féconde une femelle sans le savoir. Le saurait-il par

32. Rousseau, *Discours sur l'origine de l'inégalité parmi les hommes*, p. 147, éd. Pléiade (souligné par nous).

33. Une magnifique nouvelle de Maupassant vient à point nous rappeler cette vérité. Dans *Idylle*, il montre une nourrice voyageant en train, de plus en plus gênée au fil des heures par ce lait qui gonfle ses seins et qu'elle ne peut donner à personne. Puis la douleur est si intolérable qu'elle demande à un compagnon de voyage de la soulager en la tétant. Pour ce faire, elle l'entoure comme un bébé et l'on devine que quiconque fût entré à cet instant dans le wagon, y aurait vu une scène d'amour étrange ou une marque de dépravation. Mais la nourrice soulagée remercie très dignement le jeune homme pour le service rendu et les choses en restent là (coll. Folio, p. 177-184).

hasard qu'il ne lui échoirait aucune fonction particulière. Le concept de paternité n'a pas sa place dans la nature. Mais dans l'état social qui est le nôtre, et peut-être le seul qui ait jamais existé, l'homme s'est attribué des fonctions paternelles : l'autorité qui va de pair avec la protection de l'enfant. Rousseau circonscrit cette autorité dans les limites des besoins de l'enfant. Pas vraiment naturel, ni divin, son pouvoir n'est établi, comme le dit Grotius, qu'en faveur de celui qui est gouverné. Les droits et les plaisirs du gouverneur n'ont pas ici leur place. C'est le devoir seul qui commande leur action.

Pour être conforme à la « nature de l'enfant », l'aliénation de sa liberté ne peut être que momentanée. C'est pourquoi, dit Rousseau, « quand le besoin de l'enfant cesse, le lien naturel se dissout ». C'est ce qu'il affirmait déjà dans le *Deuxième Discours* quand il évoquait les liens de la mère et de ses enfants : « Sitôt qu'ils avaient la force de chercher leur pâture, ils ne tardaient pas à quitter la mère elle-même ; et comme il n'y avait point d'autre moyen de se retrouver que de ne pas se perdre de vue ils en étaient bientôt au point de ne même pas se reconnaître les uns les autres[34]. » Là aussi, quand le besoin cesse, le lien avec la mère se dissout définitivement.

Ces propos sont essentiels. Ils montrent que Rousseau va bien au-delà de la pensée de l'*Encyclopédie* qui n'a jamais envisagé que puisse se rompre le lien entre parents et enfants. Dans *Le Contrat social*, quand l'enfant peut se prendre en charge lui-même, les rapports avec ses parents changent de nature et peuvent à la limite ne plus exister, comme dans l'hypothèse du *Deuxième Discours*.

N'ayant plus besoin de ses parents, l'enfant n'a plus de devoirs d'obéissance, ni même de devoir du tout à leur égard. Inversement, ceux-ci n'ont plus ni droit de

34. *Op. cit.*, p. 147.

commander, ni obligation de s'en occuper. Parents et
enfants deviennent égaux, indépendants et libres, l'un
autant que l'autre, l'un par rapport à l'autre. Si
l'autorité du père ou de la mère cherche à se maintenir néanmoins, elle devient « artificielle » et se pose
comme une entrave à l'indépendance fondamentale de
l'homme qu'est son enfant. En outrepassant ses
droits, le père devient un tyran et un despote.

L'idée rousseauiste d'une rupture des liens naturels
entre parents et enfants est lourde de conséquences.
Car enfin si l'on peut, l'âge venu, décider de quitter
pour toujours ses parents ou si ces derniers peuvent
rompre tout lien avec leur progéniture, c'est toute
notre conception présente de la famille qui devient
fausse et artificieuse. Cela signifie que, passé un certain stade physique et intellectuel, les liens et l'affection qui unissent parents et enfants ne sont ni nécessaires ni obligatoires, mais qu'ils sont fragiles et peuvent se rompre. A moins que justement, l'amour n'ait
jamais vraiment existé durant la période éducative.
Mais que l'amour puisse ne pas exister ou ne plus
exister, n'est-ce pas dire qu'il est essentiellement
contingent, possible, mais pas certain ?

Tout ceci n'est pas sans rappeler la « société animale ». Car si l'état de nature décrit par Rousseau
n'est qu'une hypothèse de travail, le rapport de la
femelle animale avec son petit est bien une réalité. Or,
ce rapport animal qu'on se plaît tant à évoquer et
parfois même à brandir aux femmes comme modèle se
dissout toujours le moment venu. Quand le petit est
sevré et les mamelles de la femelle vidées, il s'en va et
quitte pour toujours celle qui lui a donné son lait. Or,
nul ne songe à protester, car, dans le règne animal,
telle est la voix authentique de la nature.

Il est donc peu habile d'aller chercher l'animal et la
nature comme modèles du comportement humain.
Contradictoire aussi de parler d'enfants ou de parents

dénaturés pour désigner l'abandon des uns par les autres. Tous les parents du XVIIe et XVIIIe siècle qui abandonnèrent leurs enfants à d'autres mains étaient-ils dénaturés ou amoraux ? Et leur tort majeur n'était-il pas seulement de les abandonner avant l'heure ?

Cependant Rousseau n'identifie pas l'homme et l'animal, et si la rupture des liens est concevable, elle n'est pas la seule possible. L'enfant de l'homme peut renouer d'autres liens, de nature différente, avec ses parents. Ce ne seront plus des liens naturels[35], mais des liens volontaires, c'est-à-dire consciemment et librement choisis. Contingents et non plus nécessaires. Dans l'optique du *Contrat social*, Rousseau imagine que, le moment venu, chaque membre de la famille décide d'avoir ou non des rapports avec les autres. Cette libre décision est une sorte de pacte tacite, une convention que les membres de la future nouvelle famille passent entre eux. Dans le *Deuxième Discours*, Rousseau conclut : « Chaque famille devient d'autant mieux unie que l'attachement réciproque et la liberté en sont les seuls liens[36]. » A partir de cet instant, la famille n'est plus une société naturelle, mais une association volontaire qui ne diffère pas d'une société politique fondée sur des conventions.

Ce deuxième stade de la famille, tel que l'envisage Rousseau, ne laisse pas de nous étonner. Comment imaginer concrètement la rupture des premiers liens naturels et la reconstruction volontaire et rationnelle des seconds ? Comment faire table rase des anciennes habitudes, de l'amour et de la haine longuement tissés au fil des premières années ? N'est-ce pas une solution idéale, presque un mythe, que nous suggère Rousseau ? Pour l'homme du XXe siècle, doué d'un inconscient et d'une batterie d'interdits, ses liens avec les parents ne peuvent successivement se rompre et se

---

35. Instinctifs, immédiats et nécessaires.
36. *Discours sur l'origine de l'inégalité parmi les hommes*, éd. La Pléiade, p. 168.

reconstruire sur d'autres fondements, car la première
période marque trop profondément la seconde. Il n'est
même pas possible de rapprocher le passage de l'adolescence à l'âge adulte (caractérisé par un rejet des
parents) au double stade rousseauiste. Car dans notre
conception actuelle, l'enfant n'a pas vraiment la
liberté du choix tant est puissant le Sur-moi et son
cortège de culpabilités. Chez Rousseau, il en va autrement : la liberté du refus donne toute sa valeur à la
relation reconstruite. Ces retrouvailles idéales entre
êtres humains de même qualité qui auraient oublié
leurs contentieux passés pour ne conserver que l'amitié
présente symbolisent, sur le plan affectif, la parfaite
société politique. Grâce à la convention familiale, on
ne subit pas sa famille, on la choisit. Il en va du
membre de la société familiale comme du citoyen de
la société politique : l'un et l'autre sont libres de
contracter, libres aussi de s'en aller.

L'analyse du *Contrat social* éclaire d'un jour nouveau non seulement le statut du père, mais aussi celui
de l'enfant. En affirmant, dès la première phrase de
son livre, que « l'homme est né libre », Rousseau
posait la liberté comme une donnée indestructible de
la nature humaine. Et ainsi il rendait homogène la
nature du père et celle du fils. L'enfant est donc une
créature libre en puissance et la véritable fonction du
père est de rendre possible l'actualisation de cette
liberté encore en sommeil. Elever un enfant, c'est faire
d'un être momentanément faible et aliéné une personne autonome à l'égal de ses parents : le fils l'égal
de son père, la fille celle de sa mère.

Malheureusement, la logique et le réformisme de
Rousseau s'arrêtent aux frontières du sexe. La femme
continue, pour lui, d'être un individu relatif défini par
rapport à l'homme. On verra plus tard comment
Sophie est élevée pour satisfaire les désirs d'Emile et
les besoins de ses enfants. Mais si sa vision de la
femme, enfermée dans son rôle d'épouse et de mère

l'emporta pour une longue période de l'histoire, il reste que d'autres voix se firent entendre dont on ne peut négliger l'importance.

Ainsi Montesquieu, à plusieurs reprises, s'attacha à dénoncer l'inégalité de fait entre l'homme et la femme. La nature, selon lui, ne soumet pas les femmes aux hommes. Par conséquent, « l'empire que nous avons sur elles est une véritable tyrannie [37] ». Elles ne l'ont laissé prendre aux hommes, ajoute Montesquieu, que parce qu'elles ont plus de douceur que l'homme, et donc plus d'humanité et de raison. C'est une injustice qui peut et qui doit changer. Car, si les femmes sont effectivement inférieures aux hommes de ce siècle, la cause ne s'en trouve pas dans leur nature, mais dans l'éducation qu'on leur donne ou plutôt dans celle qu'on leur refuse.

Presque vingt ans avant la publication de l'*Emile*, le magistrat libéral critique par anticipation les postulats éducatifs de celui qui inspira en grande partie la pensée des révolutionnaires de 1789. Pour Montesquieu, toute éducation semblable à celle que recevra Sophie ne peut que perpétuer le préjugé traditionnel concernant les femmes. Au milieu du siècle, il blâme les conditions dans lesquelles on les fait vivre : « Nos filles ont un esprit qui n'ose penser, un cœur qui n'ose sentir, des yeux qui n'osent voir, des oreilles qui n'osent entendre, elles ne se présentent que pour se montrer stupides, condamnées sans relâche à des bagatelles et à des préceptes [38]. »

Dans *Le Système social*, Holbach, plus proche de Montesquieu que de Rousseau, rattache comme le premier la situation inférieure où est tenue la femme à l'éducation qu'on lui dispense. Il dénonce la « femme-jouet » que se sont fabriqués les hommes pour leur

37. *Lettres persanes*, n° 38 (éd. Folio, p. 116).

38. *L'Esprit des lois*, livre XXIII, chap. 9, « Des filles », Garnier-Flammarion, t. II.

plaisir et leur pouvoir : « On ne leur représente que fadeurs et bagatelles, on ne leur permet de s'occuper que de jouets, de modes, de parures. » La femme n'est que la créature de l'homme, au double sens de créée par l'homme et pour l'homme. A cette époque, l'homme n'a pas encore conçu la femme comme la mère dévouée de ses enfants. Encore un instant de patience et la chose sera faite...

Voltaire, quant à lui, développe un thème intermédiaire qui concilie à la fois l'idéologie rousseauiste et celle de Montesquieu ou d'Holbach. Il pense qu'une éducation solide pour les femmes les déterminerait plus encore à être bonnes mères et bonnes épouses. Plus la femme sera épanouie intellectuellement et plus les tâches familiales auront d'attrait pour elle. Mais l'héritier de Molière et le complice de Rousseau montre l'oreille quand il dit : « Il est vrai qu'une femme qui abandonnerait les devoirs de son état pour cultiver les sciences serait condamnable [39]. »

On est encore loin de Condorcet, le philosophe le plus féministe de son siècle, le seul qui s'employa à montrer l'égalité naturelle et politique de l'homme et de la femme. Il dénonça les « lois oppressives que les hommes ont faites contre elles [40] », et milita pour leurs droits de citoyennes (droit de vote, mais aussi droit à l'éligibilité aux fonctions publiques), à condition qu'on leur accordât une éducation semblable à celle qu'on dispense aux hommes. Pour lui, le génie féminin ne se borne pas à la maternité. La femme peut accéder à toutes les positions, car seule l'injustice, et non sa nature, lui interdit le savoir et le pouvoir.

Condorcet conclut sa lettre par une pointe ironique à l'égard des femmes qui ne jugent pas lucidement les discours que leur adressent les hommes : « J'ai peur, dit-il, de me brouiller avec elles... je parle de leurs

---

39. Voltaire, préface à *Alzire*.
40. Condorcet, *Lettres d'un bourgeois de New Haven* (1791), p. 281.

droits à l'égalité et non de leur empire ; on peut me soupçonner d'une envie secrète de les diminuer ; et depuis que Rousseau a mérité leurs suffrages, en disant qu'elles n'étaient faites que pour nous soigner et propres qu'à nous tourmenter, je ne dois pas espérer qu'elles se déclarent en ma faveur [41]. »

Condorcet faisait preuve d'une grande lucidité. Les femmes qui lisaient furent en majorité rousseauistes, même celles qui prétendirent à des fonctions qu'aurait réprouvées leur idole. Madame Roland ou Olympe de Gouges ne furent pas, quoi qu'elles pensèrent, les petites-filles de Rousseau. La Révolution fut plus rousseauiste qu'elles, qui les exécuta pour avoir prétendu au pouvoir et refusé de s'en tenir strictement au rôle d'épouse et de mère. Rien n'est plus éloquent, à ce propos, que le compte rendu de l'exécution de Madame Roland dans la *Feuille du Salut Public* [42] : « La femme Roland, bel esprit à grands projets, philosophe à petits billets... fut un monstre sous tous les rapports... Elle était mère, mais elle avait sacrifié la nature, en voulant s'élever au-dessus d'elle ; le désir d'être savante la conduisit à l'oubli des vertus de son sexe, et cet oubli, toujours dangereux, finit par la faire périr sur un échafaud. »

Il reste que si le statut de la femme ne s'est pas notablement modifié au XVIIIᵉ siècle ni même sous la Révolution française, celui de l'épouse-mère a progressé. A la fin du siècle, le comportement du mari à l'égard de sa femme semble se modifier en théorie et en pratique non seulement dans les classes aisées, mais aussi chez les bourgeois plus modestes. Il y a deux raisons principales à ce changement. D'une part, la nouvelle vogue du mariage d'amour qui transforme l'épouse en compagne chérie. D'autre part, les hommes responsables veulent que les femmes tiennent un

---

41. *Ibid.*, p. 286-287.
42. Sous le titre : « Aux républicaines. »

rôle plus important dans la famille et notamment auprès de leurs enfants. L'*Encyclopédie,* on l'a vu, affirmait que le pouvoir dit paternel est, en réalité, partagé avec la mère[43]. Il devint donc de plus en plus difficile de considérer l'autorité du mari sur l'épouse comme le pouvoir absolu du souverain sur son sujet, et de traiter sa femme comme jadis son enfant.

A défaut d'entériner l'égalité réelle entre l'homme et la femme, le XVIIIᵉ siècle a considérablement rapproché l'épouse de son mari. Ceci n'est pas seulement dû à l'importance croissante que prend l'enfant dans la société, mais aussi en grande partie à une véritable obsession de la philosophie des Lumières : la quête du bonheur, bientôt suivie de la valorisation de l'amour. Ces deux nouvelles valeurs viendront à point conforter l'homogénéisation des époux entre eux et même celle des parents et des enfants. En ce sens, la recherche du bonheur familial est un pas important dans l'évolution vers l'égalité.

Le bonheur

Dans une lettre à la Présidente de Bernière, Voltaire écrit : « La grande affaire et la seule qu'on doit avoir, c'est de vivre heureux[44]. » Ce qui compte à présent n'est plus tant la préparation de la vie future de l'âme que l'organisation la plus douce possible de la vie terrestre. Philosopher n'est plus apprendre à mourir, mais à vivre ici et maintenant. Tout le XVIIIᵉ siècle reprendra sans cesse ce thème qui tourne, dit R. Mauzi, « à l'obsession[45] ». Partant du postulat que l'homme est fait pour être heureux, il ne restait plus

43. « Les mères ont sur l'enfant un droit et un pouvoir égal à celui des pères. »
44. Voltaire, *Œuvres complètes*, tome 33, p. 62 (1722) (souligné par nous).
45. Robert Mauzi, *L'Idée de bonheur au XVIIIᵉ siècle*, Paris, A. Colin, 1969, p. 83-84.

aux penseurs des Lumières qu'à en trouver les conditions.

Dans son article consacré au *Bonheur*, l'*Encyclopédie* traduit bien la nouvelle idéologie, en cherchant à prouver que la Religion aussi apporte à l'homme le vrai bonheur. On ne fait plus dépendre, comme jadis, le salut éternel des épreuves terrestres, mais on affirme que « la nature nous a fait tous une loi de notre propre bonheur ». Dieu n'a mis l'homme au monde que pour lui offrir, en attendant la béatitude éternelle, un bonheur compatible avec sa nature déchue. Se référant aux propos de l'abbé de Gourcy [46], R. Mauzi conlut à l'apparition d'un nouveau christianisme dilué dans un hédonisme à deux étapes [47]. Dorénavant, la continuité est parfaite du bonheur terrestre au bonheur éternel. Douleur et malheur ne sont plus les données nécessaires et immédiates de l'existence.

Cette idée générale hante le XVIII⁵ siècle qui voit paraître pas moins d'une cinquantaine de traités sur le bonheur. On en disserte dans tous les cercles et dans tous les livres [48], et Stanislas Leczinsky confirme que « les conversations dans les sociétés ne roulent que sur le bonheur et le malheur [49] ». Mais le bonheur n'est pas seulement une préoccupation mondaine de salons. On en parle aussi aux êtres plus simples et frustes. Quand un curé de campagne veut exhorter ses ouailles à la vertu et au travail, s'il a épuisé le thème tragique des brasiers de l'enfer qui ne donne pas toujours les résultats escomptés, il n'est pas rare qu'il fasse alors appel à un thème plus séduisant. Il leur déclare plus

---

46. *Essai sur le bonheur* (1777) : « au bien-être ″ parfait et inaltérable ″ que le créateur nous avait préparé avant la chute, a succédé un bonheur de second ordre ».

47. R. Mauzi, *op. cit.*, p. 83.

48. Blondel, *Des hommes tels qu'ils sont et doivent être* (1758), cité par R. Mauzi, *op. cit.*, p. 84.

49. S. Leczinsky in *Œuvres du philosophe bienfaisant* (1763), cité par R. Mauzi, *op. cit.*, p. 84.

simplement qu'il faut faire son devoir afin d'être heureux en ce monde[50].

Si, au cours du XVIIIe siècle, on discuta beaucoup de la définition et des conditions du bonheur, on s'accorda dans l'ensemble sur une théorie du bonheur raisonnable. Un corps sain, une conscience tranquille, une condition qui satisfait : voilà ce que l'homme sensé peut espérer. Mais si le bonheur est possible en ce monde, c'est d'abord dans la micro-société familiale qu'il doit trouver place. C'est pourquoi l'aspiration au bonheur va sensiblement modifier les attitudes familiales. Elle explique leur évolution comme elle rend compte, en partie, du changement de l'idéologie politique.

Le bonheur n'est plus seulement une affaire individuelle. C'est à deux qu'on espère d'abord le réaliser en attendant de le vivre avec la collectivité. Pour que les relations entre époux et enfants soient heureuses, il faut, découvre-t-on au XVIIIe siècle, qu'elles soient fondées sur l'amour. Non pas l'amour-désir passionnel et capricieux, fait de hauts et de bas, de douleurs et de plaisirs, mais cet amour-amitié que nous appelons aujourd'hui tendresse.

Le bourgeois, dit R. Mauzi, devient « l'heureux habitant de ce monde[51] » parce qu'il réalise le rêve du siècle qui est d'accorder sans effort l'inclination et la vertu. Il aime l'ordre et l'harmonie qu'il vit de façon immédiate. Sans doute, note R. Mauzi, n'est-il pas fait pour tous les bonheurs. Il ne connaît de l'amour que la dévotion conjugale qui s'étend jusqu'à ses enfants. Mais ceci lui suffit et il prend soin de l'enfermer soigneusement dans sa demeure, à l'écart des tentations et des distractions.

Une transformation des mœurs s'opère donc au XVIIIe siècle, qui, pour la première fois, ne vient pas de

---

50. Froger, curé de Mayet (1769), cité par Mauzi, p. 84.
51. R. Mauzi, *op. cit.*, p. 274.

l'aristocratie, mais de la nouvelle classe montante. Dès le début du siècle, les prescriptions de la morale ecclésiastique se font l'écho de ce changement. Elles confirment que, dans la vie quotidienne du ménage, la femme s'est peu à peu et partiellement émancipée de la tutelle maritale. Flandrin remarque à ce propos que la subordination au mari soulignée explicitement au début du XVIIᵉ siècle par Benedicti et Toledo ne l'est plus au XVIIIᵉ siècle dans le manuel d'Antoine Blanchard.

Les proverbes et chansons populaires changent de ton et inversent même les thèmes traditionnels. Ainsi, il n'est plus recommandé de battre sa femme. L'image de la correction maritale n'est plus du tout de mise, du moins chez les bourgeois. Au contraire, une telle attitude est considérée comme un acte barbare. Il faut, dit-on à présent, « être le compagnon de sa femme et le maître de son cheval ».

La femme n'est plus assimilée au serpent de la Genèse, ou à une créature rusée et diabolique qu'il faut mettre au pas. Elle devient une personne douce et sensée dont on attend qu'elle soit raisonnable et indulgente. Eve fait tout doucement place à Marie. La curieuse, l'ambitieuse, l'audacieuse se métamorphose en une créature modeste et raisonnable, dont les ambitions ne dépassent plus les limites du foyer.

La transformation des mœurs s'observe aussi au niveau du vocabulaire. Au XVIIIᵉ siècle, l'amour-amitié paraît comprendre à présent la tendresse et même une certaine recherche du plaisir. Ceci ne s'explique que si l'on tient compte de l'apparition d'une nouvelle conception du mariage.

Vers la fin du XVIIIᵉ siècle le mariage conçu comme arrangement de deux familles apparaît de plus en plus choquant car il néglige les goûts et les inclinations des individus. Un tel mariage qui fait bon marché des sentiments humains est assimilé, dit Flandrin, à une sorte de rapt. Imposée au nom de critères socio-économiques, une telle union semble défier le double nouveau droit : le droit au bonheur et la liberté individuelle. Nous n'irons pas jusqu'à dire que le combat des Précieuses contre l'ancien mariage était gagné ! Mais on a davantage à cœur de concilier intérêts et bonheur. On fait même semblant de ne pas attacher trop d'importance aux conditions matérielles du mariage. Comme dans *Le Contrat de mariage* de Balzac, on prend soin de discuter l'essentiel par notaires interposés. Madame Evangelista vend sa fille pour une somme hors de prix parce que le futur, Paul de Manerville, en est amoureux. Toutes les questions d'intérêt seront donc réglées, en apparence du moins, en fonction des sentiments qu'on éprouve.

Dans ce nouveau mariage, la liberté du choix du conjoint appartient aussi bien au jeune homme qu'à la jeune fille. Dès 1749, Voltaire écrit une pièce, *Nanine*, dans laquelle il ne craint pas de proclamer la liberté de son héroïne en cette matière. Il lui fait dire : « Ma mère m'a crue digne de penser de moi-même et de choisir un époux moi-même [52]. » Et dans la préface du *Mariage de Figaro*, Beaumarchais dénonce l'ancien mariage traditionnel « où les grands mariaient leurs enfants à douze ans et faisaient plier la nature, la décence et le goût aux plus sordides des convenances... leur bonheur n'occupait personne ».

Pour les femmes, ce nouveau droit à l'amour ébranla l'autoritarisme qui les maintenait leur vie entière dans la soumission. Car, en leur accordant ce simple droit, on reconnaissait qu'il fallait les éduquer de telle sorte qu'elles soient plus aptes à mieux juger. Il faut, à présent, rendre la jeune fille capable de « penser de soi-même ». Pour ce faire, il est nécessaire, disait Voltaire, de l'ôter du couvent qu'il tenait pour un véritable abrutissoir et qui donnait à la jeune fille envie de le quitter avec n'importe qui : « Vous ne

<hr/>

52. Voltaire, *Nanine*, acte I.

sortez guère de votre prison que pour être promise à un inconnu qui vient épier à la grille : quel qu'il soit vous le regardez comme un libérateur, et, fût-il un singe, vous vous croyez trop heureuse : vous vous donnez à lui sans l'aimer. C'est un marché que l'on fait sans vous et, bientôt après, les deux parties se repentent [53]. »

En conséquence, on conseille de plus en plus d'élever les filles à la maison, dans des conditions assez heureuses pour qu'elles n'aient plus envie de s'échapper de leur condition à n'importe quel prix.

Ce droit à l'amour fondé sur la liberté réciproque fut la meilleure introduction possible à l'égalité entre époux. Quand La Nouvelle Héloïse proclame solennellement que le mariage est l'union de deux êtres qui se sont librement choisis et unis, comment le nouvel époux pourrait-il continuer de traiter son épouse comme une inférieure ?

La liberté exprimée dans le choix de l'autre doit logiquement survivre dans la vie en commun. L'égalité de départ ne peut pas ne pas donner une autre coloration à la vie conjugale. Si une femme a eu assez de jugement pour choisir son compagnon, peut-on par la suite la traiter comme si elle n'en avait pas du tout ?

Fondé sur la liberté, le nouveau mariage sera le lieu privilégié du bonheur, de la joie et de la tendresse. Son point culminant : la procréation. Dans l'article que l'Encyclopédie consacre à Locke, on peut lire : « Je veux que le père et la mère soient sains, qu'ils soient contents, qu'ils aient de la sérénité, et que le moment où ils se disposent à donner l'existence à un enfant soit celui où ils se sentent le plus satisfaits de la leur. » N'est-ce pas là l'éloge le plus net de l'amour pris dans sa totalité ? Car c'est non seulement un hommage à la tendresse mais aussi au désir et à la

---

53. Voltaire, L'Education des filles, tome 24.

sensualité auxquels on donne enfin droit de cité dans la famille.

La procréation est une des douceurs du mariage : quoi de plus naturel ensuite qu'on en aime les fruits ? Quand les époux se sont choisis librement, l'amour qu'ils éprouvent l'un pour l'autre se concrétisera tout naturellement dans leur progéniture. Les parents aimeront davantage leurs enfants et les mères, dit-on, reviendront spontanément et librement à eux. Telle est du moins la nouvelle idéologie dont Rousseau fut l'un des meilleurs représentants.

Dans cette optique, on exalte sans fin les douceurs de la maternité, laquelle n'est plus un devoir imposé mais l'activité la plus enviable et la plus douce qu'une femme puisse espérer. On affirme, comme un fait acquis, que la nouvelle mère nourrira son enfant pour son plaisir propre et qu'elle en recevra en gage une tendresse infinie. Progressivement, les parents s'estimeront de plus en plus responsables du bonheur et du malheur de leur progéniture. Cette nouvelle responsabilité parentale, que l'on trouvait déjà chez les réformateurs catholiques et protestants dès le XVIIᵉ siècle, ne cessera de s'accentuer tout au long du XIXᵉ siècle. Au XXᵉ siècle, elle atteindra son apogée grâce à la théorie psychanalytique. On peut dire d'ores et déjà que si le XVIIIᵉ siècle lança l'idée de la responsabilité parentale, le XIXᵉ siècle l'entérina en accentuant celle de la mère et le XXᵉ siècle transforma le concept de responsabilité maternelle en celui de culpabilité maternelle.

E. Shorter a très bien résumé la nouvelle famille quand il parle d'une « unité sentimentale » ou d'un « nid affectif » qui englobe mari, épouse et enfants. C'est la naissance de la famille nucléaire moderne qui construit peu à peu le mur de sa vie privée pour se protéger contre toute intrusion possible de la grande société : « L'Amour détache le couple de la collectivité et du contrôle qu'elle exerçait jadis. L'amour maternel est à l'origine de la création du nid affectif à l'intérieur duquel la famille vient se blottir[54]. »

La famille se resserre et se replie sur elle-même. L'heure est à l'intimité, aux petits hôtels particuliers confortables, aux pièces indépendantes commandées par des entrées particulières, plus propres au tête-à-tête. A l'abri des importuns, parents et enfants partagent la même salle à manger, et se tiennent ensemble devant l'âtre du foyer.

Telle est du moins l'image de la famille que donnent la littérature et la peinture de la fin du siècle. Moreau le Jeune, Chardin, Vernet et d'autres se plaisent à représenter les intérieurs et les acteurs de ces maisons unies. Partout on loue la douce intimité qui y règne et l'on annonce que la révolution familiale est consommée. Témoin, le docteur Louis Lepecq de la Cloture parlant de sa petite ville d'Elbeuf en 1770 : « On y voit régner l'union dans les familles et cette vraie sollicitude qui fait partager également les peines du ménage comme les plaisirs, fidélité entre époux, tendresses des pères, respect filial et intimité domestique[55]. » Témoins aussi ces préfets napoléoniens, cités par Shorter. Le préfet de l'Indre, Dalphonse, déclare que dans son département « l'hymen n'est pas un joug ; il n'est que doux échanges de prévoyance, de tendresse... ». En Savoie, Verneilh affirme que chez lui « l'époux s'est rapproché de l'épouse, la mère de ses enfants ; tous ont senti le besoin de se servir d'appui mutuel et de se créer des consolations... en se livrant à des soins domestiques qu'ils eussent autrefois dédaignés[56] »

En réalité ce tableau idyllique de la nouvelle famille nous paraît bien optimiste. En dépit des peintres et des propos littéraires attendris, pères et mères com-

54. E. Shorter, *op. cit.*, p. 279.
55. Texte cité par Shorter, *op. cit.*, p. 280.
56. *Ibid.*, p. 280.

mencent à peine à s'intéresser, sinon à se sacrifier pour leurs enfants. La longue bataille pour l'allaitement maternel vient seulement de commencer, et ses partisans sont encore loin d'avoir gagné la partie. Ils alignent leurs arguments, et les femmes qui font mine de les écouter avec intérêt se font tirer l'oreille pour être ces mères admirables qu'on les supplie d'être.

La philosophie du bonheur et de l'égalité jouait certes un rôle non négligeable dans l'évolution des esprits, mais elle ne touchait qu'un public restreint et semblait considérer comme acquis ce qui était encore à faire. Son discours était d'autant plus séduisant qu'il promettait et suggérait sans jamais contraindre. Or, la survie des enfants était devenue un problème prioritaire aux yeux de la classe dirigeante que les propos plus ou moins lénifiants sur le bonheur et l'amour ne suffisaient pas à résoudre.

Le discours des intermédiaires

C'est un tout autre discours que l'Etat va tenir aux femmes par l'intermédiaire de ses agents les plus proches d'elles. Comme c'est des femmes dont dépend tout le succès de l'opération, elles deviennent, pour une fois, les interlocuteurs privilégiés des hommes. Elles sont donc élevées au niveau de « responsables de la nation », parce que, d'une part, la société a besoin d'elles et le leur dit et que, d'autre part, on les rappelle à leurs responsabilités maternelles. A la fois on les supplie et on les culpabilise.

Il est vrai que depuis le début du siècle, certains médecins [57] recommandaient aux mères d'allaiter leurs bébés et que d'autres [58] blâmaient les nourrices mercenaires. Mais il faut attendre la publication de l'*Emile*,

57. Cf. P. Hecquet, *De l'obligation aux femmes de nourrir les enfants* (1708).
58. Linné, *La Nourrice marâtre* (1752).

en 1762, pour que l'opinion éclairée commence à s'émouvoir. Rousseau n'y alla pas par quatre chemins : « Du souci des femmes dépend la première éducation des hommes ; des femmes dépendent encore leurs mœurs... Ainsi élever les hommes quand ils sont jeunes, les soigner quand ils sont grands, les conseiller, les consoler... voilà les devoirs des femmes dans tous les temps[59]. »

Ces propos devaient avoir le mérite de la nouveauté, puiqu'ils furent souvent répétés jusqu'au XXe siècle. En 1775, le médecin écossais Buchan, dans son *Traité de médecine domestique,* écrit à l'attention des femmes, s'étonne que celles-ci n'aient pas encore pris conscience de leur influence et de leurs responsabilités : « Si les mères réfléchissaient sur leur *grande influence* dans la société, si elles voulaient en être *persuadées*, elles saisiraient toutes les occasions de s'instruire des devoirs qu'exigent d'elles leurs enfants... *Par elles*, les hommes sont ou bien portants, ou malades ; *par elles* les hommes sont utiles dans le monde, ou deviennent des pestes dans la société[60]. »

Apparemment, la prise de conscience n'avait pas encore eu lieu, mais le thème de l'influence féminine et maternelle était en vogue puisque cette fin de siècle vit paraître toutes sortes de brochures sur le même sujet. Tout le monde s'en mêle : médecins, moralistes, philanthropes, administrateurs et pédagogues, sans oublier les lieutenants de police de Paris et de Lyon. Chacun répète inlassablement les mêmes arguments pour convaincre les femmes de s'occuper personnellement de leurs enfants.

Car, si un certain type de femmes, peu nombreuses, étaient réceptives aux thèses rousseauistes, la conviction et l'acceptation théorique n'allaient pas jusqu'à la mise en pratique de ces théories nouvelles.

59. *Emile*, livre V, p. 703 (édition Pléiade).
60. Buchan, *op. cit.*, p. 12 (souligné par nous).

La tâche demandée devait encore paraître bien lourde aux femmes pour qu'elles se mettent au travail... Il fallut plusieurs dizaines d'années, et beaucoup de plaidoyers, de sermons et de réquisitoires pour que les femmes se résolvent enfin « à remplir leurs devoirs de mère ».

Pendant plus d'un siècle on utilisa constamment et de concert trois types d'arguments qu'on peut résumer ainsi : « Mesdames, si vous écoutez la voix de la nature, vous serez récompensées, mais si vous la méprisez, elle se vengera et vous serez punies. »

Le retour à la bonne nature

Le premier de ces arguments, fort à la mode au XVIIIe siècle, est celui qui a pour thème le retour à la nature. Bien avant Rousseau, dont on connaît les théories en la matière, il s'est trouvé des moralistes depuis l'Antiquité pour rappeler aux femmes « les volontés de la nature ». Plutarque, semble-t-il, fut l'initiateur du premier mouvement moral en faveur de l'allaitement maternel. Ce qui tend à prouver que, depuis cette époque, au moins une partie des femmes rechignaient à faire leur devoir. Sinon pourquoi aurait-il affirmé avec tant d'insistance que les « mamelles » sont données à la femme pour qu'elle allaite son enfant ?

Chez tous les militants de l'allaitement maternel, de Plutarque au docteur Brochard (fin XIXe siècle) en passant par Favorinus, Erasme et bien d'autres, on retrouve immanquablement une profession de foi naturaliste : « C'est la nature, disent-ils, qui commande que la mère allaite son bébé. » Or, il est mal moralement et mauvais physiquement de lui désobéir. En filigrane, pour tous ces moralistes, qui dit « loi de la nature » dit « loi divine ». Et il ne fait pas bon désobéir à Dieu.

Tous les austères conseilleurs répétèrent à l'envi que la nature n'a pas donné deux seins à la femme pour qu'elle tire gloire de leur beauté ou qu'ils fassent le plaisir d'un mari sensuel. La femme n'a pas à tirer vanité et jouissance de ses organes, car sa fonction essentielle est nourricière. La nature l'a créée femelle avant tout en lui permettant de nourrir son petit de son lait. Gare à celles qui l'oublieraient !

Comme cette solennelle invocation de la nature pouvait paraître trop abstraite et sévère, les mêmes s'empressaient d'insister sur un aspect pratique et physiologique plus propre à attendrir les femmes. Votre lait, leur disait-on, convient admirablement aux besoins de l'enfant. Car la nature fait en sorte que les qualités du lait soient toujours adaptées à l'organisme de celui-ci. Cet argument, plus que les autres, pouvait convaincre, car il est exact, et les mères pouvaient l'éprouver par elles-mêmes. Mais la vérité ne suffit pas toujours à persuader du bien-fondé d'une action, surtout si elle nécessite un effort.

Au XVIIIe siècle, de grands médecins, comme Raulin, Ballexserd ou Desessartz purent bien proclamer l'harmonie préétablie entre le lait maternel et les besoins de l'enfant, les mères « éclairées » faisaient la sourde oreille. Les plus pauvres aussi. La condamnation ne se fit pas attendre. On déclara ces femmes corrompues par la mauvaise société qui avait perturbé l'ordre providentiel de la nature et on les somma de revenir aux premiers principes de cette bonne nature, de retrouver les anciennes mœurs.

Pour ce faire, on leur proposa d'imiter ce qui leur ressemblait le plus, mais n'avait pas subi, comme elles, les ravages de la société corrompue. Les modèles en vogue furent tout à la fois les femmes sauvages, celles des populations barbares, les femelles animales et même les plantes !

En ce XVIIIe siècle, la femme sauvage est à l'honneur. Les intellectuels les plus sophistiqués citent avec respect les récits de tous les voyageurs qui évoquent l'allaitement naturel, la tendresse des mères et la liberté totale laissée au corps de l'enfant. A l'antithèse des mœurs européennes, les comportements des sauvages font figure de vérités premières. Tout le monde se passionna pour ces femmes à moitié nues qui ne quittent pas leurs enfants jusqu'au sevrage.

Dans son *Histoire naturelle*, Buffon[61] fait une grande place à ces témoignages. Il étudie en détail les usages des différents peuples exotiques et condamne sans appel la pratique des nourrices mercenaires. En 1763, le *Journal des Savants* se fait un devoir de recenser tous les ouvrages du genre. Puis, en 1769, c'est Raulin qui n'a pas de mots assez forts pour louer les mœurs des « sauvages ». Tous ont droit à son admiration : Africains, Américains, Brésiliens... Il conclut que les enfants de ces peuplades sont plus heureux que les nôtres, parce que leurs mères sont des femmes saines qui observent un régime de vie convenable à leur état de grossesse et de nourrice. Il s'attendrit sur les femmes mexicaines douces et constantes dans leur tendresse : « Elles vivent toujours des mêmes aliments, sans en varier l'espèce pendant tout le temps qu'elles nourrissent leurs enfants de leur lait. C'est d'ordinaire pendant quatre ans[62]. »

En 1778, c'est au tour du lieutenant de police Prost de Royer de louer les mœurs sauvages pour mieux stigmatiser les nôtres. Il s'émerveille de ce que la femme sauvage accouche dans les déserts et les neiges, qu'elle plonge son bébé dans la glace chaque jour pour le baigner, qu'elle le réchauffe dans son sein en même temps qu'elle le nourrit. Et de conclure que « le sauvage est plus grand, mieux fait, mieux organisé, plus sain et plus robuste que si la nature avait été entravée dans sa marche[63] », sous-entendu : comme chez nous. Ce que Prost ne dit pas, c'est que la sélec-

61. Tome II, 1749, p. 445 à 447.
62. Raulin, *De la conservation des enfants*, p. 125 à 167.
63. Prost de Royer, *op. cit.*, p. 6.

tion naturelle devait jouer au maximum. Nul ne
connaît la mortalité des enfants sauvages, mais il est
probable que ce furent les plus forts qui survivaient à
un tel régime.

Proches des femmes des contrées sauvages, les femmes des temps anciens et barbares furent également
mises sur un piédestal. Le même Prost parle avec
émotion du poids des armes des premiers Romains et
de la taille des tombeaux des Gaulois qui attestent de
la plus grande force et de la taille importante de nos
ancêtres. Là, on mesure bien « la dégradation de
l'espèce humaine dans notre Europe corrompue et
civilisée [64] ». En 1804, le médecin Verdier-Heurtin ne
consacre pas moins de onze pages de son discours sur
l'allaitement, soit plus d'un dixième, à exalter la
vigueur et la santé des premiers Hébreux, des premiers
Grecs, Romains, Germains et Gaulois qu'il oppose à
la dégénérescence des Européens du XVIIIe siècle,
petits, malingres et maladifs. Or, chez tous ces peuples
barbares, chaque mère nourrissait elle-même ses
enfants. Mais Verdier-Heurtin constate qu'aussitôt que
ces peuplades se civilisaient, s'enrichissaient et se culti-
vaient, les mères cessaient de vouloir allaiter. On faisait appel aux nourrices mercenaires et immanquablement les nouvelles générations s'affaiblissaient et la
race dégénérait. Verdier et beaucoup d'autres en
conclurent que les grandes nations dépendaient de la
bonne volonté des mères. C'étaient elles les véritables
responsables de la force et de la grandeur politique
des civilisations.

De Rousseau au docteur Brochard [65], on reprend
inlassablement l'exemple des femmes romaines pour
que les Françaises se pénètrent de certaines vérités.
Dans les premiers temps de la république romaine,
disent tous ces messieurs, les femmes se glorifiaient

64. *Ibid.*, p. 7.
65. Brochard, *De l'allaitement maternel* (1868), p. 10-11.

des soins de la famille : « Pensez aux Sabines, les
mamelles découvertes, qui ne se séparaient jamais de
leurs enfants même sur le champ de bataille : elles
engendrèrent une race d'hommes exceptionnels. » Mais
lorsque vint l'époque de César et du « luxe, signe
précurseur de la décadence des nations », les mères
s'affranchirent de leur devoir et firent appel aux nourrices mercenaires. On racontait que les femmes se pro-
menaient dans les lieux publics en portant dans leurs
bras des petits chiens ou des petits singes. Aussi Jules
César, à son retour des Gaules, surpris d'un spectacle
si nouveau pour lui, se serait écrié : « Les femmes
romaines n'ont-elles donc plus comme autrefois des
enfants à nourrir et à porter dans leurs bras ? Je ne
vois partout que des chiens et des singes [66]. » Et en
fait, l'usage de confier les enfants aux femmes de la
campagne devint tellement commun à Rome que, vers
le Ve siècle, le Code théodésien dut réglementer cette
coutume.

Nos moralistes concluaient, de cette histoire, à la
ressemblance des temps modernes avec la décadence
romaine. Mais tous ces exemples, empruntés aux
anciens temps, étaient à double tranchant. Car s'ils
montraient bien que plus on est proche de l'état primitif, plus les femmes allaitent, ils prouvaient aussi
qu'à chaque fois que les mères en eurent la possibilité,
elles abandonnaient leurs enfants à d'autres seins. On
peut toujours condamner le luxe dépravateur, il reste
que plus une nation est riche et cultivée, plus les
mères se détachent de leur condition maternelle.

Assurément, les femelles animales étaient de meilleurs modèles. Car on ne craignait pas qu'elles évo-
luent ou subissent les méfaits de la culture. C'est
pourquoi on recommanda aux mères d'imiter la sage

66. Anecdote constamment rapportée aux XVIIIe et XIXe siècles. Voir
notamment l'article *Nourrice* de l'*Encyclopédie* ; le *Discours sur
l'allaitement* de Verdier-Heurtin, p. 9 ; *De l'allaitement maternel* du
Dr Brochard, p. 10.

attitude de toutes sortes de femelles qui « obéissent mieux qu'elles aux impulsions de la nature ». Chez ces femelles on trouve l'état idéal de pure nature, un instinct non dénaturé par l'intérêt, c'est-à-dire l'instinct maternel non détourné par l'égoïsme de la femme.

On aima spécialement faire appel à l'exemple des animaux les plus sauvages et admirer que les bêtes les plus cruelles, les plus sauvages comme les tigresses ou les lionnes, se défassent de leur férocité pour prendre soin de leurs petits. Qu'elles périssent souvent avec eux plutôt que de les abandonner quand ils sont poursuivis par les chasseurs.

Dès le début de son ouvrage, le médecin Gilibert [67] fait ainsi l'éloge de ces « bêtes » : « Observez les animaux, quoique les mères aient les entrailles déchirées... que leurs fruits aient été cause de tous ces maux ; leurs premiers soins leur font oublier tout ce qu'elles ont souffert... Elles s'oublient elles-mêmes, peu inquiètes de leur propre bonheur... D'où peut venir cet instinct invincible et général ? De celui qui a tout créé (*Deus sive Natura*)... Il a imprimé dans le cœur de tous les êtres vivants un amour machinal pour leur progéniture. La femme est soumise à cet instinct comme tous les animaux... Dans les animaux, cet instinct suffit... la nature seule les conduit... Mais l'homme n'est pas directement sous son empire. Il a reçu du ciel une volonté active, une raison éclairée (Gilibert semble ici le regretter)..., qui est souvent corrompue par les erreurs et les préjugés de toute espèce... et étouffent cette active impression de la nature... D'où les misères et calamités qui s'abattent sur ces malheureux mortels... »

A lire ce texte, on a le sentiment que Gilibert regrette que la femme soit douée de raison et de volonté. La femme idéale serait celle qui se rapproche le plus de la femelle. On comprend pourquoi, depuis

---

67. *Dissertation sur la dépopulation* (1770) (souligné par nous).

si longtemps, la plupart de ces humanistes voyaient d'un si mauvais œil l'éducation des femmes. De bonnes génitrices, sans curiosité ni ambitions, voilà ce qui leur fallait. Puisque la raison risque d'être corrompue par les préjugés, mieux vaut que celle des femmes reste en sommeil !

En 1769, Raulin [68] compare le lait des femmes et celui des femelles. Il constate que dans les deux cas le lait varie selon la nourriture prise par la mère. L'occasion est bonne à nouveau de louer la sagesse animale et de l'opposer à la folie des femmes. Il loue les vaches et les chèvres de se nourrir des plantes et herbes adéquates et blâme les mauvaises mères qui mangent n'importe quoi selon leurs envies pendant leur grossesse et le nourrissage : ragoûts, épiceries, crudités, thé, café et liqueurs spiritueuses.

Il conclut, bien sûr, à l'avantage des animaux qui ont une façon de vivre très égale et sans excès contrairement aux femmes qui altèrent leur lait par des abus et des excès de toutes sortes. De plus, ces pauvres femmes sont davantage sujettes que les hommes à des « passions malfaisantes » tout à fait inconnues des animaux. Elles connaissent la tristesse, la crainte et la colère qui sont autant de désordres qui font tourner le lait et altèrent le tempérament des enfants.

En conséquence, la femme idéale doit non seulement être dénuée de « raison éclairée », mais elle devrait aussi être délivrée de toute passion !

Le XIXᵉ siècle n'a pas négligé ces arguments, puisqu'en 1848, on peut lire sous la plume d'Ernest Legouvé, dont les livres connurent de nombreuses rééditions, que la maternité animale ressemble à un sentiment humain [69] et inversement. Il s'attendrit sur l'héroïsme et le dévouement de la lionne, le courage et

68. Raulin, op. cit., p. 129, 163, 165.
69. E. Legouvé, Histoire morale des femmes, 1848, p. 281-282.

l'amour de la fauvette pour ses petits. Le docteur Brochard, en 1868, loue à son tour les femelles, qui contrairement aux femmes « n'ont jamais cherché à se soustraire à une obligation qui est le résultat de leur organisation même [70] ». Enfin, au début du XXe siècle, on ne craint pas de comparer la femme à un gallinacé. Dans un livre de vulgarisation sur l'hygiène infantile, le docteur J. Gérard pense être mieux entendu des mères en prenant l'exemple de la poule : « Lorsqu'une poule pond un œuf, elle n'a pas la prétention d'être mère pour si peu. Pondre n'est rien... mais où commence le mérite de la poule, c'est *lorsqu'elle couve avec conscience, se privant de sa chère liberté...* en un mot, c'est lorsqu'elle remplit ses devoirs de mère qu'elle en a véritablement le titre [71]. »

Ce texte ferait sourire aujourd'hui s'il ne montrait dans quelle piètre estime les hommes responsables tenaient les femmes ! Comparer la liberté de la femme à celle d'une poule montre la haute idée que l'on se fait de la première. La comparaison n'est guère flatteuse. Mais le fut-elle jamais moins que lorsque le docteur Raulin fit une analogie entre la femme et la terre ? Affirmant que tout autre lait que celui de la mère fait dégénérer les enfants et les expose à des accidents dangereux, il ajouta : « Les plantes n'éprouvent-elles pas des accidents semblables ? Elles se conservent longtemps dans le terreau (image de la mère) où elles sont venues naturellement ; elles y supportent plus aisément qu'ailleurs les intempéries de l'atmosphère. Si on les transporte dans un sol qui leur soit étranger (image de la nourrice), leurs racines ont peine à s'affirmer... Elles ne prospèrent pas et souvent se dessèchent [72]. »

---

70. Brochard, *De l'allaitement maternel*, 1868, p. 4.

71. Dr J. Gérard, « Pour combattre la mortalité infantile », *Le Livre des mères* (2e édition, 1904), p. 5 (souligné par nous).

72. Dr Raulin, *op. cit.*, p. 171.

Effectivement on ne peut être plus proche de la nature... et plus éloigné de la femme !

Ce premier type d'argument qui visait à reprocher aux femmes leur dénaturation fut lourd de conséquences. On est d'abord frappé par l'ambiguïté qui y règne. Certes, le bon sauvage, plus proche de la nature que l'Européen dépravé, est à la mode à l'époque où nous nous situons. Mais c'est davantage par un sentiment négatif à l'égard de leurs coutumes, un rejet presque masochiste d'eux-mêmes, que des hommes, à cette époque, « donnent la préférence à l'usage des nègres[73] ».

C'est plus le dégoût de la société qu'une réelle admiration pour les mœurs étrangères qui met les sauvages à l'honneur. Le snobisme d'alors va de pair avec un solide ethnocentrisme. Si certains usages sont mieux conservés chez les sauvages, ceux-ci restent ce qu'ils sont : des êtres non civilisés qui ne méritent pas grande considération. A la fois on les loue d'être restés proches de la nature, et on les méprise. Pour l'opinion éclairée du XVIIIe siècle et celle du XIXe colonialiste, les sauvages figurent l'enfance de l'humanité qui appelle à la fois condescendance et paternalisme.

De plus, la femme que l'on exhorte à retrouver la nature est comparée à ce qu'elle méprise profondément. Toute femme la plus misérable fût-elle du Royaume de France se trouvera toujours infiniment supérieure à la femelle, et d'une nature différente.

Mais tous ces hommes qui utilisent l'argument de la nature savent, ou pressent que, par ailleurs, la comparaison est traumatisante. Cette constante référence à la nature leur sert à montrer que la femme du XVIIIe siècle est tout bonnement « dénaturée ». Or le mot « dénaturé » se prend en plusieurs sens. Si l'on définit la nature en terme de « norme », la femme dénaturée sera une anormale, c'est-à-dire une malade

---

73. Nicolas Oudry, *L'Orthopédie*, tome I, cité par Mercier, p. 121.

ou un monstre. Et si l'on identifie la nature et la vertu, la femme dénaturée sera corrompue ou vicieuse, c'est-à-dire une amorale ou une mauvaise mère.

Dans les deux cas, il faut changer les usages et porter remède au mal, même s'il semble qu'on accorde souvent à ces femmes le bénéfice de l'irresponsabilité. En effet Prost de Royer pense que « la plupart des mères n'entendent pas la nature [74] ». Autrement dit, tout cela n'est pas de leur faute, car elles sont devenues sourdes... Mais on aurait pu rétorquer au lieutenant de police que si les femmes n'entendent plus la voix de la nature, c'est que celle-ci manque de vigueur. Car enfin qu'est-ce qu'une activité naturelle qui n'est pas nécessaire, un cri de la nature que l'on n'entend pas ? Tout ceci n'empêche pas Prost de conclure que « *si les mères savaient...* jamais elles ne se détermineraient à quitter leurs enfants dans un temps où leur tendresse est si nécessaire ».

Evoquant le sort des enfants en nourrice, il ajoute : « si ces *tristes vérités* étaient gravées *dans le cœur* des mères... ». Dans un cas, Prost suggère que le savoir, donc l'acquis et ce qui est de l'ordre de la raison, pourrait se substituer à l'instinct mis en défaut. Mais dans l'autre cas, il semble dire que le savoir rationnel seul ne suffit pas s'il n'est pas mémorisé par l'amour et la tendresse [75]. A défaut d'instinct (inconscient,

74. Prost de Royer, *op. cit.*, p. 9.
75. Aux yeux de Prost et de ses contemporains, la belle-mère, longtemps appelée « marâtre », et la nourrice, passaient pour incapables d'aimer les enfants dont elles avaient « accidentellement » la charge. Leur instinct, et pour cause, ne les y poussant pas, elles éprouvaient rarement, disait-on, de tendresse pour ces fardeaux que la nécessité leur imposait. La belle-mère peut-être plus encore que la nourrice. Traditionnellement, c'est elle qui incarne le mieux la mauvaise mère et, pourtant, il semble qu'on ne lui en ait pas vraiment tenu rigueur. Parce que la voix de la nature est muette, on comprend très bien qu'elle ne ressente que gêne à l'égard d'enfants qui lui sont étrangers. D'une certaine façon, son personnage odieux rassurait, en confortant la vraie mère dans le rôle de bonne et tendre mère. La dualité mère-marâtre faisait régner l'ordre dans la nature et les sentiments, ce qui explique que pendant fort longtemps on ait repré-

inné, nécessaire) l'amour (conscient, acquis, contingent) ferait l'affaire !

Comme l'évocation de la bonne nature sous les traits de la lionne ou de la fauvette pouvait paraître un argument insuffisant, on l'assortit pour le renforcer de promesses séduisantes et de menaces terrifiantes.

Les promesses

Commençons par le miel. On fit aux mères qui allaitaient cinq promesses qui devaient lever les objections en vigueur. Puisque les femmes se plaignaient que l'allaitement les fatiguait, abîmait leurs seins et leur donnait mauvaise mine, on fit l'éloge de la beauté des nourrices. Les uns admirèrent la fraîcheur de leur teint, les autres l'ampleur de leur poitrine, et l'air sain qui se dégageait d'elles. Au XIXe siècle encore, le docteur Brochard affirme que si les poètes, les historiens et les peintres ont célébré la beauté des Grecques et des Romaines, c'est parce qu'elles allaitaient leurs enfants [76]. En 1904, le docteur J. Gérard oppose « les belles et plantureuses nourrices aux poupées mondaines à face enfarinée qui sont étiques à 20 ans et parcheminées à 30 [77] ».

Au XVIIIe, plus encore qu'au XIXe siècle, on insiste particulièrement sur les agréments de la maternité. Tous ces hommes qui s'adressaient aux mères s'accordent à dire qu'il n'est pas d'occupation plus agréable que de veiller sur les jours de son enfant. Pas de devoir plus délicieux. Prost, le lieutenant de police, a des accents touchants quand il évoque les plaisirs de la

senté la marâtre comme l'Autre, la belle ou fausse mère. Bientôt naîtra la confusion et le désordre quand la mère naturelle apparaîtra sous les traits de la marâtre.

76. Dr Brochard, *op. cit.*, p. 36. De même, si les Géorgiennes sont les plus belles femmes du monde, et conservent jusqu'à un âge avancé l'élégance et la beauté de leur taille, elles le doivent à la même coutume.

77. Dr J. Gérard, *Le Livre des mères*, p. 6 ; *Émile*, I, 258 ; Dr Brochard, *op. cit.*, p. 35.

maternité : « La voix de la nature s'est fait entendre dans le cœur de quelqu'unes de nos jeunes femmes... Plaisirs, charmes, repos, elles *ont tout sacrifié*. (!) Mais qu'*elles nous disent si les inquiétudes et les privations de leur état ne sont pas une jouissance comme toutes* celles que cause l'amour. Qu'elles nous peignent les douces émotions... que ressent une mère nourrice, lorsque suçant son lait, lui souriant, jetant ses bras autour d'elle, l'enfant semble la remercier [78]... »

Mêmes arguments chez le médecin Gilibert qui accuse plus fortement encore le contraste entre les charges de la maternité et le bonheur que la femme en retire. Comme Prost de Royer, et Freud un siècle plus tard, il met en évidence la qualité masochiste de la mère qui ne trouve son plaisir que dans le dévouement absolu. Ecoutons-le : « Suivez ces mères qui nourrissent elles-mêmes leurs enfants... Elles *oublient tous les objets de leur plaisir*. Uniquement attentives à leurs enfants, *elles passent les nuits sans dormir*, leurs *repas sont pris à la hâte*, elles ne mangent que ce qu'elles savent propre à fournir un bon lait ; *toutes les heures du jour sont employées à laver, nettoyer, échauffer, amuser, nourrir, endormir* l'objet de leurs amours... *Tous ceux qui les environnent les regardent avec pitié... Ils les croient les plus* malheureuses des femmes [79]... »

Tout ce long discours annonce qu'il ne faut pas se fier aux apparences, car en réalité : « Ces mères trouvent un *plaisir indéfinissable* dans tout ce qui les rebutait lorsqu'elles étaient filles ; elles font avec joie ce qui alors leur soulevait le cœur [80]... » Et Verdier-Heurtin renchérit : « Ces privations, qui vous paraissent cruelles, se changeront en de pures jouissances [81]. »

78. Prost de Royer, *op. cit.*, p. 9 (souligné par nous).
79. Gilibert, *op. cit.*, p. 257-258 (souligné par nous).
80. Gilibert, *op. cit.*, p. 258 (souligné par nous).
81. Verdier-Heurtin, *op. cit.*, p. 27-28.

Le seul problème qu'on ne peut s'empêcher de soulever est le suivant : comment se fait-il que si peu de femmes s'offrent un tel plaisir et que tant d'entre elles résistent à ces joies ? Il faut croire que les « quelques femmes » qui allaitent et suivent la voix de la nature sont de bien mauvaises avocates. Non seulement leur exemple ne fait pas d'adeptes, mais il semble, au contraire, qu'à les regarder les autres femmes aient justement envie de faire le contraire. Curieux bonheur que celui qui prend forme d'épreuve et désagrément aux yeux des intéressées ! Décidément, les hommes furent de meilleurs défenseurs de la cause des mères, à moins que par ce biais ils n'aient plaidé en réalité pour eux-mêmes.

Parmi ces derniers figure Rousseau, qui promit aux mères nourricières de multiples avantages : non seulement la tendresse de leurs enfants, mais « un attachement solide et constant de la part de leur mari [82] ». L'argument sera souvent repris pour répondre à l'inconvénient sexuel de l'allaitement. On assure à la bonne mère que son mari lui sera plus fidèle et qu'ils vivront une union plus douce. Verdier-Heurtin demande qu'on interroge les pères : « Qu'ils vous peignent les tableaux enchanteurs dont ils sont tous les jours, dans un ménage bien uni, les *heureux spectateurs...* Voyez vous-même le père ravir l'enfant à sa mère, la mère le ravir au père : qui pourrait dire que ce n'est pas là *le bonheur* [83] ? »

Dans le cas où les femmes ne seraient sensibles ni à l'argument de la santé, ni à ceux de la beauté et du bonheur, on ajoutait celui de la gloire. Rousseau ne craignait pas de chatouiller la vanité féminine quand il osait promettre à la mère qui allaiterait « l'estime et le respect du public... le plaisir de se voir imiter un jour par sa fille, et citer en exemple à celle d'autrui [84] ». Le

---

82. *Emile*, I, p. 258, éd. Pléiade.
83. Verdier-Heurtin, *op. cit.*, p. 28 (souligné par nous).
84. *Emile*, p. 259.

docteur Brochard de même jurait que « l'enfant sur le sein maternel est la gloire de la mère[85] ». Il citait volontiers son confrère Perrin qui avait coutume d'affirmer que « la mère, au milieu des enfants qu'elle allaite, acquiert en dignité et en respect ce qu'elle leur prodigue en soins et en sacrifices[86] ».

D'autres, comme E. Legouvé, entreprirent de revaloriser le rôle de la mère dans la procréation en réfutant les théories d'Aristote. Non, dit-il, la mère n'est pas semblable à la terre qu'on ensemence : elle est aussi créatrice que le père, même si celui-ci donne « l'impulsion première[87] » ! La mère est formatrice, et en allaitant, elle achève sa création. En 1908, Paul Combes, parmi beaucoup d'autres, reprend ce thème en affirmant : « par la maternité, on peut presque dire que toute femme collabore à l'œuvre de la création[88] » !

Enfin, de temps en temps, on ne néglige pas d'avancer un ultime argument économique. On se livre alors au calcul des profits et pertes pour la mère qui met son enfant en nourrice. C'est ce que fit le traducteur français du livre de Buchan[89]. Les enfants, dit-il, sont mal nourris et mal soignés par les nourrices. Quand ils reviennent vivants chez leurs parents, ils rentrent souvent dans un triste état : maigres, petits, difformes, rongés par des fièvres, ou en proie à des convulsions... Qu'ont donc gagné les parents ? Ils dépenseront à soigner et guérir les malheureuses victimes beaucoup plus qu'ils n'auraient fait s'ils s'étaient occupés de les nourrir et de les élever eux-mêmes. De plus, ajoute-t-il malignement, la plupart du temps toutes leurs dépenses sont inutiles, car il restera toujours aux enfants des stigmates de cette première

85. Dr Brochard, *De l'amour maternel* (1872), p. 75.
86. Dr Perrin, *Les Césars*, p. 206.
87. E. Legouvé, *Histoire morale des femmes*, p. 275-276.
88. P. Combes, *Le Livre de la mère*, 1908, p. 2 (souligné par nous).
89. Buchan, *op. cit.*, p. 7-8.

période de la vie. En revanche, quels bénéfices pour
les parents qui feront leur devoir !

Enfin, si tous ces avantages promis ne suffisaient
pas à convaincre les femmes, il restait l'arme des
menaces, physiologiques et morales.

Les menaces

Si la mère refuse de nourrir, la nature se vengera et
la punira dans sa chair [90]. Cette punition comporte
toutes les maladies dont sont frappées les femmes qui
font tarir artificiellement leur lait. Plusieurs médecins
n'hésitent pas à affirmer qu'elles risquent même de
mourir.

Raulin insista de deux manières sur le danger de la
rétention du lait. Il proposa d'abord une explication
pseudo-scientifique qui utilise la mécanique des
fluides [91], à la mode au XVIIIe siècle : quand il y a
rétention du lait maternel, celui-ci trouve sa sortie
naturelle bloquée et « il se jette indistinctement sur
toutes les parties suivant qu'elles lui opposent plus ou
moins d'obstacles, y occasionnant des maux divers ».
Jacques Donzelot [92] fait un parallèle intéressant entre
cette explication et le péril que fait courir l'onanisme.
En effet, le docteur Tissot [93] mettait en garde contre la
dissipation du sperme par l'onanisme (cette « huile
essentielle dont la perte laisse les autres humeurs faibles et éventées ») qui devait engendrer toutes sortes
de maladies. Dans les deux cas, on « gâche » un produit précieux. Or, que l'on gâche son lait ou son
sperme, les suites peuvent être mortelles. On ne peut

---

90. P. Dionis : *Traité général de l'accouchement* (1718), cf. chapitre VI, livre VI, « Toutes les femmes devraient nourrir leurs enfants ».

Le Chevalier de Brucourt, *Essai sur l'éducation de la noblesse* (1747).

Les deux hommes soulignent le lien entre la désobéissance aux volontés
du Créateur qui a imposé la loi naturelle et la maladie.

91. Raulin, *Le Traité des affections vaporeuses du sexe* (1758).

92. J. Donzelot, *La Police des familles*, p. 19. Editions de Minuit,
1977.

93. Dr Tissot, *De l'onanisme* (1760).

s'empêcher de sourire à cette application de la morale bourgeoise aux liqueurs précieuses : tout gaspillage mérite punition !

Raulin ne se contenta pas de l'explication scientifique. Il chercha aussi à terroriser ses lectrices en racontant l'« exemple funeste » d'une dame nouvellement accouchée qui voulut par tous les moyens tarir son lait : « elle se mit à tousser... il s'établit une fièvre lente, un crachement de pus... la malade était dans un état phtisique confirmé [94] ». Le médecin du roi attribuait cette phtisie à la raideur de ses nerfs et au raccourcissement des fibres. Et que croyez-vous qu'il advint de cette malheureuse ? Elle en mourut, tout simplement. Du point de vue médical, l'exemple est peu convaincant car il est très probable que cette dame était déjà phtisique avant d'accoucher et que la rétention du lait n'a rien à voir avec sa mort. Du point de vue épistémologique, un exemple ne peut faire office de loi. Que la dame soit morte n'autorise pas Raulin à laisser très lourdement entendre que « qui ne nourrit pas meurt [95] ». Mais du point de vue psychologique, l'effet est incontestable. Il suffit à jeter le trouble dans l'esprit des lectrices...

Si les métastases laiteuses pouvaient être mortelles au début du XIXᵉ siècle, on peut s'étonner qu'on brandisse encore cet épouvantail à la fin du siècle. C'est pourtant l'un des morceaux de bravoure de Brochard qui promet toutes sortes de maladies aux femmes non nourricières : « épistaxis, hémoptysies, diarrhées plus ou moins rebelles, sueurs [96]... ». Sans compter « les affections aiguës et chroniques des glandes mammaires, les fièvres graves des métro-péritonites, les affec-

---

94. Dr. Raulin, *op. cit.*, p. 188-189.

95. Cf. aussi : Verdier-Heurtin, *op. cit.*, p. 30 : « Chez la femme qui ne nourrit pas, le lait peut porter sur quelque organe étranger à cette humeur et causer de mortelles affections. »

96. Brochard, *op. cit.*, p. 33.

tions de l'utérus[97] ». Pis encore, Brochard menace ces
« demi-mères... du cancer des mamelles et même de
mort subite[98] ». Certaines, comme frappées de la foudre, auraient expiré avant qu'on ait eu le temps de les
secourir...

Ce tableau tragique des risques encourus par la
mauvaise mère montrait que la nature savait se venger
cruellement de celles qui lui désobéissaient. Mais la
nature n'était pas seule à la faire payer. L'abandon de
l'allaitement maternel est présenté par tous, non seulement comme une erreur de régime, mais aussi et surtout comme un péché contre Dieu, une action immorale.

On a vu les théologiens, comme Vivès, fustiger au
XVIe siècle les mères qui refusaient de nourrir. Il est
vrai qu'il les mettait aussi en garde contre « l'allaitement voluptueux ». Mais la condamnation se retrouve
dans les discours de nombreux hommes d'Eglise. En
1688, dans une de ses homélies, Bocquillot avertit les
mères « qu'on ne peut, sans péché, se dispenser de ce
devoir naturel, à moins de quelque raison importante... La grande multitude des mères qui commet-
tent aujourd'hui ce péché n'empêche pas qu'il ne soit
péché et qu'on ne soit responsable de toutes les suites
qui arrivent[99] ».

Au XVIIIe siècle, la condamnation morale va prendre
le relais de la condamnation théologique. L'abandon
de l'allaitement maternel est considéré comme une
injustice commise à l'égard de l'enfant. Certains
médecins comme P. Hecquet ou Dionis évoquent
même les « droits » que les enfants ont sur le lait de
la mère[100]. En conséquence, celle qui refuse d'allaiter

---

97. *Ibid.*, p. 36.

98. *Ibid.*, p. 50 et 55.

99. Bocquillot, *Homélie*, « Des devoirs des pères et des mères envers
leurs enfants » (cité par R. Mercier, p. 108).

100. « Le lait, dit aussi Vandermonde, est un bien dont les mères ne
sont que dépositaires... les enfants sont en droit à chaque instant de le

fait preuve de dépravation et mérite une condamnation sans appel.

Tel était l'avis de Buchan [101] et de Rousseau [102]. Quant à Verdier-Heurtin, résumant parfaitement la nouvelle idéologie, il adresse un avertissement énergique à ses lectrices : « Femmes, n'attendez pas de moi que j'encourage vos conduites criminelles... Je ne blâme pas vos plaisirs quand vous êtes libres... mais devenues épouses et mères, quittez de vains atours, fuyez de mensongers plaisirs : *vous êtes coupables si vous ne le faites pas* [103]. »

Tous ces arguments eurent pour résultat de placer la femme devant ses responsabilités, lesquelles, aux dires de Rousseau et de ses adeptes, sont immenses. Comme le rappellent tous les médecins, elle est entièrement comptable de la survie et de la santé future de son enfant. C'est bien d'elle dont tout dépend à présent. Ne va-t-on pas jusqu'à lui imputer l'irresponsabilité des pères ? Si ceux-ci n'assument plus leur fonction paternelle, c'est à cause de la mère qui est mauvaise. « Que les femmes redeviennent mères, bientôt les hommes redeviendront pères et maris [104]. » Contrairement au siècle suivant qui accepte que le père, autorité muette, se décharge sur la mère du fardeau de l'éducation, les réformateurs [105] du XVIIIᵉ siè-

revendiquer », cf. *Essai sur la manière de perfectionner l'espèce humaine* (1756).

101. *Op. cit.*, p. 9 : « Une femme qui abandonne le fruit de son amour aussitôt né aux soins d'une mercenaire doit perdre pour jamais le nom de mère. »

102. *Emile*, I, p. 255 : « Ces douces mères qui débarrassées de leurs enfants se livrent gaiement aux amusements de la ville » sont coupables de paresse, d'insensibilité et d'égoïsme. Elles seront punies dans leur chair, car « les enfants qu'elles ont abandonnés dès leur naissance ne leur montreront ni tendresse, ni respect. Les maris seront volages et la famille tout entière sera faite d'étrangers qui se fuiront. »

103. Verdier-Heurtin, *op. cit.*, p. 27 (souligné par nous).

104. *Emile*, art. I, p. 261.

105. *Encyclopédie*, art. *Amour*. « Ils étudieraient son goût, son humeur et ses inclinations pour mettre à profit ses talents : ils cultiveraient eux-mêmes cette jeune plante et regarderaient comme une indifférence crimi-

cle lui réservent le rôle important du précepteur. Que
les mères nourrissent et les pères tout naturellement
feront leur ouvrage. La famille sera unie et la société vertueuse. Ce que lieutenants de police et économistes
traduisaient ainsi en termes plus politiques : « L'Etat
sera riche et puissant [106]. »

nelle de l'abandonner à un gouverneur ignorant, ou peut-être même
vicieux. »

Emile, I, p. 261 : « comme la véritable nourrice est la mère, le véritable
précepteur est le père ».

106. Prost de Royer, *op. cit.*, p. 11.

CHAPITRE II

LA NOUVELLE MÈRE

A tous ces discours insistants et répétitifs, les femmes réagirent diversement et surtout lentement. Ce serait une erreur de croire que les écrits de Rousseau, des moralistes et des médecins changèrent aussitôt les habitudes et les mœurs. La plupart des femmes prirent leur temps avant de passer « le test du sacrifice ».

Une fois encore c'est l'intérêt de la femme qui dicta le comportement de la mère. Même si celui-ci fut réellement influencé par le discours qui célébrait le règne de la « bonne mère », deux facteurs influèrent tout autant sur le choix des femmes. D'abord leurs possibilités économiques, mais aussi, différente selon leur statut social, l'espérance ou non de jouer un rôle plus gratifiant au sein de l'univers familial, ou de la société. Selon qu'elle était riche, aisée ou pauvre, la femme de la fin du XVIIIᵉ et surtout celle du XIXᵉ siècle accepta plus ou moins vite le rôle de la bonne mère.

Rousseau avait bien ouvert, avec d'autres, une petite brèche en 1762, mais il restait encore un grand nombre de places fortes à prendre dans le cœur des femmes ; il fallut près de cent ans pour effacer la majeure part de l'égoïsme et de l'indifférence maternelle. Au XXᵉ siècle encore, on continua d'épingler sans merci la négligence de la mauvaise mère.

Les preuves d'amour

Dès le XVIIIᵉ siècle, on voit se dessiner une nouvelle image de la mère dont les traits ne vont cesser de s'accentuer aux deux siècles suivants. L'ère des preuves d'amour a commencé. Le bébé et l'enfant deviennent les objets privilégiés de l'attention maternelle. La femme accepte de se sacrifier pour que son petit vive, et vive mieux, auprès d'elle.

L'allaitement

Le premier indice d'un changement du comportement maternel est certainement la volonté nouvelle d'allaiter soi-même son bébé, et de ne nourrir que lui à l'exclusion de tout autre. Car, s'il est vrai que les paysannes ont toujours, dans leur grande majorité[1], nourri leurs enfants, il est exact aussi que nombre d'entre elles acceptèrent de partager, même inéquitablement, leur lait avec un petit étranger afin de percevoir un revenu. Nous pensons avec E. Shorter que doivent être considérées comme « modernes les mères qui n'allaitent que leur propre enfant en refusant d'en prendre d'autres, soit parce que leur présence mettrait en danger la santé de leur propre bébé en le privant d'une partie du lait maternel, soit parce qu'elle constituerait une intrusion indésirable au sein de la vie privée de l'unité domestique[2] ».

Le comportement maternel des paysannes ne sera donc considéré comme nouveau que lorsqu'elles refuseront de recevoir chez elles les bébés des villes ou d'abandonner leurs propres enfants pour nourrir à domicile ceux des familles aisées. Seront également considérées comme « modernes », les femmes des

---

1. Jean Ganiage a montré qu'il y avait des exceptions à cette règle dans son étude sur les nourrissons dans le Beauvaisis, et qu'un grand nombre de familles paysannes envoyaient leurs propres enfants en nourrice dans cette région.

2. E. Shorter, *op. cit.*, p. 226.

autres classes de la société qui avaient pris l'habitude
de se séparer de leurs enfants et qui, progressivement,
exigeront de les nourrir à domicile. Pour ces femmes
des villes, deux solutions étaient envisageables. Etre la
propre nourrice de leurs enfants, ou, si elles en
avaient les moyens, faire venir chez elles une femme
de la campagne. Dans les deux cas, la mère urbaine
faisait un effort nouveau, plus ou moins grand selon
la solution choisie, en acceptant de veiller sur le petit
enfant, jugé encombrant quelques décennies plus tôt.

En l'absence de statistiques précises sur le nombre
de femmes qui allaitent à la fin du XVIIIᵉ siècle et
même au XIXᵉ siècle, on doit se contenter de chiffres
partiels et des témoignages de médecins ou administrateurs municipaux. Même si ces derniers sont souvent
excessifs, et donc dénués d'objectivité, leur unanimité
montre au moins la direction vers laquelle s'oriente le
comportement maternel.

On sait, par exemple, que le nombre d'enfants placés par la Direction municipale des nourrices déclina
substantiellement à partir de 1800 [3]. Çà et là on
constate que les mères sont souvent capables de sacrifier leur confort en cas de danger pour leurs enfants [4].
C'est ainsi que les femmes des milieux aisés de La
Rochelle, émues par une vague de décès qui frappait
leurs enfants placés chez des paysannes, décidèrent en
1766 de les allaiter elles-mêmes. Elles scandalisèrent
d'ailleurs en le faisant en public. Ce fut également le
cas des femmes de Saint-Malo qui se mirent à nourrir
leurs bébés dans les années 1780 parce qu'une épidémie
de syphilis sévissait chez les nourrices. La survie des

---

3. E. Shorter, *op. cit.*, p. 226, rapporte qu'elle plaçait 5 000 à
6 000 enfants parisiens en nourrice sous le règne de Napoléon et seulement
1 000 à partir de 1830. Mais cette diminution fut presque compensée par
l'augmentation des bureaux de placement privés qui plaçaient encore près
de 12 000 enfants au milieu du XIXᵉ siècle, si l'on en croit les chiffres avan-
cés par Brochard dans *De la mortalité des nourrissons en France*, p. 94.

4. E. Shorter, *op. cit.*, p. 227.

enfants apparaissait comme un impératif moral, et l'expression d'une nouvelle affection maternelle.

Peu à peu s'installait l'idée que les soins et la tendresse de la mère étaient des facteurs irremplaçables de la survie et du confort du bébé. A Paris, qui avait lancé la mode du nourrissage mercenaire, le docteur Menuret de Chambaud constate, en 1786, qu'une nouvelle tendance à l'allaitement maternel se fait jour dans les classes aisées : « Il y a depuis plusieurs années dans les états élevés un plus grand nombre de mères qui éprouvent par elles-mêmes que les fatigues de l'état de nourrice sont compensées par beaucoup d'agréments et d'avantages[5]. » Le docteur Rose fait la même constatation à propos des femmes de la petite ville de Nemours, dans la région parisienne. Et J.-J. Marquis remarque, vers 1796, que les femmes de la Meurthe avaient fait un effort considérable pour assurer dignement leur rôle de mère. Faut-il toutefois le prendre au mot quand il affirme qu'« il est aussi rare aujourd'hui de voir une mère ne pas allaiter qu'il était extraordinaire d'en trouver, il y a vingt ans, qui prissent ce soin : les recensements faits à la fin de l'an IV justifient que les 59/60° des enfants à la mamelle étaient nourris par leurs mères[6] ». Plus nuancée, parce que plus vague, est l'opinion de Joseph de Verneilh qui écrit simplement, en 1807, que l'allaitement maternel a fait des « progrès heureux[7] » dans la région du Mont-Blanc.

L'abandon du maillot et l'hygiène

Quelle que soit l'imprécision de ces témoignages, ils insistent tous sur les progrès de l'allaitement maternel et l'attention plus grande que la mère porte à son

5. Cité par Shorter, *op. cit.*, p. 228.
6. *Mémoire statistique du département de la Meurthe* (1805), cité par Shorter, p. 228.
7. Cité par Shorter, p. 229.

enfant. De plus en plus elle accepte de restreindre sa liberté pour en laisser davantage à son petit. C'est ainsi que, progressivement, elle abandonne la mode traditionnelle du maillot qui, en emprisonnant le bébé, lui permettait de vaquer plus commodément à ses affaires. Les mêmes qui avaient ordonné aux femmes d'allaiter leurs enfants leur avaient recommandé de défaire les langes et de laisser le petit corps en liberté. Les lectrices de Rousseau, Desessartz, Ballexserd, Gilibert, se décidèrent à libérer leurs nourrissons de la « tyrannie du maillot [8] ».

A Paris, et en province, la libération des nourrissons commença à la fin du XVIIIᵉ siècle. Au début du XIXᵉ siècle, le maillot était « presque complètement proscrit à Strasbourg [9] », et l'on observe dans les cantons ruraux que les classes supérieures y renonçaient peu à peu. En revanche, les renseignements que l'on possède sur les classes défavorisées et campagnardes montrent qu'elles conservèrent plus tardivement cet usage et que l'habitude libératrice des villes leur était presque totalement inconnue jusqu'au milieu du XIXᵉ siècle.

On comprend très bien la réticence des plus pauvres à démailloter leurs enfants. Celles qui travaillent aux champs, dans les villes, près de leur mari, ou celles que personne ne secondait à la maison, ne pouvaient veiller constamment sur leurs bébés. Ignorantes des méfaits orthopédiques du maillot, ne lisant ni Rousseau ni un autre, elles s'en tiennent à la pratique traditionnelle qui leur permet d'accomplir les tâches quotidiennes et de laisser l'enfant seul sans trop craindre d'accidents.

Le nourrisson démailloté n'a pas les mêmes rapports avec sa mère que l'enfant ligoté. Délivré de son car-

---

8. Dès 1772, le médecin Levret parle de « la nouvelle manière d'envelopper les enfants nouveau-nés, sans leur serrer la poitrine et le ventre avec des bandes ».

9. Grafenauer, cité par Shorter, p. 247.

can, il peut jouer avec elle, l'agripper, la toucher et faire sa connaissance. La mère peut le caresser plus facilement et l'embrasser, alors que le bébé emmailloté, comme le remarque Shorter, est incapable de réagir aux caresses maternelles. Une fois ôtée cette armature, tendresse et rapports charnels sont enfin possibles entre mère et enfant.

Ce changement des attitudes est très bien décrit par un témoin qui compare l'éducation qu'il avait reçue et celle qu'il observait dans la nouvelle génération. Jadis, remarque-t-il, les enfants des classes moyennes (la sienne) ne pouvait espérer « la moindre caresse de la part des pères et mères : la crainte était le principe sur lequel était basée l'éducation des enfants[10] ». Cinquante ans plus tard, mères et bébés échangent baisers et sourires. « Sans cesse égayés et caressés, libres dans leurs langes propres et bien faits, leurs jolies formes corporelles se développent promptement, et il suffit que les enfants soient de bonne humeur et bien portants pour qu'ils inspirent de l'intérêt à tous ceux qui les approchent[11]. »

Les caresses maternelles, la liberté du corps et les langes bien propres témoignent d'un nouvel amour pour le bébé. Pour faire tout cela la mère doit dédier sa vie à son enfant. La femme s'évanouit au profit de la bonne mère qui, dorénavant, n'aura de cesse d'étendre plus loin ses responsabilités. En cette fin du XVIIIᵉ siècle, c'est d'abord l'hygiène et la santé du nourrisson qui retiennent l'attention de la mère.

Ses devoirs commencent dès qu'elle est enceinte. La nouvelle mère sera soucieuse d'observer un bon régime alimentaire. Aux viandes grasses, aux sauces piquantes, aux alcools et aux nourritures lourdes de jadis, elle préférera celle plus légère à base de légumes, de

10. J.J. Juge : *Changements survenus dans les mœurs des habitants de Limoges depuis une cinquantaine d'années*, 2ᵉ éd., 1817, p. 34.
    11. *Ibid.*

fruits et de laitages, conseillée par Rousseau [12]. Une fois accouchée, elle continuera de suivre ce régime diététique, car elle sait maintenant le lien essentiel entre sa nourriture et la qualité de son lait, donc avec la santé de son bébé. Consciente de son influence sur le bien-être de l'enfant, elle prend note des conseils culinaires formulés par Rousseau : « Réformez les règles de votre cuisine, n'ayez ni roux ni friture, que le beurre ni le sel ni le laitage ne passent point sur le feu. Que vos légumes cuits à l'eau ne soient assaisonnés qu'arrivant tout chauds sur la table ; le maigre, loin d'échauffer la nourrice, lui fournira du lait en abondance et de la meilleure qualité. Se pourrait-il que, le régime végétal étant reconnu le meilleur pour l'enfant, le régime animal fût le meilleur pour la nourrice ? Il y a de la contradiction à cela [13]. »

La nouvelle mère sèvrera son enfant à l'apparition des premières dents et préférera lui donner panade et crème de riz, conseillées par Jean-Jacques, plutôt que la bouillie traditionnelle. Pour apaiser les premières douleurs gingivales, elle abandonnera le hochet dur et sale, au profit de bâtons de réglisse, de fruits secs et de croûtes.

La mère moderne est également sensible à l'hygiène corporelle : la propreté et l'exercice physique. Rousseau, qui est le grand promoteur du bain quotidien — pour le petit enfant, préconise de « diminuer par degrés la tiédeur de l'eau jusqu'à ce, qu'enfant, vous le laviez été et hiver à l'eau froide et même glacée... cet usage une fois établi... il importe de le garder toute sa vie [14] ». Car cette habitude est à la fois la condition de la propreté et de la santé du bébé, et celle de la vigueur de l'adulte. D'autres, moins spartiates, comme le docteur J. Caillau, recommandent

12. *Emile*, p. 274-275.
13. *Emile*, p. 276.
14. *Emile*, p. 278.

aux mères le bain tiède [15]. Dans l'ensemble l'abondante
littérature sur l'hygiène [16] s'accorde sur la nécessité du
bain quotidien [17] et de l'exercice physique. « Point de
tétières, point de bandes, point de maillot » ordonne
Rousseau qui exige qu'on mette à l'enfant des linges
flottants et larges qui laissent ses membres en liberté
et ne gênent pas ses mouvements. « Quand il commence à se fortifier, laissez-le ramper par la chambre ;
laissez-lui développer, étendre ses petits membres, vous
les verrez se renforcer de jour en jour. Comparez-le
avec un enfant bien emmailloté du même âge, vous
serez étonné de la différence de leurs progrès [18]. »
Quand il commence à marcher, on conseille de ne plus
mettre de lisières à sa robe ni de le placer dans un
tuteur à roulettes, mais de le laisser se débrouiller seul
ou de ne compter que sur l'aide de sa mère. On
remarque que tous les appareils qui emprisonnaient
l'enfant et le protégaient des chutes étaient autant
d'auxiliaires utiles à la mère qui pouvait relâcher sa
surveillance. Leur suppression signifie qu'une plus
grande attention est exigée d'elle. Là aussi, la libération de l'enfant ne va pas sans l'aliénation de la
femme-mère. Le carcan dont on délivre l'un est du
temps, donc de la vie, que l'on enlève à l'autre. Mais
la nouvelle mère rousseauiste ne s'en trouve, dit-on,
que plus heureuse.

L'irremplaçable enfant

Le règne de l'Enfant-Roi a commencé parce qu'il est
devenu le plus précieux des biens : un être qu'on ne
remplace pas. Sa mort maintenant est vécue comme
un drame qui touche non seulement la mère, mais le
père aussi.

15. J. Caillau, *Avis aux mères de famille*, 1769, p. 12-14.
16. Elle a souvent pour titre « Avis aux mères », ou « Livres des
mères ».
17. *Le Journal d'Heroard* nous apprend que le jeune Louis XIII fut
baigné pour la première fois à presque 7 ans.
18. *Emile*, p. 278.

En 1776, Jacob-Nicolas Moreau, célèbre historiographe, ne cache pas son angoisse devant les progrès de la maladie de sa fille Minette. A la nouvelle de sa mort, Moreau écrit : « Je fus frappé comme d'un coup de foudre. O ma chère fille ! O ange de Dieu ! Tu as vu la douleur de tes malheureux parents... Je ne sais comment j'ai pu survivre et il m'est impossible de peindre l'état dans lequel nous nous trouvâmes. Pendant les premiers jours je ne quittai point ma femme... Nous passâmes dans les larmes et sans nous montrer nulle part jusqu'au jeudi 9 mai [19]. » C'est-à-dire durant huit jours.

La santé de l'enfant est devenue le sujet majeur de la préoccupation des parents. On s'inquiète beaucoup des petits maux de la première enfance, qui étaient des causes non négligeables de la mortalité infantile. Ainsi la poussée des dents, qui s'accompagne de fièvre, de selles vertes, de convulsions et les troubles digestifs, les diarrhées estivales, les vers, etc. Le général de Martange, souvent absent du « home », exprime toutes sortes d'inquiétudes à ce sujet dans les lettres qu'il adresse à sa femme. Dans l'une, il redoute les effets de la dysenterie de sa petite fille : « L'état de ma fille me pénètre de douleur et je vais passer les jours dans une inquiétude mortelle jusqu'à ce que j'aie des nouvelles plus consolantes : le seul soulagement que je puisse trouver... est de te faire parvenir un remède que M. Wolff garantit immanquable même pour la dysenterie... » Dans une autre lettre ce sont les premières dents de ses enfants qui le préoccupent : « Je ne suis pas très tranquille sur ce que tu me marques de la disparition de l'appétit et des douleurs de notre petit. Je ne saurais trop te recommander, ma chère enfant, d'avoir tant pour lui que pour Xavière du miel de Narbonne, et de ne pas manquer leur frotter les gencives quand ils sentent les douleurs [20]. »

19. J.-N. Moreau, *Mes souvenirs*, tome 2.
20. *Correspondance inédite du général de Martange* (1756-1782).

Cette sollicitude paternelle à l'égard de maladies bénignes en dit long sur l'inquiétude des parents à l'égard des maladies plus graves. Parmi elles, la variole qui fait encore des ravages dans la deuxième partie du siècle, puisqu'un enfant sur dix en meurt. L'inoculation introduite en France dans les années 1730 fut l'objet de multiples discussions [21]. Les esprits les plus éclairés montrent l'exemple : Tronchin, Turgot et le duc d'Orléans font inoculer leurs enfants. Mais les parents s'interrogent sur cette nouvelle médecine préventive... Dans les classes supérieures où l'on se pique de modernisme, on accepte souvent le risque calculé de la vaccination. Le général de Martange s'en remet à sa femme pour la faire faire à ses enfants : « le plus tôt sera le mieux, puisque tout le monde est content de l'inoculation ».

La mise au point de la vaccination anti-variolique par Jenner en 1796 permettant d'immuniser le jeune enfant sans danger achèvera d'emporter l'adhésion des parents éclairés. Mais il faudra encore de longues décennies et une propagande intensive des médecins, des sages-femmes et des autorités préfectorales pour que les parents des campagnes se résolvent à mettre du poison dans le sang de leur enfant.

Le médecin de famille

La nouvelle mère qui se sent responsable de la santé de l'enfant ne cache pas son anxiété et demande davantage conseils et aide au médecin. La présence de ce nouveau personnage au sein de la famille se fait de plus en plus sentir au XIXe siècle. Les ouvrages des Gilibert, Raulin ou Buchan ne suffisent plus à calmer l'angoisse maternelle. On veut pouvoir consulter l'autorité à domicile. Les médecins profitèrent de

---

21. Peu au point à ses débuts, la vaccination avait causé la mort de plusieurs volontaires. « Sur les 1 800 premiers inoculés, Maddox a 6 morts », rapporte J.-N. Biraben, *op. cit.*, p. 218.

l'occasion et conclurent tacitement une « alliance privilégiée [22] » avec la mère. Ils prirent bientôt une importance considérable au sein de la famille et firent de la mère leur interlocutrice, leur seconde, leur infirmière et leur exécutrice. Dans le *Dictionnaire de la santé*, l'hygiéniste Farssagrifex écrit en 1876 : « Les veilleuses mercenaires sont aux vraies infirmières (sous-entendu : les mères) ce que les nourrices de profession sont aux mères... J'ai l'ambition de faire de la femme une garde-malade accomplie [23]... »

Présence et dévouement

La surveillance maternelle s'étend de façon illimitée. Point de jour ni de nuit que la mère ne veille tendrement son petit. Qu'il soit en bonne santé ou malade, elle doit rester vigilante. Qu'elle s'endorme si l'enfant est souffrant et la voilà coupable du plus grand des crimes maternels : la négligence.

La nouvelle mère passe donc beaucoup plus de temps avec son enfant que sa propre mère ne l'avait fait avec elle. Et c'est bien le facteur « temps » qui marque le mieux la distance entre deux générations de femmes. Les anciennes « apercevaient » à peine leur progéniture et consacraient l'essentiel de leur temps à elles-mêmes. Les nouvelles vivent constamment près de leurs enfants. Elles allaitent, surveillent, baignent, habillent, promènent et soignent. L'enfant n'est plus relégué au loin ou à un autre étage. Il joue dans les jupes de sa mère, prend ses repas à ses côtés et se fait sa place dans le salon des parents comme en témoignent de très nombreuses gravures [24]. Des liens se nouent qui rendent plus difficiles, sinon impossibles, les séparations d'autrefois. Les parents, et la mère en particulier, n'ont plus envie d'exiler leurs enfants dans les couvents ou les collèges.

22. Jacques Donzelot, *op. cit.*, p. 22.
23. Cité par J. Donzelot, p. 23.
24. Voir notamment les nombreuses gravures de Marguerite Gérard.

D'ailleurs l'internat a de plus en plus mauvaise presse auprès des autorités morales, philosophes et médecins. On critique les parents qui se débarrassent de leurs enfants. Bernardin de Saint-Pierre, parmi d'autres, ne mâche pas ses mots : « s'ils les mettent en nourrice dès qu'ils sont venus au monde, c'est qu'ils ne les aiment pas ; s'ils les envoient dès qu'ils grandissent dans des pensions et collèges, c'est qu'ils ne les aiment pas [25] ».

Ne pas aimer ses enfants est devenu un crime inexplicable. La bonne mère est tendre ou n'est pas. Elle ne supporte plus la rigueur et l'inflexibilité dont on faisait preuve jadis à l'égard des enfants. Elle redoute la sévérité des collèges et des couvents, mais aussi les mauvaises conditions d'hygiène et de promiscuité des dortoirs. Comme le remarque très justement P. Ariès [26], l'internat a perdu la valeur de formation morale et humaine qu'on lui reconnaissait jadis.

Les conséquences de ce changement de mentalité se feront sentir dès le milieu du XIXe siècle. Le nombre des pensionnaires commence alors à décliner par rapport au maximum atteint au XVIIIe siècle. Les nouveaux parents donnent la préférence à l'externat, comme le montrent les statistiques du lycée Louis-le-Grand à Paris [27]. Méfiants, ils ne veulent plus abandonner totalement le soin de l'éducation de leurs enfants à des étrangers, c'est-à-dire aux éducateurs des collèges, ou aux domestiques dont on redoute les « manières dépravées ». En conséquence c'est la mère qui se charge elle-même de cette nouvelle tâche. Ce travail à temps complet l'accapare totalement. Garder

25. Bernardin de Saint-Pierre, 14e *Etude sur la Nature*, 1784.
26. P. Ariès, *op. cit.*, p. 315.
27. Cf. statistiques de Dupont-Ferrier, citées par Ariès, p. 314-315 : Si en 1837-1838 il n'y a seulement que 10,5 % des élèves externes, en 1861-1862 on en compte 14 %, en 1888-1889, 35 % et en 1908, 69 %, soit les deux tiers du total des élèves. On s'aperçoit, note Ariès, que « la famille moderne n'accepte plus de se séparer de ses enfants même pour assurer leur éducation ».

ses enfants, les surveiller et les éduquer exige sa présence effective au foyer. Toute à ses nouvelles obligations, elle n'a plus le temps ni l'envie de fréquenter les salons et de faire des mondanités. Ses enfants sont ses seules ambitions et elle rêve pour eux d'un futur plus brillant et plus sûr encore que le sien. La nouvelle mère est cette femme que l'on connaît bien, qui investit tous ses désirs de puissance dans la personne de ses enfants. Préoccupée de leur avenir, elle limitera volontairement sa fécondité. Mieux vaut peu d'enfants, pense-t-elle, bien installés dans la vie, qu'une progéniture nombreuse au sort incertain. En outre, elle ne fait plus de distinction entre le cadet et l'aîné[28], la fille et le garçon. Son affection n'est pas sélective, elle aime l'un tout autant que l'autre. A chacun, elle donnera le meilleur d'elle-même. Pour eux, elle oubliera de compter son temps et ne négligera aucun effort, car elle les ressent comme parties intégrantes d'elle-même. Les longues séparations d'antan lui semblent insupportables. Elle a besoin de leur présence autour d'elle à la fois parce qu'elle les aime mieux[29] et parce qu'ils sont sa principale raison de vivre. Le lieu privilégié de tels liens, le nouveau royaume de la femme, est « le chez-soi » fermé aux influences extérieures[30].

C'est donc une nouvelle façon de vivre qui apparaît à la fin du XVIIIᵉ et qui se développera au cours du

28. Ariès remarque qu'à la fin du XVIIIᵉ siècle l'inégalité entre les enfants apparaissait déjà comme une injustice intolérable et que les familles ne suivirent pas les Ultras, sous la Restauration, quand ils voulurent rétablir le droit d'aînesse.

29. Rousseau, *Deuxième Discours*, p. 456 : « l'habitude fortifie les liens ».

30. Le père lui aussi trouve sa place dans ce nouvel univers familial, entre sa femme et ses enfants. Le préfet des Bouches-du-Rhône, Christophe de Villeneuve, en fait la constatation dans les années 1820 à Marseille : « Déjà avant la révolution on vivait plus au-dehors qu'au-dedans, et les hommes passaient une grande partie de leur temps au café, au cercle et au spectacle. Aujourd'hui, les lieux de rassemblement sont toujours fréquentés, mais en général, les pères de famille y vont rarement. » Cité par E. Shorter, *op. cit.*, p. 281.

XIXᵉ siècle. Axée sur « l'intérieur », le « dedans » qui
conserve bien au chaud les liens affectifs familiaux, la
famille moderne se recentre autour de la mère qui
prend une importance qu'elle n'a jamais eue auparavant.

Qui est la nouvelle mère ?

L'évolution des mœurs fut plus lente qu'on ne
pourrait le croire. Pour des raisons différentes, voire
opposées, nombre de femmes refusèrent de se
conformer au nouveau modèle. Curieusement, les plus
favorisées rejoignirent, dans leur comportement, l'attitude des plus démunies. La nouvelle mère appartient
essentiellement aux classes moyennes, à la bourgeoisie
aisée, mais non à celle qui rêve d'imiter l'aristocratie.

L'intellectuelle ?

Après la parution de l'*Emile,* nombre de lectrices de
Rousseau voulurent suivre les conseils du maître.
Parmi elles, des femmes de la haute société comme
Madame d'Epinay qui ne laisse pas passer une occasion de signaler son adhésion aux nouvelles valeurs.
Dans une *Lettre* à son fils, elle écrit : « depuis que je
suis mère, j'ai mis mon bonheur dans mes soins pour
mes usages ordinaires, et le défaut d'expérience m'a
empêchée, pendant les premières années de votre vie,
de les étendre au-delà ; du moins la réflexion réveillée
et soutenue par la tendresse maternelle, les éclaire et
les accroît de plus en plus [31] ».

Madame d'Epinay fut certainement une pionnière.
On pourrait dire qu'elle anticipait la mode. Mais elle
ne fut pas la seule à être touchée par la grâce. Toutes

---

31. Mme d'Epinay : *Pseudo-mémoires*, Histoire de Madame de Mont-
brillant. L'amie de Grimm aime à passer l'essentiel de son temps avec ses
enfants. Elle leur consacre, dit-elle, toutes ses matinées durant lesquelles
elle leur apprend à lire, à connaître les notes ou à jouer du clavecin.

les femmes qui souhaitaient paraître « éclairées » voulaient être la mère rêvée par Rousseau. Entre Versailles et Paris, tout un groupe de femmes décidèrent d'élever leurs enfants « à la Jean-Jacques ». On se vante d'allaiter son nourrisson, de ne pas le couvrir et de l'habituer aux bains froids. Témoin J.-L. Fourcroy de Guillerville qui écrit en 1774 : « Nous continuâmes l'hiver suivant, l'un des plus rigoureux que l'on ait ressenti depuis 1709, à laver mon fils de la tête aux pieds avec de l'eau qui nous gelait au bout des doigts, sans qu'il en sourcillât. On le promenait tous les jours quoique la terre fût couverte de neige et qu'il ne fût plus vêtu qu'il ne l'était l'été, ce qui faisait frémir ceux qui le voyaient... Notre enfant n'a eu ni rhumes, ni fluxions, ni coqueluches ; au contraire, il a acquis une souplesse et une agilité surprenante avec une santé inaltérable et une telle vigueur qu'il courait seul à dix mois[32]. »

Nombre des lectrices de Jean-Jacques prennent à cœur de nourrir elles-mêmes leur bébé. Madame Roland laissa de nombreux commentaires sur son expérience, particulièrement éprouvante. La nature avare lui avait donné peu de lait. Pour le faire surgir, Madame Roland recourut aux méthodes les plus nouvelles et suivit les conseils de Madame de Rebours, qu'elle avait lus[33]. Elle essaya tous les instruments recommandés : pompe du docteur Stern, pipes de fer blanc et cataplasmes de mie de pain. Elle suivit la diététique conseillée, but du vin d'Espagne, du Quinquina et mangea des lentilles. Elle parvint ainsi à nourrir sa petite fille, Eudora, jusqu'au moment où elle fut obligée d'arrêter par suite d'une grave dysenterie. Refusant d'envoyer sa fille en nourrice, elle décide de le nourrir artificiellement en mélangeant le lait d'une mercenaire avec de l'eau d'orge. Néanmoins, Madame Roland paraît désolée de cet état de choses et

32. *Les enfants élevés dans l'ordre de la nature*, Paris, 1774, p. 39.
33. *Avis aux mères qui veulent nourrir leur enfant*, 1767.

se fait téter plusieurs fois par jour par la nourrice pour que sa fille ait quelques gouttes du lait maternel [34].

Madame Roland, femme occupée, dut passer beaucoup de temps à nourrir sa fille, car elle l'allaitait à la mode d'aujourd'hui, c'est-à-dire « à la demande » de l'enfant. La petite passait ainsi des journées entières dans ses bras, à téter un sein puis l'autre, comme en témoigne une lettre à son mari : « tu trouveras ceci bien griffonné, je n'ai qu'une main de libre et je n'y regarde que de côté, ma petite est sur mes genoux, où il faut la garder la moitié du jour. Elle tient le sein deux heures de suite en faisant de petits sommeils qu'elle interrompt pour sucer... je suis obligée dans la séance de la porter alternativement aux deux côtés parce qu'elle vient à bout de les épuiser ou à peu près [35]... ». On aurait tort de croire que Madame Roland se fût lassée d'un tel régime. Au contraire, comme le promettaient les bons conseillers, la joie et le plaisir furent ses récompenses. Un mois et demi après la naissance de sa fille, elle écrit à son mari : « Je n'ai presque plus de douleur en lui donnant à téter et, ce que je n'aurais pas cru, je sens de l'augmentation dans le plaisir de le faire [36]. »

Madame Roland fut l'une de ces mères comblées que Rousseau et ses successeurs avaient dépeintes : à la fois fière et heureuse. Elle aima à être vue en train d'allaiter et n'hésita pas à se faire peindre ainsi. Comme si toute sa gloire de femme et l'image qu'elle souhaitait laisser d'elle-même était d'abord contenue dans l'activité nourricière [37].

---

34. « Je fais un suçon de toile qu'on imbibe continuellement en versant dessus goutte à goutte et l'enfant prend ainsi : la première nuit de ce régime a été triste ; la pauvre petite me voulait et ses cris m'ont déchirée. »

35. Lettre du 20 novembre 1781, p. 57.

36. Lettre du 20 novembre 1781, p. 66.

37. Quand on pense que ses ennemis politiques l'accusèrent d'être mauvaise mère !

Pourtant, fin XVIIIe, les rousseauistes comme Madame d'Epinay ou Madame Roland ne sont pas légion. Elles forment un petit noyau d'adeptes intellectuelles non représentatives de l'ensemble des Françaises. Il faudra encore bien longtemps avant que cette mode ne devienne un comportement « naturel » qui « descende » dans la rue et « monte » dans les sphères supérieures.

La bourgeoise ?

Curieusement, les femmes qui se conformeront massivement au modèle rousseauiste n'étaient pas les plus sophistiquées, mais celles de la bourgeoisie aisée qui n'avaient ni ambitions mondaines, ni prétentions intellectuelles, ni besoin de travailler aux côtés de leur mari. Celles qui avaient abandonné un siècle auparavant leurs enfants par conformisme, paresse, ou manque de motivations plutôt que par nécessité. C'était tout aussi bien la femme du juge local que celle du subdélégué ou du riche marchand. Plus disponibles que d'autres et recherchant inconsciemment un idéal et une raison de vivre, elles furent les premières sensibilisées aux arguments des autorités locales et médicales. Les premières à considérer l'enfant comme leur affaire personnelle, celui par lequel leur vie de femme prend un sens.

Qui sont exactement ces nouvelles mères ? En l'absence de renseignements précis sur leurs revenus et la profession de leur époux, on doit se résoudre à faire d'elles un portrait un peu flou. Mais grâce à la littérature, à Balzac, aux frères Goncourt et à d'autres, on peut essayer d'en tracer les traits les plus saillants.

La mère « moderne » appartient à la bourgeoisie moyenne, plus attachée aux vertus austères qu'aux succès personnels, plus à l'aise dans l'Etre et l'Avoir que dans le Paraître. Plus provinciale que parisienne, sa maison est un univers clos dans lequel elle règne sans partage. Dans les *Mémoires de deux jeunes mariées,* la mondaine Louise de Chaulieu, qui vit à Paris une existence brillante, écrit à la provinciale Renée de Maucombe : « Tu sors d'un couvent pour entrer dans un autre ! Tu vas entrer en ménage[38]... » Louise supplie Renée de vivre différemment : « Tu viendras à Paris, nous y ferons enrager les hommes et nous deviendrons les reines. » Mais Renée suivra son chemin de bourgeoise provinciale et sera la mère exemplaire dont nous reparlerons. Louise restera une aristocrate, « la Parisienne », aux grands succès mondains. Elle n'aura pas d'enfants. Le contraste entre les deux amies, voulu à dessein par Balzac, est la meilleure illustration possible de destins féminins opposés : la mère et la séductrice. L'une rêve d'être une femme à la mode qui règne dans les salons, l'autre n'a d'autre royaume que sa maison et ne se veut souveraine que de sa famille.

La nouvelle mère[39] n'est-elle pas l'arrière-petite-fille des bourgeoises de Molière ou de Madame Vollichon, héroïne du *Roman bourgeois*[40]. On se souvient que Furetière opposait les mœurs bourgeoises à celles de l'aristocratie dominante et dépeignait le mépris de la femme de la haute société pour Madame Vollichon, femme d'un procureur du Châtelet, qui n'avait d'autres soucis et sujets de conversation que ses enfants. Elle lui paraissait aussi ridicule que Renée, au XIXᵉ siècle, semble désuète à Louise. A presque deux cents ans de distance, on constate le même mépris de l'aristocrate pour une attitude maternelle jugée sans grandeur et presque déplacée.

La différence entre Madame Vollichon et Renée de Maucombe[41] est que la première est en retard sur les

38. *Mémoires de deux jeunes mariées,* lettre VII, p. 101 (Garnier-Flammarion).

39. Comme *Renée Mauperin,* d'E. Goncourt ou la *Femme* de Michelet.

40. Furetière, 1666.

41. Future Renée de l'Estorade.

valeurs dominantes du XVIIe siècle alors que la seconde incarne l'idéal féminin qui va l'emporter au XIXe siècle. De façon plus générale, ce sont les femmes de la bourgeoisie moyenne qui furent les dernières à abandonner leurs enfants, et aussi les premières à les reprendre dans leurs bras.

L'aristocrate ?

En revanche, les femmes des classes dominantes, sœurs de Louise de Chaulieu, furent les premières à s'en séparer et les dernières à changer leurs habitudes. A voir les gravures de Madame Gérard, et les peintures de Vernet ou de Moreau le Jeune, on pourrait penser que nombre de femmes de la meilleure société aimaient à se faire peindre entourées de leur époux et de leurs enfants, portant le petit dernier dans leurs bras. Cette attitude fut davantage l'effet d'une mode passagère que l'expression d'un comportement vraiment adopté. Si elles aiment à se montrer sous l'aspect de la bonne mère, elles passent peu, et moins vite, à l'action que les bourgeoises. D'ailleurs, au siècle suivant, la mode a changé. Les aristocrates et les grandes bourgeoises, qui aspirent à une position sociale, n'auraient plus l'idée de se faire peindre en donnant le sein, au milieu d'une marmaille désordonnée.

Comme leurs aînées du XVIIIe siècle, les femmes en vue de la première moitié du XIXe siècle tiennent à marquer leur distance à l'égard des attitudes de la bourgeoisie moyenne. Et pour rien au monde elles ne voudraient ressembler à ces « petites-bourgeoises » aux mœurs provinciales. A Paris, mais aussi dans les grandes villes de province, les femmes qui se veulent au-dessus du vulgaire refusent nettement le rôle de bonne mère de famille.

L'œuvre de Balzac offre tout un échantillonnage de femmes aux conceptions différentes de la maternité et montre le fossé qui existe entre la petite-bourgeoise et

la riche aristocrate. Dans *Une double famille,* Caroline
de Bellefeuille vit une union illégitime avec Roger, un
bourgeois aisé. Elle incarne la femme heureuse, malgré
sa situation, qui trouve dans la maternité son plus
grand épanouissement. Balzac nous la dépeint ainsi :
« Ignorant les usages d'une société qui l'eût repoussée
et où elle ne serait point allée quand même on l'y
aurait accueillie, car la *femme heureuse ne va pas
dans les salons,* elle n'avait su prendre cette élégance
de manière, ni apprendre cette conversation pleine de
mots et vide de pensée qui a cours dans les salons ;
*mais en revanche elle conquit laborieusement les
connaissances indispensables à une mère dont toute
l'ambition consiste à bien élever ses enfants* [42]. » Caroline de Bellefeuille nourrit ses deux enfants, ne les
quitte pas un seul instant et fait toute leur éducation
morale. Au total, ses seuls plaisirs furent de « remplir
à la fois les pénibles fonctions de la bonne et les douces obligations d'une mère [43] ». Pour achever de peindre cette douce et parfaite créature, Balzac ajoute :
« pendant ces six années, ses modestes plaisirs ne fati-
guèrent jamais, par une ambition mal placée, le cœur
de Roger [44] ». Et Balzac ne résiste pas à décrire la
grande scène de l'intimité bourgeoise : Roger joue
avec son fils aîné le soir venu au coin du foyer, dans
la douce intimité du salon, et contemple avec émotion
son petit bébé « suspendu au sein de Caroline, blanche et fraîche... dont les cheveux retombaient en milliers de boucles [45] ».

Ce tableau qui eût enchanté Rousseau n'était pas du
goût de toutes les femmes, comme cette Madame
Evangelista, autre héroïne de Balzac [46], qui tient le
haut du pavé dans la ville de Bordeaux. A la veille du

42. *Une double famille*, coll. Folio, p. 54 (souligné par nous).
43. *Ibid.*
44. *Ibid.*, p. 55.
45. *Ibid.*, p. 57.
46. *Le Contrat de mariage.*

mariage de sa fille Nathalie avec un aristocrate, elle lui recommande de ne pas imiter ces petites-bourgeoises du type de Caroline. Ecoutons ses conseils qui montrent si bien la survivance de l'ancien état d'esprit : « La cause de la perte des femmes mariées qui tiennent à conserver le cœur de leur mari... se trouve dans une cohésion constante qui n'existait pas autrefois et qui s'est produite dans ce *pays-ci avec la manie de la famille.* Depuis la révolution qui s'est faite en France, *les mœurs bourgeoises ont envahi les maisons aristocratiques. Ce malheur est dû à l'un de leurs écrivains, à Rousseau...* Depuis, les femmes comme il faut ont nourri leurs enfants, élevé leurs filles et sont restées à la maison. Ainsi la vie s'est compliquée de telle sorte que le bonheur est devenu presque impossible... Le contact perpétuel n'est pas moins dangereux entre les enfants et les parents qu'il l'est entre les époux. Il est peu d'âmes chez lesquelles l'amour résiste à l'omniprésence... Mets donc entre Paul et toi les barrières du monde. Va au bal, à l'opéra, promène-toi le matin, dîne en ville le soir, rends beaucoup de visites, accorde peu de moments à Paul[47]. »

Nathalie ne pourra donc assumer sa fonction maternelle.

Sa mère le lui déconseille formellement car « une femme est née pour être une femme à la mode, une charmante maîtresse de maison... Ta vocation est de plaire... Tu n'es faite ni pour être mère de famille ni pour devenir un intendant. Si[48] tu as des enfants, j'espère qu'ils n'arriveront pas de manière à te gâter la taille le lendemain de ton mariage ; rien n'est plus bourgeois que d'être grosse un mois après la cérémo-

47. Balzac, *Le Contrat de mariage,* p. 216-217 (Folio) (souligné par nous).
48. On appréciera la formulation en termes hypothétiques comme si la chose n'était pas nécessaire mais une possibilité, un « accident », rien de plus... D'ailleurs, Mme Evangelista n'a qu'une seule fille.

nie... Si donc tu as des enfants deux ou trois ans
après ton mariage, eh bien, les gouvernantes et les
précepteurs les élèveront. Toi, sois la grande dame qui
représente le luxe et le plaisir de la maison [49]. »

A ces propos font écho les conseils de l'aristocrate
de Marsay à son ami Paul, le futur mari de Nathalie.
« Sois bon père et bon époux, tu deviendras ridicule
pour le reste de tes jours. Si tu pouvais être heureux
et ridicule, la chose devrait être prise en
considération ; mais tu ne seras pas heureux... Fais
des folies en province, mais ne te marie pas. *Qui se
marie aujourd'hui ?* Des commerçants dans l'intérêt de
leur capital... des paysans qui veulent, en produisant
beaucoup d'enfants, se faire des ouvriers, des agents
de change ou des notaires obligés de payer leurs charges, de malheureux rois qui continuent de malheureuses dynasties [50]. »

Résolument ennemi du mariage qui n'est qu'un
« bât », de Marsay ne réagit pas seulement en admira-
teur de Don Juan. Il lui est aussi hostile parce qu'il
en découle une nouvelle génération. Avec la lucidité
cruelle des hommes du siècle précédent, il n'attend
rien de bon des enfants. Au contraire, « aurais-tu par
hasard de l'amour pour cette sotte race... qui ne te
donnera que des chagrins ? Tu ignores donc le métier
de père et de mère ? Le mariage... est la plus sotte
des immolations sociales ; nos enfants seuls en profi-
tent et n'en connaissent le prix qu'au moment où leurs
chevaux· paissent les fleurs nées sur nos tombes.
Regrettes-tu ton père qui t'a désolé ta jeunesse ? Comment t'y prendras-tu pour te faire aimer de tes
enfants ? Tes prévoyances pour leur éducation, les
soins de leur bonheur, tes sévérités nécessaires les
désaffectionnent. Les enfants aiment un père prodigue
ou faible qu'ils mépriseront plus tard. Tu seras donc

49. *Ibid.*, p. 218.
50. *Ibid.*, p. 117-118 (souligné par nous).

entre la crainte et le mépris. N'est pas bon père de famille qui veut ! Tourne les yeux sur nos amis, et dis-moi de qui tu voudrais pour fils... les enfants, mon cher, sont des marchandises très difficiles à soigner [51] ». La douce conjugalité n'est qu'un mythe bourgeois. De la distance entre l'époux et sa femme, du plaisir avec ses maîtresses, les enfants dans la « nursery », voilà le secret de la vie aristocratique.

Quand le mariage de Paul et Nathalie sombre avec la faillite, Balzac met dans la bouche du vieux notaire ses propres réflexions de bourgeois qui sont la conclusion et la morale de l'histoire : « si vous aviez eu des enfants, la mère aurait empêché les dissipations de la femme, elle serait restée au logis [52]... ». A croire Balzac, qui ne brillait pas par son féminisme, la conception rousseauiste du mariage est d'abord profitable au mari qui contrôle mieux sa femme que jadis. Toute à ses enfants et sa maison, elle n'est pas tentée par de mauvaises dissipations.

Mais si un grand nombre de femmes se sont empressées d'embrasser la carrière maternelle, n'est-ce pas parce qu'elles y ont aussi trouvé des avantages, pour ne pas dire leur intérêt personnel ?

L'intérêt de la maternité

Ce n'est sûrement pas un hasard si les femmes qui écoutèrent les premières les discours masculins sur la maternité furent les bourgeoises. Ni pauvre, ni particulièrement riche ou brillante, la femme des classes moyennes a vu dans cette nouvelle fonction l'occasion d'une promotion et d'une émancipation que l'aristocrate ne recherchait pas.

En acceptant de prendre en main l'éducation des

---

51. *Ibid.*, p. 118-119.
52. *Ibid.*, p. 235.

enfants, la bourgeoise améliorait son statut personnel, et cela de deux façons. Au pouvoir des clés, qu'elle détenait depuis longtemps (pouvoir sur les biens matériels de la famille), elle ajoutait le pouvoir sur les êtres humains que sont ses enfants. Elle devenait ensuite le pivot central de la famille. Responsable de la maison, de ses biens et de ses âmes, la mère est sacrée « souveraine domestique ».

Témoins de ce changement de mentalité qui amplifie le pouvoir maternel au détriment de l'autorité paternelle les questions mises en concours par l'Académie de Berlin en 1785. Premièrement : Quels sont dans l'état de nature les fondements et les limites de l'autorité paternelle ? Deuxièmement : Y a-t-il une différence entre les droits de la mère et ceux du père ? Troisièmement : Jusqu'à quel point les lois peuvent-elles étendre ou limiter cette autorité ?

Parmi les réponses primées, figure celle du Français Peuchet, auteur de l'*Encyclopédie méthodique*, qui prit parti pour une réévaluation des pouvoirs maternels. Dans l'article « *Enfant, police et municipalité* », Peuchet justifie ainsi sa prise de position : « La femme à qui son état de mère, de nourrice, de protectrice, prescrit des devoirs que ne connaissent point les hommes, la femme a donc un droit positif à l'obéissance. *La meilleure façon d'affirmer que la mère a un droit plus vrai à la soumission de ses enfants que le père*, c'est qu'elle en a plus besoin[53]. »

Ainsi le statut de la mère est différencié en fait, sinon en droit, de celui de son enfant. Elle n'est plus, comme jadis, pour son mari « une enfant » parmi ses enfants qu'il faut protéger et gouverner. La mère bourgeoise « tient ménage » avec la même autorité et le même orgueil que la femme aristocrate « tient rang ou état ». Grâce à la responsabilité toujours plus

---

53. J. Peuchet, *Encyclopédie méthodique* (classe 111-112), 1792, cité par J. Donzelot, *op. cit.*, p. 25 (souligné par nous).

grande de la mère, l'épouse peut en imposer davantage à son mari, et garder souvent, en tant que mère, le dernier mot sur le père.

La maternité devient un rôle gratifiant car il est à présent chargé d'idéal. La façon dont on parle de cette « noble fonction » avec un vocabulaire emprunté à la religion (on évoque couramment la « vocation » ou le « sacrifice » maternel) indique qu'un nouvel aspect mystique est attaché au rôle maternel. La mère est maintenant volontiers comparée à une sainte et on prendra l'habitude de penser qu'il n'y a de bonne mère que de « sainte femme ». La patronne naturelle de cette nouvelle mère est la Vierge Marie dont toute la vie témoigne de son dévouement à l'enfant. Est-ce donc un hasard si le XIXe siècle la mit à l'honneur en créant la fête de l'Assomption ?

Le retard des classes défavorisées

Ce sont les femmes les plus défavorisées qui furent les dernières touchées par la nouvelle mode. Fin XVIIIe, alors que la femme aisée commence à garder près d'elle ses enfants, l'ouvrière ou l'épouse du petit artisan ont plus que jamais besoin d'envoyer les leurs à la campagne pour pouvoir rapporter un deuxième salaire à la maison. Même la paysanne mettra son enfant en nourrice, pour mieux aider son mari aux champs, ou pour être la nourrice des enfants des villes. Cette pratique se poursuivra jusqu'au début du XXe siècle, lorsque la stérilisation rendra l'usage du biberon sans danger.

A regarder leur demeure, on comprend que l'attention maternelle soit un luxe que les femmes pauvres ne peuvent se payer. La plupart du temps, leur foyer se limite à une pièce unique où s'entassent trois générations. A la campagne, elle abrite, en plus, les animaux de la ferme. Nul doute que cette promiscuité physique soit peu propice à l'intimité et la tendresse. Asservie par toutes sortes de tâches, la mère n'a pas le temps de veiller sur sa progéniture, encore moins de jouer avec elle. L'enfant reste une lourde charge dont elle a souvent envie de se débarrasser, chez la nourrice, puis au-dehors quand il est plus grand.

Sa situation est aggravée par une fécondité trop généreuse [54]. Léon Frapié constate que les familles de sept enfants sont monnaie courante. En bourgeois philanthrope, il accuse ce peuple prolifique de fécondité criminelle. « Il existe, dit-il, un crime de lèse-humanité, qui s'appelle le crime d'avoir trop d'enfants [55]. » Beaucoup, constate-t-il, n'ont pas à manger tous les jours, et il dénonce « l'imprévoyance » et le « vice » propre aux classes pauvres : « Ce n'est pas aimer les enfants, ni rendre service à la société d'en avoir quatre quand on peut en loger, en nourrir, en soigner deux. »

Le moralisme de Frapié est d'une aide bien piètre pour comprendre la surfécondité des classes pauvres. Plus convaincantes sont les motivations économiques et psychologiques qui furent probablement les mêmes pour tous ceux qui vivent dans la précarité. Proches des habitants actuels des pays du quart-monde, les plus démunis du XIXᵉ siècle devaient savoir que leurs enfants, dont beaucoup mouraient en cours de route, étaient leur seule assurance pour la période non productive de la vieillesse. Peut-être semblables aux femmes « sous-prolétaires [56] » de nos sociétés industrielles contemporaines, les mères du XIXᵉ siècle durent éprouver des sentiments ambigus, voire contradictoires, à l'égard de leurs maternités. M.-C. Ribeaud a montré l'importance, pour ces femmes, de la maternité, à la

54. Voir *Fécondité*, de Zola.

55. Léon Frapié, *La Maternelle* (enquête sur une école de Ménilmontant), 1908.

56. Voir la très belle étude de Marie-Catherine Ribeaud, *La Maternité en milieu sous-prolétaire*, 1979, Paris, Stock-Femme.

fois cause de soucis et source de leur fragile équilibre affectif. Pour celles qui n'ont rien d'autre qu'une vie conjugale difficile, souvent cruelle, la maternité est la grande affaire de leur vie. Elles refusent toute contraception, car l'enfant comble un manque affectif et social, et compense, pour un temps, des frustrations diverses. Pour retarder le moment fatal de la solitude, ces mères laissent faire la nature et produisent autant d'enfants que leur corps le permet. Même si elles s'en plaignent ouvertement, elles ne veulent rien tenter pour changer le cours des choses...

Peut-être est-il excessif de reprendre, telle quelle, l'analyse psychologique des femmes du XXᵉ siècle pour expliquer le comportement de leurs ancêtres du XIXᵉ siècle, mais celle-ci nous aide à comprendre des attitudes que l'on n'a jamais jugées que de l'extérieur. L'insécurité matérielle et le manque d'information n'expliquent pas tout.

Quoi qu'il en soit des raisons de la surfécondité des classes pauvres jusqu'au XXᵉ siècle, le fait est banal et engendre trois sortes de conséquences : la mise en nourrice, l'abandon, et le taux de mortalité inchangé des enfants de familles démunies.

Au milieu du XIXᵉ siècle, les docteurs Brochard et Monot s'indignent encore des conditions de vie abominables des enfants en nourrice. Mais l'un et l'autre reconnaissent que les « pauvres femmes obligées de travailler ne peuvent pas faire autrement[57] ». Ces philanthropes de bonne volonté cherchèrent sincèrement à améliorer le sort des enfants en nourrice, mais ils n'eurent pas un mot pour les conditions de vie de la mère.

La mise en nourrice des enfants des villes reste une pratique très vivace au sein des classes populaires. Brochard, qui étudia le phénomène dans l'arrondisse-

---

57. Dr Monot, *De l'industrie des nourrices et de la mortalité des petits enfants* (1867), p. 75.

ment de Nogent-le-Rotrou, constatait, au milieu du XIXᵉ siècle, une augmentation du nombre des bébés parisiens mis en nourrice par l'intermédiaire des bureaux de placement particuliers [58]. En 1907, près de 80 000 enfants sont encore placés à la campagne, soit 30 à 40 % des nouveau-nés des grandes villes [59].

L'abandon des enfants, qui avait beaucoup augmenté dans la seconde partie du XVIIIᵉ siècle, continua de plus belle dans la première moitié du XIXᵉ siècle. Armangaud suggère que la généralisation, en 1811, du système du « tour » dans les hospices (qui permettait à la mère de déposer l'enfant sans révéler son identité), ajoutée aux effets de l'industrialisation et de la croissance urbaine, avait contribué à provoquer cette forte augmentation [60].

En outre, la mortalité des enfants pauvres mis en nourrice, et *a fortiori* celle des petits abandonnés, reste considérable au XIXᵉ siècle. Dans les années 1850, la mortalité globale des enfants de moins d'un an est encore supérieure à 16 % [61]. Francisque Sarcey affirme que, sur 25 000 enfants envoyés en nourrice, il

58. S'appuyant sur les statistiques de la préfecture de police, Brochard constate qu'on exporta 6 426 bébés en 1851 et 11 370 en 1860. Si l'on ajoute à ce dernier chiffre les 3 000 ou 4 000 enfants placés par la Direction générale et les 5 000 placés directement par leurs parents à la campagne, on comptait, pour cette seule région, 20 000 nouveau-nés envoyés tous les ans à la campagne.

59. Chiffres cités par *Entrer dans la vie*, p. 227.

60. Armangaud, « L'attitude de la société à l'égard de l'enfant au XIXᵉ siècle », *Annales de démographie historique*, 1973, p. 308. « On en avait compté 62 000 en l'an IX, on en compte 106 000 en 1821, 131 000 en 1833. »

A mesure qu'on supprima les tours dans les hospices (le dernier disparaîtra en 1860), on assista à une diminution des abandons.

En 1859, on n'en comptait plus que 76 500, chiffre qui resta relativement stable, puisqu'en 1875 on recense encore près de 93 000 enfants abandonnés.

61. Relevés de Heushling pour les années 1840 à 1849. Ce chiffre doit être modulé, selon les régions et le mode de nourrissage de l'enfant. Il faut tenir compte en outre de la négligence, jusqu'à la loi Roussel en 1874, des municipalités qui omettaient souvent d'enregistrer les décès des enfants morts en nourrice.

en meurt 20 000[62] et Brochard est tout aussi alarmant quand il dit que sur les 20 000 Parisiens envoyés à Nogent-le-Rotrou, il n'en reste que 5 000, faute de soins et de surveillance[63]. Tout ceci montre qu'au milieu du XIXᵉ siècle il n'existe pas encore de comportement maternel unifié. Il subsiste de grandes différences entre les attitudes des mères, qui réagissent très différemment selon leur appartenance sociale. Les moyens économiques mais aussi les ambitions des femmes conditionnent largement leur comportement de mère. Une gêne et un besoin pour les unes, une nécessité ou un choix pour les autres, l'arrivée de l'enfant dans la famille est différemment vécue par les femmes.

Contrairement à ce que laisserait penser l'iconographie du XVIIIᵉ siècle, le berceau du bébé n'est pas toujours entouré par une famille émue, prête à tout sacrifier pour le bien-être du nouveau-né.

Réticences et résistances

Si l'on fait lucidement le bilan de toutes ces attitudes au milieu du XIXᵉ siècle, force nous est de constater qu'une bonne part des femmes n'ont pas encore passé avec succès le test du sacrifice.

On a vu, par la plume de Balzac, que le petit noyau des grandes aristocrates n'avaient guère changé leur façon de vivre par rapport aux siècles précédents. A l'en croire, elles seraient même les plus mauvaises mères de toutes. Certes, ces grandes mondaines et toutes celles qui aspirent à l'être ne forment qu'un échan-

---

62. *L'Opinion nationale,* 5 avril 1862.
63. Brochard, *op. cit.*, p. 98. Il évalue à 300 000 le nombre de nourrissons parisiens morts de 1846 à 1866. Même si les chiffres globaux sont excessifs, les statistiques de mortalité infantile qu'il fit pour les années 1858-1859 (durant lesquelles il n'y eut pas d'épidémie) à Nogent-le-Rotrou sont très édifiantes et prouvent que les enfants de la région élevés par leur mère meurent beaucoup moins (22 %) que les « petits Parisiens » (35 %).

tillon très réduit de la population féminine. Par leur situation sociale et économique exceptionnelle, elles sont peu représentatives de la femme française moyenne. Cependant leur cas est intéressant, car il conforte l'hypothèse émise précédemment à l'égard des femmes des XVIIᵉ et XVIIIᵉ siècles. Quand une femme a des ambitions (mondaines, intellectuelles, ou professionnelles comme aujourd'hui) et les moyens de les satisfaire, elle est infiniment moins tentée que d'autres d'investir son temps et son énergie dans l'élevage de ses enfants. Les mondaines de Balzac, peu réceptives aux théories bourgeoises de Rousseau, rêvaient à leur façon de régner sur leurs semblables. Beaucoup de femmes, comme elles, furent douées de volonté de puissance. Leur seul problème était de savoir comment l'assouvir étant donné leur situation particulière. Au XIXᵉ siècle, alors que le travail féminin, même intellectuel, est totalement dévalué au regard de l'idéologie dominante, il ne reste pour la femme des classes supérieures qu'une seule alternative : être mondaine et briller aux yeux du monde ou être mère de famille et régner au sein du foyer[64]. Il semble que la majorité des femmes aisées aient choisi, comme Renée, d'assumer leurs obligations familiales et de donner à leurs enfants l'attention que leur propre mère (Renée fut élevée au couvent) leur avait refusée. Mais il ne suffit pas non plus d'appartenir à la bourgeoisie pour être bonne mère. Balzac le sait bien, lui qui est né dans un tel milieu[65]. Sa mère bénéficiait des meilleures conditions économiques et sociales pour pouvoir être une mère heureuse et attentive. Hélas pour le petit Honoré, elle ne l'aima pas. Mis en nourrice jusqu'à quatre ans, il ne connut ensuite que la pension pen-

---

64. L'alternative est illustrée par les héroïnes des *Mémoires de deux jeunes mariées*.

65. Son père, fonctionnaire important, fut successivement directeur de l'hôpital de Tours et des Vivres militaires à Paris.

dant dix ans. Durant les six années qu'il vécut au collège des Oratoriens de Vendôme, il ne reçut de sa mère
que deux visites et fort peu de lettres. C'est dire que
l'amour ne se commande pas et que la situation
sociale et économique des parents ne suffit pas à créer
les conditions du bon amour maternel.

Les négligentes

Madame Balzac est loin d'être une exception. Au
sein des classes aisées également, de nombreuses mères
ne se sentent pas le cœur à assumer réellement la
charge de leurs enfants, ni la force ou l'envie de les
nourrir elles-mêmes. Beaucoup d'entre elles les expé-
dient encore chez des nourrices à la campagne, sans
montrer grande vigilance dans le choix de celles-ci.
Les médecins Brochard et Monot ne cachent pas
qu'une bonne partie des enfants mis en nourrice ne
sont pas seulement ceux des foyers démunis ou ceux
dont les mères ne peuvent physiquement pas allaiter.
Brochard est très sévère pour les femmes des classes
aisées qui s'adressent, pour trouver une nourrice, à
des bureaux de placement particuliers qui ne font
l'objet d'aucune surveillance. Il stigmatise, comme ses
confrères du siècle dernier et dans les mêmes termes,
l'attitude de ces mères qui « choisissent une nourrice,
sans la voir, sans garantie... qui ne choisiraient pas
ainsi une femme de chambre [66] ».

A celles qui ne pouvaient pas allaiter sans compro-
mettre leur santé, Brochard recommande, si elles en
ont les moyens, de faire venir une nourrice à domicile,
mais de veiller personnellement à tous les autres soins
à donner au bébé [67]. Dans son esprit, comme dans
celui du docteur Monot, le système du nourrissage à
domicile devait être une solution exceptionnelle à
n'utiliser que dans les cas désespérés. Or, cette prati-

66. Brochard, *De la mortalité des enfants en France* (1866), p. 17.
67. Brochard, *De l'amour maternel* (1872), p. 6.

que s'est considérablement développée au XIXᵉ siècle, au sein des classes les plus favorisées. Capables ou non d'allaiter, les femmes qui le peuvent font venir à domicile des nourrices de province auxquelles elles délèguent presque toutes leurs fonctions maternelles. La nounou, cette « seconde mère », est le personnage central de la famille bourgeoise qui prend vite de l'autorité sur la mère ignorante. On sait qu'il ne faut pas la contrarier sous peine de voir son lait tourner et on préfère se taire que de risquer la santé du cher petit. Brochard résume ainsi la situation : « Afin d'obéir à la mode, un grand nombre de jeunes femmes, dans les grandes villes, prennent une nourrice chez elles. Je ne vous parlerai pas, mesdames, des ennuis de tous genres auxquels s'expose la femme qui se soumet à la dictature d'une nourrice... Mais si en agissant ainsi, une jeune femme croit satisfaire à toutes les exigences de l'amour maternel, permettez-moi de vous dire qu'elle est dans une grande erreur [68]. »

Les tricheuses

Aux yeux des moralistes et rousseauistes exigeants, elles font « semblant d'être bonnes mères ». Au regard de la société, les apparences sont respectées puisqu'elles gardent l'enfant près d'elles, et surveillent la nourrice. Mais en réalité, l'enfant passe l'essentiel de son temps avec sa nounou (plus tard la nurse) qui le nourrit, le lave, le soigne, le promène, etc. D'ailleurs, les cas sont nombreux d'enfants plus attachés à leur nourrice qu'à leur mère, personnage lointain qu'ils n'aperçoivent qu'aux heures choisies par elle. D'une certaine façon, ces mères-là furent des tricheuses qui trahirent leurs enfants et accommodèrent à leur convenance les règles de la nouvelle morale. Puisqu'il fallait être bonne mère, on le serait, moyen-

68. Brochard, *ibid.*, p. 7 et 8.

nant finance, en déléguant à une autre les charges de cette fonction.

Il faut reconnaître que cette morale-là était peu exigeante, qui, à la longue, ne songe plus à s'offusquer de telles pratiques. La cohabitation de la mère et de l'enfant finit par être le critère de distinction entre bonnes et mauvaises mères. Qu'elles s'occupent plus ou moins de leurs enfants importe finalement assez peu car ce n'est pas le temps passé avec eux ou la qualité de leurs rapports mutuels qui compte au premier chef, mais la « surveillance » qu'elles sont censées exercer. Entre la vraie mère, incarnée par Renée de l'Estorade, et la mondaine à laquelle s'adresse la baronne Staffe [69], sur la conduite à tenir avec la nourrice, la société bien-pensante ne fait pas grande différence.

Enfin, aux yeux de Brochard ou de Monot, la mère qui fait venir à domicile une nourrice trahit un sentiment maternel plus général en privant un petit campagnard du lait de sa mère. « Vous êtes-vous demandé quelquefois ce que devenait son enfant, que vous lui faites sevrer pour nourrir le vôtre ?... Dans certaines contrées, la mortalité des enfants des nourrices sur lieu est de 64 %, dans d'autres de 87 % [70] ». La survie des enfants aisés des villes s'effectue donc aux dépens des petits campagnards pauvres. On comprend que le docteur Monot ait dénoncé « la frivolité des dames parisiennes qui sacrifient les jouissances de la maternité aux plaisirs du monde, aux soirées, aux spectacles... Pour de telles raisons, on laisse, sans protester, sacrifier un tiers des bébés [71] ». Médecin cantonal dans une commune du Morvan, il peut constater les progrès considérables de l'industrie des nourrices mercenaires,

69. La baronne Staffe, *La Maîtresse de maison*, p. 186-188 : « La nourrice doit être surveillée de près... la surveillance doit s'étendre à tout jusqu'à la propreté du corps... »

70. Brochard, *op. cit.*, p. 8.

71. Monot, *op. cit.*, p. 70.

leur émigration massive vers Paris et la mortalité de leurs enfants. Très alarmé, il présenta sur ce sujet un rapport édifiant à l'Académie impériale de Médecine en 1867.

Il expliquait qu'en quarante ans le nombre de Bourguignonnes [72] qui voulaient se placer comme nourrices à Paris avait augmenté dans une proportion effarante (presque 1 à 1 000), au point que cette industrie était devenue le commerce le plus important du Morvan. Selon ses statistiques, plus de deux femmes sur trois [73] qui accouchaient partaient aussitôt après pour Paris. Vingt ans plus tôt, la nourrice qui voulait se fixer dans la capitale attendait que son enfant eût sept ou huit mois pour le sevrer. Aujourd'hui, dit-il, à peine remise de ses couches, elle va à Paris chercher une place dans un bureau de nourrices. Son enfant est alors nourri par une alimentation grossière, qui engendre de graves affections : entérocolite, scrofule, rachitisme. Plus de 64 % [74] de ces enfants meurent tous les ans. Ceux qui survivent sont souvent diminués, comme le montre le taux important d'exemptions pour infirmités au service militaire dans cette région.

Une pratique aussi désastreuse pour la région n'était même pas avantageuse pour la nourrice « honnête ». Si elle ne restait à Paris que les quelque quatorze ou quinze mois nécessaires jusqu'au sevrage de l'enfant qu'elle allaitait, Monot avait calculé qu'après ses frais payés (voyage, bureau de placement, placement de son propre enfant, etc.) il ne lui restait qu'un peu plus de 200 francs de bénéfices. C'était bien modeste au regard de la vie de leurs enfants.

Dans ces conditions, pourquoi tant de campagnardes voulurent-elles quitter maison, mari et enfants pour travailler à Paris ? Alphonse Daudet, qui fit

---

72. Les Bourguignonnes avaient une excellente réputation de nourrices, c'est-à-dire de femmes saines au lait abondant.

73. Monot, *op. cit.*, p. 31.

74. *Ibid.*, p. 48.

d'elles un portrait féroce, pensait que l'avidité était leur seul motif : « Tout ce qui l'entoure en ville lui fait envie, elle voudrait tout emporter là-bas, dans son trou... Au fond elle n'est venue que pour cela, son idée fixe est la denrée... La denrée ce sont les cadeaux et les gages, ce qu'on vous paye, ce qu'on vous donne, ce qui se ramasse et se vole[75]... »

Le trait est excessif et probablement injuste à l'égard d'une grande partie des nourrices. Nombre d'entre elles étaient très attachées aux enfants qu'elles avaient nourris et refusaient de rentrer chez elles pour rester près d'eux. Plus liées à ceux-ci qu'à leurs propres enfants, doit-on s'étonner qu'elles préfèrent vivre dans une maison bourgeoise où l'existence leur est plus douce que chez elles ? A la longue, la famille d'adoption devenait leur vraie famille.

Malgré tout, si l'on ne considère que le point de vue de leurs enfants abandonnés trop tôt et trop souvent promis à la mort, on est obligé de constater que chez elles aussi, la voix du sang ou de la nature fut bien faible. Nombre d'entre elles pouvaient certainement attendre quelques mois avant de quitter leur bébé et lui donner ainsi une plus grande chance de survie. Or, elles ne l'ont pas fait, contrairement aux usages des décennies précédentes.

Ne peut-on supposer, même si la prudence nous interdit tout jugement définitif, que ces femmes ont fait passer leur vie et leurs intérêts avant ceux de leurs enfants, montrant ainsi que le dévouement n'est toujours pas acquis dans une société qui clame pourtant que c'est là un fait de nature ? Société hypocrite qui, à la fois, célèbre les vertus de la bonne mère, proclame son attachement à l'enfant et en même temps ferme les yeux sur les faux-semblants des unes et la misère des autres.

---

75. Alphonse Daudet : *Souvenir d'un homme de lettres*. Notes sur Paris (1888).

Un mépris persistant

Monot constatait, non sans ironie, que « l'Etat connaît le nombre de bœufs, de chevaux ou de moutons qui meurent chaque année, mais pas le nombre des enfants [76] ». Il faut attendre 1865-1870 pour que soient créées dans les grandes villes des Sociétés protectrices de l'enfance. Brochard, qui en est l'un des instigateurs, ne peut s'empêcher de faire les mêmes remarques : « Il existe une société bien plus heureuse que la Société protectrice de l'enfance, c'est la Société protectrice des animaux. Tandis que la première compte à peine douze cents membres, la seconde en compte plus de trois mille. Trois ministres de l'Instruction publique, un grand nombre de préfets, quatre-vingt-quatre instituteurs, soixante-dix écoles communales ont l'honneur d'appartenir à la Société protectrice des animaux. La Société protectrice de l'enfance, hélas ! n'a parmi ses membres ni ministres de l'Instruction publique, ni instituteurs, ni écoles communales... *tout est en faveur des animaux, rien en faveur des nourrissons* [77]. » En outre, Brochard analyse la signification de telles Sociétés protectrices de l'enfance. Son diagnostic est à la fois lucide et cruel. Leur création « prouve combien le sentiment de la maternité est peu développé en France. Instituée pour protéger les nouveau-nés contre l'incurie des nourrices mercenaires, cette Société est quelquefois obligée de les protéger contre l'indifférence de leurs propres mères. Le nom seul de *Société protectrice de l'enfance* dit à tous qu'il y a des mères qui ne s'occupent pas de leur nouveau-né [78]. »

Brochard a raison d'ajouter que les devoirs de la maternité ne sont pas compris puisqu'il faut les ensei-

---

76. Monot, *op. cit.*, p. 95.
77. Brochard, *De l'amour maternel*, p. 11 (discours à la séance publique annuelle de la Société protectrice de l'enfance) (souligné par nous).
78. *Ibid.*, p. 10.

gner. Mais il se trompe quand il espère que toutes les femmes rempliront leurs devoirs et qu'alors l'allaitement mercenaire ne sera plus une industrie, mais l'exception. Les conseils de Rousseau ne seront jamais pleinement suivis. Le système des nourrices prospérera jusqu'à la fin du XIXᵉ siècle. Après quoi, l'allaitement artificiel, sous forme du biberon de lait de vache, rendu possible par les progrès de la stérilisation, prendra le relais de l'allaitement mercenaire. On peut le regretter si l'on considère, comme Rousseau ou Brochard, le seul point de vue de l'enfant, ou s'en réjouir si un tel système libère les femmes qui le désirent, des charges de la maternité, sans mettre en danger la santé de leur enfant. Mais même si l'intensive propagande de Rousseau et de ses successeurs ne réussit pas à convaincre toutes les femmes d'être des mères au dévouement sans bornes, leurs discours eurent sur elles un puissant effet. Celles qui refusèrent d'obéir aux nouveaux impératifs se sentirent plus ou moins obligées de tricher et d'utiliser toutes sortes de faux-semblants. Quelque chose avait donc profondément changé : les femmes se sentaient de plus en plus responsables de leurs enfants. Ainsi, lorsqu'elles ne pouvaient assumer leur devoir, elles se considéraient comme coupables.

En ce sens, Rousseau a remporté un succès très important. La culpabilité a gagné le cœur des femmes.

TROISIÈME PARTIE

L'AMOUR FORCÉ

La maternité prenait un autre sens. Enrichie de devoirs nouveaux, elle s'étalait au-delà des neuf mois incompressibles. Non seulement le travail maternel ne pouvait s'achever avant que l'enfant ne fût « physiquement » tiré d'affaire, mais l'on découvrit bientôt que la mère devait également assurer l'éducation de ses enfants et une part importante de leur formation intellectuelle.

Les femmes de bonne volonté s'emparèrent avec enthousiasme de cette nouvelle responsabilité, comme en témoigne le nombre prodigieux de livres sur l'éducation écrits par des femmes. On prit conscience que la mère n'a pas seulement une fonction « animale », mais qu'elle a le devoir de former un bon chrétien, un bon citoyen, un homme enfin qui trouve la meilleure place possible au sein de la société. Ce qui est nouveau, c'est qu'on la considère comme la mieux placée pour assumer ces tâches. C'est la « nature », dit-on, qui lui assigne ces devoirs.

Auxiliaire du médecin au XVIIIᵉ siècle, collaboratrice du prêtre et du professeur au XIXᵉ siècle, la mère du XXᵉ siècle endossera une ultime responsabilité : l'inconscient et les désirs de son enfant.

Grâce à la psychanalyse, la mère sera promue « grande responsable » du bonheur de son rejeton. Terrible mission qui achève de définir son rôle. Bien sûr, ces charges successives qu'on fit peser sur elle allèrent de concert avec une promotion de l'image de la mère. Mais cette promotion dissimulait un double piège qui sera parfois vécu comme une aliénation.

Enfermée dans le rôle de mère, la femme ne pourra plus y échapper sous peine de condamnation morale. Ce fut, pendant longtemps, une cause importante des difficultés du travail féminin. La raison aussi du mépris ou de la pitié pour les femmes qui n'avaient pas d'enfant, de l'opprobre à l'égard de celles qui n'en voulaient pas.

En même temps qu'on exaltait la grandeur et la noblesse de ces tâches, on condamnait toutes celles qui ne savaient ou ne pouvaient les accomplir parfaitement. De la responsabilité à la culpabilité, il n'y eut qu'un pas, vite franchi à l'apparition de la moindre difficulté infantile. C'est à la mère désormais qu'on prit l'habitude de demander des comptes...

Les femmes les plus épanouies dans leur condition de mère acceptèrent avec joie de porter le terrible fardeau. Pour elles, le jeu en valait la chandelle. Mais les autres, plus nombreuses qu'on ne pouvait le penser, ne purent, sans angoisse ni culpabilité, prendre de la distance à l'égard du nouveau rôle qu'on voulait leur faire jouer. La raison en est simple : on avait pris soin de définir la « nature féminine » de telle sorte qu'elle impliquât toutes les caractéristiques de la bonne mère. Ainsi font Rousseau et Freud qui élaborent tous deux une image de la femme singulièrement semblable, à cent cinquante ans de distance : ils soulignent le sens du dévouement et du sacrifice qui caractérise, selon eux, la femme « normale ». Enfermées dans ce schéma par des voix aussi autorisées, comment les femmes pouvaient-elles échapper à ce qu'on convenait d'appeler leur « nature » ? Soit elles tentaient de « coller » le plus possible au modèle ordonné et renforçaient d'autant son autorité, soit elles essayaient de prendre leur distance par rapport à lui et on le leur faisait chèrement payer. Taxée d'égoïsme, de méchanceté, voire de déséquilibre, celle qui bravait l'idéologie dominante n'avait qu'à assumer plus ou moins bien son « anormalité ». Or, l'anormalité, comme toute différence, est difficile à vivre. Les femmes se soumirent donc silencieusement, certaines apaisées, d'autres frustrées et malheureuses.

Nous n'en sommes plus tout à fait là, aujourd'hui. Le modèle de Rousseau et de Freud est en train de sombrer sous les coups des féministes. Certains signes semblent annoncer qu'une autre révolution familiale a commencé. Deux siècles après le rousseauisme, le projecteur se déplace à nouveau du côté du père, non pour faire rentrer la mère dans l'ombre, mais pour mieux éclairer, pour la première fois dans notre histoire, le père et la mère en même temps.

CHAPITRE PREMIER

LE DISCOURS MORALISATEUR
HÉRITÉ DE ROUSSEAU
ou
« SOPHIE, SES FILLES
ET SES PETITES-FILLES »

Sophie : la femme idéale

Sophie est l'épouse d'Emile, bientôt la mère de ses enfants. Plus exactement, Sophie est la femme idéale imaginée par Rousseau pour être la compagne de l'homme tel qu'il le rêvait. Avant de faire le portrait de Sophie, Rousseau définit la « nature féminine » et recherche les conditions de la bonne éducation.

Hélas ! Le Rousseau du *Deuxième Discours* n'a pas tenu ses promesses ; il se révèle moins prudent et imaginatif que lorsqu'il recherchait la nature de l'homme ! Croyant dépeindre la « nature féminine », il ne fit que reproduire, en les accentuant, les traits de la bourgeoise qu'il avait sous les yeux.

Respectant l'ordre de la Genèse, ou des préjugés, Rousseau ne fait « apparaître » la femme qu'une fois qu'il a modelé l'homme, Emile, et que celui-ci a besoin d'une compagne. Ayant longuement défini l'homme comme une créature active, forte, courageuse, intelligente, et ne pensant la différence sexuelle que sous la forme du « complément », Rousseau pose logiquement comme postulat que la femme est naturel-

lement faible et passive. Mais, contre toute prudence
méthodologique, il ne parle pas de postulat mais de
« principe établi[1] ». Là est la première faute. Quand
il déduit de ce principe que « *la femme est faite spécialement pour plaire à l'homme*[2] », il en commet une
seconde, non moins irréparable, dont tout le reste suivra.

« Complément » de l'homme, la femme est une
créature essentiellement relative. Elle est ce que
l'homme n'est pas pour former avec lui, et sous son
commandement, le tout de l'humanité. Emile est fort
et impérieux, Sophie sera faible, timide et soumise.
Emile a une intelligence abstraite, Sophie aura une
intelligence pratique ; Emile ne saurait supporter
l'injustice, Sophie la supportera. Et ainsi de suite.
Mais comme Emile a la plus belle part, Sophie devra
se contenter de la plus modeste. Comme l'a joliment
dit Elisabeth de Fontenay, « la féminité est introuva-
ble... L'homme seul détient la faculté des principes,
c'est pourquoi il se constitue en fin absolue[3] ».

On pourrait ajouter qu'il est aussi la finalité absolue
de la femme. La nature féminine est à proprement
parler « aliénée » par et pour l'homme. Son essence,
sa finalité, sa fonction sont relatives à l'homme. La
femme est faite non pour elle-même, mais « pour
plaire à l'homme... pour être subjuguée par lui... pour
lui être agréable[4]... pour céder et pour supporter
même son injustice[5] ». Bientôt cette femme sera une
mère toute prête à vivre par et pour l'enfant.

Education de la future épouse et mère

Comment élever Sophie pour en faire la digne compagne d'Emile ? Une seule méthode pour réussir en ce

1. *Emile*, éd. Pléiade, livre V, p. 693.
2. *Ibid.*, (souligné par nous).
3. E. de Fontenay ; « Pour Emile et par Emile, Sophie ou l'invention
du ménage », *Les Temps modernes*, mai 1976.
4. *Emile*, V, p. 693.
5. *Ibid.*, p. 750.

domaine : suivre la voie tracée par la nature. Puisque la femme est « naturellement » le complément, le plaisir et la mère de l'homme, l'éducation poursuivra ces trois buts[6], créant de toutes pièces une « nature féminine » adéquate.

Libéral, Rousseau nous avertit que Sophie ne sera pas élevée dans l'ignorance de toute chose. Elle devra en apprendre beaucoup « mais seulement celles qu'il lui convient de savoir[7] ». Naturellement coquette et aimant la parure, la petite Sophie apprendra jeune très volontiers à tenir l'aiguille et faire du dessin. On ne la forcera ni à lire ni à écrire avant qu'elle en sente la nécessité[8], c'est-à-dire quand elle pensera aux « moyens » de bien gouverner son ménage. Hors d'état d'être juge des choses de la religion, Sophie aura la religion de sa mère avant d'embrasser celle de son époux. Mais on ne lui apprendra des choses du ciel que ce qui sert à la sagesse humaine, par exemple « à souffrir le mal sans murmurer[9] ».

Pour rien au monde Rousseau n'eût voulu qu'on fît d'elle « une théologienne ou une raisonneuse », car c'eût été contraire à sa destination. D'ailleurs, « la recherche des vérités abstraites et spéculatives... tout ce qui tend à généraliser les idées n'est point du ressort des femmes[10] ». Leurs études se limiteront à la pratique, car elles doivent laisser aux hommes l'établissement des principes. Cent cinquante ans plus tard, la psychanalyste Hélène Deutsch ne dira pas autre chose quand elle tracera le portrait de « la femme normale[11] ».

Ainsi, quand Emile rencontre Sophie, il trouve une

6. *Ibid.*
7. *Ibid.*, p. 703 : « ainsi toute l'éducation des femmes doit être relative aux hommes ».
8. *Ibid.*, p. 702.
9. *Ibid.*, p. 729.
10. *Ibid.*, p. 736.
11. H. Deutsch, *Psychologie de la femme*, tome I.

jeune fille modeste, qui peut « suppléer aux fonctions des domestiques, l'esprit agréable sans être brillant, solide sans être profond ». Rousseau est si méfiant à l'égard de l'éducation des femmes, il en redoute tant les effets pernicieux, qu'à tout prendre, dit-il, « j'aimerais encore cent fois mieux une fille simple et grossièrement élevée qu'une fille savante et bel esprit qui viendrait établir dans ma maison un tribunal de littérature dont elle se ferait la présidente. Une femme bel esprit est le fléau de son mari, de ses enfants, de ses valets, de tout le monde. De la sublime élévation de son beau génie, elle dédaigne tous ses devoirs de femme [12] ».

On croirait entendre Chrysale, le bonhomme de Molière. Rousseau, lui, est dépourvu d'humour quand il dit que le pot, le rôt et les marmots sont toute la gloire, la dignité et les plaisirs de la femme, qui ne doit jamais sortir des bornes de la « médiocrité [13] ». Moins dégourdie qu'Henriette, Sophie est, aux yeux de Rousseau, la femme la plus aimable dont puisse rêver un honnête homme.

Mais comme la maternité est un attribut de la substance féminine aussi essentiel que la conjugalité, on aura pris soin de préparer la jeune Sophie à sa future condition : un caractère doux dans un corps robuste. La future mère ne saurait être volontaire, orgueilleuse, énergique ou égoïste. En aucun cas elle ne doit se fâcher ou montrer la moindre impatience car la mère rousseauiste ignore le principe de plaisir et l'agressivité. Il faut donc préparer la petite fille à être cette douce mère de rêve, qui allaite et élève ses enfants avec « de la patience et de la douceur, un zèle, une affection que rien ne rebute [14] ». Il faut donc lui

---

12. *Ibid.*, p. 768. Voir le commentaire de l'exécution de Madame Roland, p. 164.
13. *Ibid.*, p. 769 : « désirez en tout la médiocrité ».
14. *Ibid.*, p. 697.

apprendre très jeune « à être vigilante et laborieuse...
l'exercer de bonne heure à la contrainte, afin qu'elle
ne lui coûte jamais rien, et à dompter toutes ses fan-
taisies pour les soumettre aux volontés d'autrui [15] ».

C'est la mère qui se chargera du dressage de la
petite fille et qui lui apprendra que « la dépendance
est un état naturel aux femmes [16] ». Elle l'habituera à
interrompre ses jeux sans murmurer et à changer ses
desseins pour se soumettre à ceux d'autrui. De cette
bonne habitude résultera une « docilité dont les femmes ont besoin toute leur vie puisqu'elles ne cessent
jamais d'être assujetties aux hommes [17]... »

Comme les mères doivent borner leurs soins à leur
famille pour que celle-ci connaisse [18] le bonheur, Rousseau n'hésitera pas à proposer une mesure radicale :
l'enfermement des femmes. De façon douce, quand il
leur accorde le pouvoir sur la maisonnée : « la femme
doit commander seule dans la maison, il est même
indécent à l'homme de s'informer de ce qui s'y fait
(voilà l'homme justifié de son désintérêt ménager).
Mais, la femme, à son tour, doit se *borner* au gouvernement domestique, ne point se mêler du dehors, se
tenir renfermée chez elle [19] ». De façon plus brutale
quand il affirme : « la véritable mère de famille, loin
d'être une femme du monde, n'est guère moins recluse
dans sa maison que la religieuse dans son cloître [20] ».
Voilà bien le fond de la pensée de Jean-Jacques qui
connut une telle postérité : la bonne mère est semblable à la bonne sœur ou s'efforcera d'y ressembler. Un
pas encore, et elle aura droit au titre de « sainte ».

Les analogies entre la mère et la nonne, la maison

15. *Ibid.*, p. 709.
16. *Ibid.*, p. 710.
17. *Ibid.*, p. 710.
18. P. 697 : « elle sert de liaison entre eux (les enfants) et le père, elle
seule les lui fait aimer... »
19. *Fragments pour l'Emile*, n° 3, p. 872 (souligné par nous).
20. *Emile*, V, p. 737.

et le couvent en disent long sur l'idéal féminin de
Rousseau. Sacrifice et réclusion en sont les conditions.
Hors de ce modèle, point de salut pour les femmes.
La vie de Sophie ou de Julie en est la preuve. La première sort de chez elle, va dans le monde et délaisse
les siens. Elle le paiera de sa vertu et de sa vie. La
seconde, au contraire, rachète un péché de jeunesse en
devenant une épouse et une mère admirable. Mais aussitôt que la souveraine de Clarens sort de sa maison [21],
les tentations la guettent.

L'avertissement de Rousseau est donc clair : le seul
destin féminin possible est de régner sur le « dedans »,
« l'intérieur ». La femme doit abandonner le monde
et le « dehors » à l'homme sous peine d'être anormale
et malheureuse. Elle doit savoir souffrir en silence et
dédier sa vie aux siens, car telle est la fonction que la
nature lui a assignée, sa seule chance de bonheur [22].

Les filles de Sophie

La leçon sera entendue. Toute une série d'hommes [23]
reprendront et développeront les « principes établis »
par Rousseau. Ils élèveront les filles et les petites-filles
de Sophie dans le respect des valeurs de son créateur.

Le plus fidèle lecteur de l'*Emile* fut Napoléon. Nul
doute que l'article 212 du Code civil qui sanctionnait
l'autorité maritale, et dont la rédaction doit beaucoup
à l'Empereur, n'empruntait ses justificatifs non seulement à la Genèse, mais aussi à Rousseau [24].

21. Pour faire, par exemple, une promenade en bateau avec Saint-
Preux.

22. Rousseau, cent cinquante ans avant Freud, définit la composante
masochiste comme spécifiquement féminine : elle fera tout cela par goût et
non par vertu (cf. *Emile*, V, p. 697). De même Julie de Wolmar in *La
Nouvelle Héloïse*, V, 2, p. 527 (Pléiade).

23. Les hommes de la Révolution qui se préoccupèrent de l'éducation
des femmes furent tous rousseauistes à l'exception de Condorcet. Cf.
F. Mayeur : *L'Education des filles en France au XIXe siècle*, Paris,
Hachette, 1979, p. 27-30.

24. La similitude des expressions utilisées dans l'article 212 et dans
l'*Emile* (V, p. 693) relève d'une pensée identique.

Pour mieux entériner la soumission féminine que proclamait l'article 212, Napoléon se préoccupa, lui aussi, de la meilleure éducation à donner aux femmes. L'occasion lui fut donnée lors de la création de l'école de la Légion d'honneur, dont il confia la direction à Madame Campan. Avec elle, il réfléchit longuement à la finalité de l'éducation féminine et aux moyens à mettre en œuvre. On raconte à ce propos une anecdote significative. Napoléon aurait dit un jour à Madame Campan :

— Les anciens systèmes d'éducation ne valent rien ; que manque-t-il aux jeunes personnes pour être bien élevées en France ?

— Des mères, répondit Madame Campan.

— Eh bien, dit-il, voilà tout un système d'éducation. Il faut, Madame, que vous fassiez des mères qui sachent élever leurs enfants [25].

Napoléon fit une note de plusieurs pages sur l'Etablissement d'Ecouen et la façon dont il entendait que les choses se passent. Il établit avec une grande méticulosité les principes et le programme de cette école destinée aux orphelines, qui seront le fer de lance moral de la société napoléonienne. Partant du principe que « la mère, dans un ménage pauvre, est la femme de charge de la maison [26] », il suggère de former des domestiques « naturelles » : « je voudrais qu'une jeune fille, sortant d'Ecouen pour se trouver à la tête d'un petit ménage, sût travailler ses robes, raccommoder les vêtements de son mari, faire la layette de ses enfants, procurer des douceurs à sa petite famille... soigner son mari et ses enfants quand ils sont malades... Tout cela est si simple et si trivial que cela ne demande pas beaucoup de réflexion [27] ».

25. Propos rapportés par L.A. Martin in *Education des mères de famille*, 1834, p. 19.

26. Note sur l'Etablissement d'Ecouen du 15 mai 1809, extrait de la correspondance de Napoléon Ier, tome XV.

27. *Ibid.*

On imagine dès lors quel sera le programme proposé aux demoiselles d'Ecouen. En premier lieu, la religion, qui « est le plus sûr garant pour les mères et pour les maris. Elevez-nous des croyantes et non des raisonneuses [28]. *La faiblesse du cerveau des femmes... leur destination dans l'ordre social, la nécessité d'une constante et perpétuelle résignation et d'une sorte de charité indulgente,* tout cela ne peut s'obtenir que par la religion, une religion charitable et douce [29] ». Pour le reste, les trois quarts de la journée seront occupés à l'apprentissage des travaux d'aiguille, et le dernier quart disponible consacré à l'instruction proprement dite : un peu de calcul, de grammaire, de géographie et d'histoire [30], quelques notions de pharmacie et de médecine pour qu'elles soient les gardes-malades accomplies de leur petite famille, un peu de cuisine pour remplacer, si nécessaire, une domestique défaillante [31]...

Michelet, lui aussi, traça un portrait de la femme idéale qui ressemble à s'y méprendre à Sophie. Opposant la force créatrice de l'homme à l'harmonie féminine [32], il insiste sur la relativité [33] et la vocation maternelle de la femme [34] : à ses yeux tout l'amour féminin a pour modèle et fondement l'amour maternel. Sans qu'elle le sache, dans ses plus aveugles élans, « l'ins-

28. Comparer avec l'*Emile* de Rousseau, p. 729 : « ne faites pas de nos filles des théologiennes et des raisonneuses... ».

29. Note sur l'Etablissement d'Ecouen (souligné par nous).

30. Mais « bien se garder de leur montrer ni latin, ni aucune langue étrangère ».

31. Une grande partie des hommes du XIXᵉ siècle applaudirent au programme de Napoléon. Parmi eux, Thiers, qui fit un commentaire très élogieux de la note d'Ecouen.

32. *La Femme*, 1859, p. 45 : « La femme est une religion... un autel... une poésie vivante pour relever l'homme, élever l'enfant, sanctifier la famille... »

33. *Ibid.*, p. 46 : « Elle vivra pour les autres... et non pour elle. »

34. *Ibid.*, p. 47-48 : « Sa vocation évidente, c'est l'amour... Elle doit aimer et enfanter, c'est là son devoir sacré. »

tinct de la maternité domine tout le reste... car, dès le berceau, la femme est mère, folle de maternité [35] ».

Puisque la femme est avant tout épouse et mère, son éducation devra la fortifier dans cette double fonction. Michelet trace un second programme d'Ecouen qui fera d'elle une excellente « collaboratrice » et une mère exemplaire. Faite pour souffrir et aimant cela, la femme ne peut trouver meilleure occasion d'exercer ses dons que dans la maternité. Le rôle d'épouse, bien nécessaire, ne saurait suffire au plein épanouissement de sa féminité. Pour qu'une femme ait rempli sa vocation, il faut qu'elle soit mère, non comme jadis, de façon sporadique et irrégulière, mais constamment, vingt-quatre heures sur vingt-quatre.

Or, la maternité, telle qu'on la conçoit au XIXᵉ siècle depuis Rousseau, est entendue comme un sacerdoce, une expérience heureuse qui implique aussi nécessairement douleurs et souffrances. Un réel sacrifice de soi-même. Si on insiste sur cet aspect de la maternité, avec une certaine complaisance, c'est toujours pour montrer l'adéquation parfaite entre la nature de la femme et la fonction de mère.

Définie comme une « malade [36] », la femme connaîtra toute sa vie la souffrance. C'est ainsi que la rousseauiste Madame Roland considère les choses : « exposées dès qu'elles naissent aux dangers qui peuvent en un clin d'œil trancher le fil délicat de leurs jours, on dirait que *les femmes ne respirent que pour payer en douleurs la gloire de pouvoir être mères* ou l'honneur de l'avoir été. C'est à travers les écueils de toute espèce *qu'elles parviennent en chancelant au terme de l'adolescence* [37], leur ouvrant les portes de la vie. C'est dans un *supplice inexprimable et lent* que, *rendant le dépôt qui leur fut confié par la nature,*

35. Ibid., p. 49.

36. Michelet, *op. cit.*

37. Cette phrase n'est pas sans rappeler une remarque de Freud selon laquelle la femme s'épuise à réaliser sa féminité.

elles donnent le jour à de nouveaux êtres : et c'est accompagnées des infirmités, qu'elles achèvent une carrière où elles ne sèment des fleurs qu'en marchant sur des épines. *Nourries dans la souffrance...* elles acquièrent cette patience inébranlable qui résiste paisiblement aux épreuves et les surmonte [38]... »

Il y a du Christ dans ces femmes-là. Née pour souffrir et porter sur elle toute la douleur du monde, une femme comme Madame Roland appelle ses sœurs à « bénir la main puissante qui dans les douleurs dont elle nous fit la proie, plaça le germe des vertus auxquelles le monde doit son bonheur [39] ! »

N'est-ce pas la fameuse composante masochiste, si chère à Freud, qui se dévoile dans ces propos ? Il n'y a d'ailleurs rien d'excessif ni d'exceptionnel dans ces quelques lignes d'une révolutionnaire. Hommes et femmes des générations suivantes acquiescèrent à ce portrait de la condition féminine et maternelle.

La mère idéale

L'une des meilleures descriptions de « la bonne mère » et des sentiments qu'elle éprouve est celle qu'en fit Balzac, dans les *Mémoires de deux jeunes mariées*. Renée de l'Estorade est cette mère idéale qu'on pourrait proposer en modèle à toutes les femmes de son siècle et même du nôtre. Elle aurait certainement plu à Freud ou à Winnicott puisque Hélène Deutsch en fit le type idéal et éternel de la mère [40]. Renée appartient à la race des femmes qui ont tout investi dans la maternité parce que celle-ci représente leur seule « consolation » dans une vie sans passion, sexualité ou ambition. Mariée à un homme gentil, elle se donne à lui sans plaisir et se prête à ses illusions

---

38. Mme Roland, *Discours de Besançon : comment l'éducation des femmes pourrait contribuer à rendre les hommes meilleurs*, 1777 (éd. 10/18), p. 166-167 (souligné par nous).

39. *Ibid.*, p. 167.

40. Hélène Deutsch, *Psychologie de la femme*, tome II, p. 23-24.

« comme une mère, d'après les idées que je me fais d'une mère, se brise pour procurer un plaisir à son enfant [41] ». A peine mariée, Renée éprouve des sentiments maternels [42] : « aussi voudrais-je être mère, ne fût-ce que pour donner une pâture à la dévorante activité de mon âme... La maternité est une entreprise à laquelle j'ai ouvert un crédit énorme... Elle *est chargée de déployer mon énergie, et d'agrandir mon cœur et de me dédommager par des joies illimitées* [43] ». Mais la maternité est une expérience complexe qui inspire des sentiments contradictoires. Renée n'échappe pas à cette dualité. A la fois heureuse et insatisfaite, sa vie oscille entre la satisfaction et la frustration. Cependant, sachant convertir ses peines en éléments de bonheur, Renée restera à tout jamais exemplaire.

Enceinte, elle avoue qu'elle n'éprouve rien avant le premier mouvement de son enfant en dépit de la pression de son entourage : « tous parlent du bonheur d'être mère. Hélas ! moi seule, je ne sens rien et n'ose te dire l'état d'insensibilité parfaite où je suis... La maternité ne commence qu'en imagination [44] ». Pourtant, bien que son corps soit toujours silencieux, Renée éprouve par anticipation le bonheur du dévouement. En accord parfait avec sa « nature », c'est un hymne qu'elle chante longuement : « Dévouement ! N'es-tu pas plus que l'amour ? N'es-tu pas la volupté la plus profonde ?... Le dévouement, voilà donc la signature de ma vie [45] ». Bonheur encore abstrait puisque, les derniers mois de sa grossesse, Renée n'éprouve que fatigue et gêne, et « ne se sent rien au cœur ». Sa nature profondément masochiste n'apparaîtra qu'avec

---

41. Lettre XX, p. 157.

42. Renée incarne tout à fait l'idée que Michelet se fait de la femme « douée dès le berceau de l'instinct de maternité... instinct qui domine tous les autres » (*La Femme*, p. 149).

43. *Ibid.*, p. 157-158 (souligné par nous).

44. Lettre XXVIII, p. 191.

45. *Ibid.*, p. 190-191.

l'expérience de l'accouchement. Elle a « supporté mer-
veilleusement cette horrible torture[46] ». Elle a crié et
cru mourir, mais le premier vagissement du bébé a
tout effacé. Déjà elle réalise que « tout bonheur féminin se paye d'une terrible souffrance. Ainsi vont les
choses... ».

Quand on lui montre l'enfant, Renée, une fois
encore, a une réaction spontanée qui contrarie les préjugés habituels : « Ils m'ont montré l'enfant. Ma
chère, j'ai crié d'effroi : " quel petit singe ! ai-je dit.
Etes-vous sûrs que ce soit mon enfant ? "[47]. » Comment son « instinct divin[48] » peut-il faillir un seul instant ? Heureusement, l'entourage est là qui veille à ce
que les attitudes « normales » et les bons sentiments
soient observés. C'est la mère de Renée qui transmet à
sa fille les valeurs dominantes : « Ne vous tourmentez
pas, lui dit-elle, vous avez fait le plus bel enfant du
monde. Evitez de vous troubler l'imagination, il vous
faut mettre tout votre esprit à devenir bête, à vous
faire exactement la vache qui broute pour avoir du
lait[49] ».

Renée ne se sentira pleinement mère qu'à partir de
l'instant où elle allaitera son bébé. « Le petit monstre
a pris mon sein et a tété : voilà le *Fiat Lux* ! J'ai soudain été mère. Voilà le bonheur, la joie, une joie inef-
fable quoiqu'elle n'aille pas sans quelques
douleurs[50]. » Ces douleurs sont aussi l'occasion du
réveil de sa sensualité : « quand ses lèvres s'y collent,
elles y font à la fois la douleur qui finit par un plaisir, je ne saurais t'expliquer une sensation qui du sein
rayonne en moi jusqu'aux sources de la vie, car il
semble que ce soit un centre d'où partent mille rayons

46. Lettre XXXI, p. 200.
47. *Ibid.*
48. Michelet : *La Femme.*
49. Lettre XXXI, p. 200.
50. *Ibid.*, p. 201.

qui réjouissent le cœur et l'âme[51] ». N'est-ce pas une sensation similaire à l'orgasme ? C'est ce qu'elle semble avouer quand elle dit qu'« il n'y a pas de caresses d'amour qui puissent valoir celles de ces petites mains roses qui se promènent si doucement[52] ».

On comprend que la maternité soit un plaisir pour Renée qui efface tous les autres. Au bébé elle peut donner son corps et son cœur sans la moindre réticence. Avec lui, elle constitue le couple de rêve, celui qui ne fait qu'un par excellence, qui n'a besoin de rien ni de personne pour être heureux : « il n'y a plus rien dans le monde qui vous intéresse. Le père ?... On le tuerait s'il s'avisait d'éveiller l'enfant. On est à soi seul le monde pour cet enfant, comme l'enfant est le monde pour vous[53] ». Ceci récompense amplement peines et souffrances qu'endure la mère nourricière. Les crevasses au sein causent des tortures à rendre folle, mais qu'est-ce que tout cela au regard du bonheur décrit, à moins que ces douleurs ne soient à mettre au registre des plaisirs.

Renée, en bonne mère, assumera, presque seule, l'éducation complète de ses enfants. Tenant à tout faire elle-même, on se demande à quoi sert la « bonne anglaise » qu'elle évoque à ses côtés. Elle a fait de ses mains la layette, les garnitures, etc. Son fils la tète quand il veut (« et il veut toujours ») ; elle le change, le nettoie et l'habille elle-même, le regarde dormir, lui chante des chansons, le promène quand il fait beau en le tenant dans ses bras. « Une vie riche et pleine », dit Renée, qui ajoute qu'il ne lui reste plus de temps pour se soigner elle-même. « Je suis esclave le jour et la nuit[54] ».

---

51. *Ibid.*, p. 201.
52. *Ibid.*
53. *Ibid.*, p. 202. Renée décrit bien la relation symbiotique, dont parle Winnicott, qui unit la mère et son enfant après sa naissance et qui est proche d'une sorte d'état schizophrénique.
54. *Ibid.*

Inspiré par les confidences d'une de ses amies, Zulma Carraud [55], Balzac décrit longuement « le train ordinaire de la journée [56] » d'une bonne mère. Tous les jours se ressemblent et ne sont ponctués que par deux événements : « les enfants souffrent ou ne souffrent pas ». La mère vit dans la crainte continuelle qu'il n'arrive malheur à ses enfants et n'éprouve de repos que pendant leur sommeil ou lorsqu'elle les tient dans ses bras. Encore veille-t-elle sur eux la nuit presque autant que le jour. Au moindre cri, la mère accourt réajuster une couverture, ou consoler d'un cauchemar. Aussi, une mère digne de ce nom ne saurait avoir un sommeil trop lourd, et ses enfants loin d'elles. Du mari, il n'est pas un instant question. Les enfants ne l'auraient-ils pas délogé du lit conjugal, voire de sa chambre ? Renée ne le dit pas mais on le devine... Elle forme une unité trop fermée avec ses enfants pour qu'il y ait place pour un amant, un mari et même un père.

Au lever plein de caresses, de baisers et de jeux succède la cérémonie rituelle du lavage et de l'habillage. Fidèle adepte de Rousseau, Renée prend parti pour la liberté du corps de l'enfant : « mes enfants auront toujours les pieds dans la flanelle et les jambes nues. Ils ne seront ni serrés ni comprimés ; mais *aussi jamais ne seront-ils seuls. L'asservissement de l'enfant français dans ses bandelettes est la liberté de la nourrice... une vraie mère n'est pas libre* [57] ». Voilà le grand mot lâché par Renée. On ne peut être à la fois mère et autre chose. Le métier maternel ne laisse pas une seconde libre à la femme. Il suffit d'ailleurs d'observer l'activité débordante de Renée toute la journée pour s'en convaincre.

---

55. Voir la *Correspondance* de Balzac, lettre CMXCVI, du 15 novembre 1835.
56. Lettre XLV, p. 233.
57. *Ibid.*, p. 236 (souligné par nous).

« La science de la mère comporte des mérites silencieux ignorés de tous, une vertu en détail, un dévouement de toutes les heures. Il faut surveiller les soupes... Me crois-tu femme à me dérober à ce soin ?... Comment laisser à une autre femme le droit, le soin, le plaisir de souffler sur une cuillère de soupe que Naïs trouvera trop chaude ?... Découper la côtelette de Naïs... mélanger cette viande cuite à point avec des pommes de terre est une œuvre de patience, et vraiment il n'y a qu'une mère qui puisse savoir dans certains cas faire manger en entier le repas à un enfant qui s'impatiente [58]. » Renée n'est pas femme à déléguer ses pouvoirs car elle pense que seul l'instinct maternel est un guide sans faille dans l'exercice de ce métier et que ce véritable sacerdoce est le devoir et la raison d'être de la femme. Celle qui s'y déroberait serait donc mauvaise mère : « ni domestique nombreux, ni bonne anglaise ne peuvent dispenser une mère de se donner en personne sur le champ de bataille [59] ».

Même si Renée reconnaît « qu'il n'y a d'oubliée que moi dans la maison », le bonheur de ses enfants suffit au sien. Mieux, il en est l'unique condition. C'est pourquoi Balzac fait dire à son autre héroïne, Louise, qui n'a pas d'enfant : « une femme sans enfant est une monstruosité ; nous ne sommes faites que pour être mères [60] ». Renée n'est donc pas considérée comme une exception heureuse ou une sainte. Elle est « la norme » que toute femme doit imiter pour obéir à sa nature. Pas question de tricher, de déléguer quelques devoirs, d'être mère une partie de la journée, et pas l'autre. Si l'on n'a pas tout donné, on n'a rien donné. « On est indigne, note Brochard, du doux nom de mère [61]. »

58. *Ibid.*, p. 237.
59. *Ibid.*
60. Lettre XLIII, p. 230.
61. Brochard, *De l'amour maternel*, p. 15 (1872).

Ce profond changement de mentalité eut deux sortes de conséquences. Il permit à un grand nombre de vivre leur maternité dans la joie et l'orgueil, et de trouver l'épanouissement dans une activité désormais honorée et reconnue utile par tous. Non seulement la femme avait une fonction déterminée, mais chacune apparaissait comme irremplaçable. En cela, la maternité fêtée laissa les femmes extérioriser un aspect essentiel de leur personnalité, et en tirer de surcroît une considération que leur mère n'avait jamais eue.

En revanche, les propos aussi définitifs et autoritaires tenus sur la condition maternelle créèrent chez d'autres femmes une sorte de malaise inconscient. La pression idéologique fut telle qu'elles se sentirent obligées d'être mères sans en avoir vraiment le désir. Du coup, elles vécurent leur maternité sous le signe de la culpabilité et de la frustration. Elles firent peut-être de leur mieux pour imiter la bonne mère, mais, n'y trouvant pas leur propre satisfaction, elles ratèrent leur vie et celle de leurs enfants. Là est probablement l'origine commune du malheur, et plus tard de la névrose, de bien des enfants et de leurs mères. Mais les penseurs du XIXe siècle, trop prisonniers de leurs postulats, n'entrèrent pas dans ces considérations. Ceux du XXe siècle, on le verra, ne furent guère plus subtils...

Elargissement des responsabilités maternelles

Forts de leurs certitudes, les idéologues du XIXe siècle profitèrent de la théorie de la mère « naturellement dévouée » pour étendre plus loin ses responsabilités. A la fonction nourricière, on ajouta l'éducation [62]. On expliqua aux femmes qu'elles étaient les gardiennes naturelles de la morale et de la religion et que, de la façon dont elles élevaient les enfants, dépendait le sort

---

62. Thème qui figure déjà dans l'*Emile*.

de la famille et de la société. Et le peuplement du ciel !

La mère éducatrice

Le docteur Brochard traduit fort clairement cette idée presque obsessionnelle au XIXᵉ siècle : « Puissé-je vous démontrer que l'amour maternel, qui se lie d'une manière si intime aux besoins du nouveau-né, se lie d'une manière non moins étroite aux intérêts sacrés de la famille et de la société [63]. »

L'amour maternel ne consiste pas seulement, pour la femme, à nourrir son enfant ; il consiste surtout à le bien élever. Or, la véritable éducation, c'est la mère qui doit la donner.

L'éducation a un sens plus large que l'instruction. Elle est avant tout transmission des valeurs morales alors que l'instruction vise à la formation intellectuelle. Le XIXᵉ siècle semble redécouvrir, après Fénelon et Rousseau, que cette tâche importante revient à la mère. Car il n'y a de bon éducateur que celui ou plutôt celle qui connaît parfaitement le « terrain » des opérations. « Pour élever une jeune personne, il faut étudier ses goûts et ses répugnances ; la juger dans ses jeux aussi bien que dans son travail ; la suivre avec un *instinct éclairé* dans les actions en apparence indifférentes, et qui font reconnaître souvent les moyens à préférer pour la conduire [64] ». Seule la mère peut répondre à ce portrait-robot, car l'institutrice la plus scrupuleuse ne saurait jamais éprouver cet instinct. A plus forte raison faut-il se défier du choix d'un maître particulier « qui manquera de ce tact, de ce précieux instinct de femme [65] ».

Décidément, nul autre que la mère ne peut prétendre au titre d'éducatrice, concept féminin par excel-

63. Brochard, *De l'amour maternel*, p. 4.
64. A. P. Théry, *Conseils aux mères* (1837), p. VII (souligné par nous).
65. *Ibid.*

lence. C'est « l'instinct maternel », appelé par d'autres
« génie maternel [66] », qui guide infailliblement les femmes dans leur tâche d'éducatrice, et « leur inspire ces
précautions salutaires dont elles entourent le jeune
enfant... qui les fait lire dans cette âme qui s'ignore
elle-même et leur suggère sans effort les ressources primitives de l'éducation [67] ». C'est lui qui provoque chez
la mère un dévouement, une patience et un amour
sans bornes, conditions nécessaires et suffisantes à une
bonne pédagogie morale. « Oui, dit Dupanloup, c'est
aux lèvres d'une mère qui couvre ces fronts purs de
tendres caresses qu'il appartient d'enseigner les premières leçons de la piété [68] ».

La mère est donc considérée à présent comme « le
gouverneur par excellence [69] », « l'éducateur premier et
le plus nécessaire [70] ». Et puisque la nature en a décidé
ainsi, elle ne peut pas se dérober à ses devoirs. D'ailleurs, comment une véritable mère pourrait-elle un instant hésiter à endosser ces nouvelles responsabilités ?
L'éducation morale de son enfant est la tâche la plus
noble qu'elle puisse jamais rêver d'exercer. Fénelon,
Rousseau ou Napoléon l'avaient déjà dit, mais peut-
être avaient-ils manqué de persuasion. Aux XIXᵉ et
XXᵉ siècles, on n'économise pas les adjectifs et les
superlatifs. L'éducation morale est « la tâche la plus
haute [71] » de la mère, « sa mission providentielle [72] »,
« son chef-d'œuvre absolu [73] ». Elle fait d'elle la créatrice par excellence « à côté de laquelle l'artiste le plus
consommé n'est qu'un apprenti [74] ». Mieux encore, en

---

66. Père Didon, *Le Rôle de la mère dans l'éducation des fils*, 1898,
p. 11.
67. A.P. Théry, *op. cit.*, p. 1.
68. Mgr Dupanloup, *De l'éducation*, livre II, p. 178 (13ᵉ édition, 1908).
69. L.A. Martin, *Education des mères de famille*, 1834, p. 28.
70. Père Didon, *op. cit.*, p. 3.
71. Chambon, *Le Livre des mères*, 1909, p. E.
72. Paul Combes, *op. cit.*, p. 176.
73. J. Van Agt., *Les Grands Hommes et leurs mères*, 1958, p. 132-134.
74. Père Didon, *op. cit.*, p. 4.

gouvernant l'enfant, la mère gouverne le monde. Son influence s'étend de la famille à la société, et tous répètent que les hommes sont ce que les femmes les font.

Dans un discours prononcé à la distribution des prix d'une école bien-pensante de Paris[75], le père Didon développa, en 1898, devant un parterre de « bonnes mères », ce que l'on devait entendre précisément par « éducation » ; elle se résume en quatre mots : initiation, préservation, émancipation et réparation.

Dans un style très sulpicien, Didon rappelle aux mères que « nulle puissance au ciel ni sur la terre ne doit vous dispenser de leur donner le lait de la Foi, de la Raison et de la Vérité, le lait de la Conscience et de la Vertu[76] ». A ces propos, note-t-on, la salle éclata en vifs applaudissements. Ensuite, il exhorte les mères à prémunir et défendre l'enfant contre lui-même car, mieux que le père, elle est gardienne de sa santé morale. Enfin, comme l'éducation ne consiste pas seulement à comprimer les mauvais penchants, le troisième devoir de la mère, et non le moindre, consiste à savoir émanciper l'enfant et à lui apprendre graduellement l'autonomie.

Ce triple travail maternel sera achevé lorsque l'enfant aura dix-huit ou vingt ans, c'est-à-dire quand il sera adulte. « Il vous faut bien cela pour faire de vos fils des hommes[77]. » Mais n'allons pas imaginer que la mère est libre, pour autant, de toute obligation à l'égard de ses enfants. Il lui reste une dernière tâche à accomplir qui ne prendra fin qu'avec sa propre mort : la réparation. « Vous ne pouvez penser, ô mères, que vos fils émancipés et libres, faisant les premiers pas dans la vie, et livrant leurs premiers combats, ne recevront pas, dans la bataille, des coups et

75. L'école Saint-Dominique, rue Saint-Didier, Paris, XVIᵉ.
76. Père Didon, op. cit., p. 7.
77. Didon, op. cit., p. 21-22.

des blessures [78]. » C'est aux mères de les consoler, en
les encourageant, bref en les « réparant [79] ». Salves
d'applaudissements qui prouvent que les mères chré-
tiennes (et quelle mère, alors, ne l'était pas !) étaient
d'accord avec l'idéologie du dévouement absolu que
leur proposait le père Didon. Même si, en vérité, elles
ne se sentaient pas entièrement capables d'être ce qu'on
voulait qu'elles soient, elles comprenaient et approu-
vaient le programme idéal qu'on leur traçait. Elles
voulaient sincèrement approcher du modèle parfait.
Or, celui-ci ne tendait à rien moins que de faire de la
mère une sainte.

Pour commencer, nulle ne pouvait prétendre au titre
de bonne mère si elle n'incarnait tout à la fois la
vertu, la bonté, le courage et la douceur. « Modèle
vivant [80] » pour son enfant, la mère doit sans cesse
montrer le bon exemple. « Inspirez-leur l'amour du
travail en n'étant point vous-mêmes désœuvrées... Ne
leur apparaissez point toujours impulsives et capricieu-
ses... gardez et répandez autour de vous la
sérénité [81]. » La mère « inspire » la vertu et la fait
aimer plutôt qu'elle ne l'enseigne. Sa « mission est
une influence [82] ». C'est pourquoi, à mesure qu'elle
avance en âge, la mère doit sans cesse se perfectionner
et « croître en bonté [83] ». La mauvaise humeur lui est
interdite si elle veut conserver l'attachement de ses
enfants devenus grands et se rendre agréable à ses
gendres et ses brus. « C'est vous, ici encore, qui devez
être la grâce apaisante du foyer [84]. »

Mais, avant d'arriver à cette étape, la bonne éducatrice sera celle qui saura susciter une confiance totale

78. *Ibid.*, p. 22.
79. *Ibid.*
80. J. Van Agt, *Les Grands Hommes et leurs mères*, 1958, p. 129.
81. E. Montier, *L'Amour conjugal et maternel*, 1919, p. 14.
82. L.A. Martin, *op. cit.*, p. 82.
83. P. Combes, *Le Livre de la mère*, 1908, p. 162.
84. E. Montier, *op. cit.*, p. 14.

chez son enfant tout en exerçant sur lui une surveillance absolue. A une époque où l'on croit encore à l'innocence enfantine, et où l'on redoute comme la peste les mauvaises influences, la vigilance, pour ne pas dire l'espionnage, devient la première vertu de l'éducatrice. Pour ce faire, la mère doit avoir accès, par n'importe quel moyen, aux secrets et à l'intimité de ses enfants. L'époque de la puberté, on l'aura compris, est la plus cruciale. Plus que jamais, « la vigilance maternelle doit s'étendre à tout [85] ». Aux fréquentations, aux livres et aux linges.

La mère institutrice

Depuis des siècles, l'habitude était prise d'enlever les fils aux mères pour compléter leur instruction dans les collèges et d'exiler les filles dans des couvents afin de parfaire leur éducation. Quand les couvents furent fermés sous la Révolution, l'usage s'était institué de garder les filles à la maison avec l'obligation pour la mère de leur donner les rudiments de foi et de savoir. Tant que les exigences en ces matières restèrent modestes on ne s'inquiéta pas trop de la formation intellectuelle des mères. Mais vint le moment où de nouvelles aspirations se firent sentir. La bourgeoisie aisée, se rappelant Fénelon ou Fleury, aspira à voir ses filles mieux instruites pour être des mères et des épouses plus agréables. La bourgeoisie nécessiteuse considéra que l'instruction des filles pouvait être un capital et suppléer à la dot en leur donnant la seule possibilité « honnête » de gagner sa vie. Cette double motivation de l'éducation des filles fut très bien perçue par L. Sauvan, inspectrice des Ecoles communales de filles de la Ville de Paris dans les années 1835 : « C'est un devoir pour la famille de ne pas laisser ses filles ignorantes, en vue de leur rôle futur de mère et d'épouse, et c'est un droit pour celle qui,

---

85. P. Combes, *op. cit.*, p. 127.

ne trouvant pas dans le ménage le pain quotidien, doit vivre de son travail ou de son talent[86]. » Le seul métier qu'une femme pouvait exercer sans déchoir était celui d'institutrice, qui faisait d'elle une « mère spirituelle ».

Pendant longtemps, on considéra l'école comme un pis-aller pour les petites filles ; il appartient aux mères de leur enseigner tout ce qui est « nécessaire et utile de savoir comme mères, maîtresses de maison et femmes du monde[87] ». D'en faire des futures femmes « attentives, réfléchies, laborieuses ». Malheureusement, constate Dupanloup, l'éducation morale seule n'atteint pas toujours ce triple but. « La vérité pénible... c'est que l'éducation, même religieuse, donne trop rarement aux jeunes filles le goût sérieux du travail[88]. »

En homme de son siècle, il pense que le travail est la condition de toutes les vertus. Il entreprit donc de démontrer que l'éducation intellectuelle de la femme est une garantie essentielle de sa moralité. Formée dès sa jeunesse, elle gardera le goût des occupations sérieuses. « Tout dans la maison et l'intérieur du ménage s'en trouvera mieux[89]. » Mieux encore le travail intellectuel a l'avantage de retenir les femmes chez elles : « sans les faire sortir de la maison, il les fait sortir d'elles-mêmes et de leurs soucis[90] ». On déclame contre leur futilité et leur coquetterie, mais « n'oblige-t-on pas la femme qui a des goûts sérieux à les cacher ou à les faire excuser par tous les moyens comme s'il s'agissait d'une faute[91] ? ». Et pourtant « l'union ne

---

86. Cours normal des institutrices primaires, 1835, cité par G. Fraisse, « La petite fille, sa mère, son institutrice », Les Temps modernes, mai 1976, p. 1967.

87. Mgr Dupanloup, De la haute éducation, 1866, p. 9.

88. Mgr Dupanloup, Femmes savantes et femmes studieuses, 1867, p. 29.

89. Mgr Dupanloup, De la haute éducation, p. 12-13.

90. Ibid., p. II.

91. Femmes savantes et femmes studieuses, p. 20.

peut guère se conserver dans un ménage si la communauté des intelligences ne vient pas compléter celle des cœurs[92] ».

L'intelligence des femmes est donc l'une des conditions de la longévité du mariage. Mais elle est surtout celle d'une meilleure maternité. Une femme instruite sera une mère plus accomplie et une meilleure éducatrice, en particulier pour sa fille à laquelle elle transmet l'essentiel de son savoir. Mais qu'elle soit la seule maîtresse de sa fille ou la répétitrice de son fils, Dupanloup la considère comme « l'institutrice naturelle, nécessaire et providentielle de ses enfants[93] ». Même si elle engage une institutrice ou un précepteur pour s'occuper de ses enfants, elle « doit connaître le fond du métier mieux qu'eux, pouvoir les surveiller, les diriger et au besoin les suppléer[94]... ».

Une fois de plus, on lui rappelle que la maternité ne consiste pas seulement à donner le jour à ses enfants. La fonction d'institutrice s'ajoute à celle de procréatrice, nourrice et éducatrice. C'est elle qui doit transmettre les premières et fondamentales leçons de la langue maternelle, de la géographie, de l'histoire « que nulle autre bouche ne donne aussi bien que celle de la mère[95] ». En attendant de mettre ses fils au collège, elle peut se passer de précepteur, leur servir de répétiteur et les initier au latin. Plus tard, elle pourra décider de concert avec son époux de l'éducation de son fils. Mieux, elle pourra se substituer à son mari trop pris par ses affaires, et combattre l'influence parfois nocive de l'école. Institutrice de son enfant, elle sera également son inspiratrice, sa conseillère et sa confidente[96].

Pour sa fille, elle fera plus. La nécessité d'une meil-

92. *Femmes savantes...*, p. 39.
93. *De l'éducation*, livre II, p. 163.
94. *Femmes savantes...*, p. 38.
95. *De la haute éducation*, p. 7.
96. *Femmes savantes...*, p. 38 : « elle lui indiquera les bons auteurs, lui fera jeter les livres mauvais et dangereux... ».

leure éducation pour les filles, la méfiance à l'égard de l'école, le niveau réputé médiocre des établissements destinés aux jeunes filles suscitèrent chez beaucoup de femmes, qui en avaient les moyens, une véritable vocation d'enseignantes privées.

Elles furent encouragées par la création de cours secondaires pour jeunes filles qui ne fonctionnaient qu'avec l'étroite collaboration des mères d'élèves[97]. Mais toutes ces mères de bonne volonté n'étaient pas toujours suffisamment instruites pour être des répétitrices compétentes. Pour répondre à ce nouveau besoin, on créa des écoles qui avaient pour but d'aider les institutrices à passer leur examen et « les mères qui dirigent et surveillent l'éducation de leurs filles »[98].

Ce phénomène parisien se développa en province sous le second Empire. Certes, il ne visait qu'un public essentiellement bourgeois et aristocratique, mais il n'est pas moins significatif de l'évolution du rôle maternel. Le concept de « mère institutrice » s'imposa auprès de toutes celles qui avaient les moyens d'y prétendre.

En 1864, Hippolyte Carnot plaidait encore pour l'éducation maternelle[99]. Il semble acquis que les bon-

97. Cette nouvelle méthode d'enseignement importée d'Angleterre par l'abbé Gaultier à la fin du XVIIIe siècle connut un grand succès sous Louis-Philippe dans les milieux aisés de la capitale. Les élèves étaient convoquées une fois par semaine et interrogées sur le travail de la semaine. La mère, ou une institutrice privée, accompagnait la jeune fille, assistait au cours, et lui servait de répétitrice entre les deux leçons hebdomadaires. Cette méthode de travail a survécu à Paris jusqu'à nos jours et ceux qui ont connu l'un de ces cours destinés aux enfants de la grande bourgeoisie savent combien l'émulation entre « mères » l'emportait sur celle de leurs enfants. Les résultats obtenus chaque semaine par le rejeton étant la preuve définitive du travail et de la conscience maternelle.

98. Gérard, cité par F. Mayeur, *op. cit.*, p. 68 : tel fut l'objet du cours normal gratuit fondé en 1832 par Lourmand, ou de celui créé par Adeline Désir. Déjà en 1820, Lévi-Alvarès avait ouvert les « cours d'éducation maternelle » qui connurent un succès important durant près d'un siècle puisqu'ils groupaient près de 400 mères de famille.

99. *Ibid.*, p. 108 : « l'idée de la mère-institutrice ou seulement répétitrice survivra longtemps ». Témoins de cette constance, les nombreuses réimpressions d'ouvrages qui se proposaient d'aider les mères à instruire leur

nes mères sont des « institutrices-nées [100] ». Au point,
dit-on, que les deux termes sont synonymes : « la
vocation de la femme se résume en deux mots : mère
de famille et institutrice ». Ces deux types se réduisent
à un seul : « la mère doit être la première institutrice
de ses enfants et l'institutrice ne saurait concevoir une
plus noble ambition que celle d'être une mère pour ses
élèves [101] ». D'ailleurs, l'école maternelle créée en 1848
a pour fonction de pallier la maternité déficiente des
femmes obligées de travailler. Comme la mère, l'institutrice s'impose par la tendresse et l'amour. Comme
elle, elle doit d'abord donner le bon exemple et susciter chez les petits l'envie de l'imiter. Mère et institutrice professionnelle poursuivent un même but : former une petite fille qui devienne à son tour une
bonne mère, éducatrice et institutrice. L'éducation des
femmes n'a toujours pas sa finalité en elle-même. Il
ne faut à aucun prix distraire la future femme de ses
devoirs naturels, en lui donnant un savoir gratuit et
abstrait qui développerait son orgueil, son égoïsme, et
l'envie de l'utiliser à des fins personnelles. Telle était
la crainte des adversaires de Dupanloup et de tous
ceux qui s'opposaient à l'instruction des femmes.

Il y eut toutes sortes de nuances, entre les plus réac-
tionnaires, comme Joseph de Maistre, et les républicains, entre ceux qui pensaient qu'une femme ignorante était plus facile à diriger et ceux qui souhaitaient
qu'elle sache « raisonner, juger et comparer ». Entre
ceux qui cherchaient pour épouse une « enfant » soumise et ceux qui désiraient une collaboratrice et une

fille à la maison : ainsi *L'Education maternelle, simples leçons d'une mère
à ses enfants* par Madame A. Tastu, réédité sept fois jusqu'à la fin du
second Empire ; ou encore le livre de L. Aimé-Martin, *De l'éducation des
mères de famille ou de la civilisation du genre humain par les femmes* qui
connut huit rééditions de 1834 à 1883.

100. F. Pécaut, Directeur de l'Ecole normale supérieure de Fontenay-
aux-Roses (1871-1879), cité par G. Fraisse, *op. cit.*, p. 1969.

101. P. Goy, Discours prononcé à l'Ecole normale des filles de Sainte-
Foy (1868), cité par G. Fraisse, p. 1969.

confidente. Mais tous partageaient la crainte de vivre avec des « savantes » et des « précieuses », ces terribles femmes qui n'en faisaient qu'à leur tête en oubliant les devoirs sacrés de la famille.

Pourtant, dans le dernier tiers du XIXᵉ siècle, les partisans de la limitation du savoir féminin furent submergés par les défenseurs de l'Ecole laïque qui voulaient à tout prix enlever les femmes à l'influence de l'Eglise. La loi Camille Sée, qui fonda l'enseignement secondaire des jeunes filles en décembre 1880, répondait à cette préoccupation républicaine qui unissait Michelet, V. Duruy et Jules Ferry. Dans son discours du 10 avril 1870, J. Ferry l'avait clairement exprimée : « il y a aujourd'hui une barrière entre la femme et l'homme, entre l'épouse et le mari... une lutte sourde mais persistante entre la société d'autrefois... qui n'accepte pas la démocratie moderne (les femmes) et la société qui procède de la Révolution française (les hommes)... *celui qui tient la femme, celui-là tient tout, d'abord parce qu'il tient l'enfant, ensuite parce qu'il tient le mari...* c'est pour cela que l'Eglise veut retenir la femme et c'est aussi pour cela qu'il faut que la démocratie la lui enlève [102] ».

Dans l'esprit des républicains, le combat pour l'instruction féminine relevait davantage d'une stratégie anti-cléricale que d'une volonté de donner aux femmes les moyens de leur autonomie. Leur éducation laïque devait les rapprocher des hommes sans bouleverser les anciennes structures familiales. On réprouvait toujours celles qui voulaient exploiter pour leur propre compte leur bagage intellectuel et refusaient de s'en tenir au modèle établi. Traitées de « bas bleus » on se moquait de leur physique ou de leurs aspirations. L'opinion dominante était si hostile aux femmes qui faisaient de longues études ou à celles qui cherchaient à « faire carrière » (dans la médecine ou l'enseignement supé-

---

102. Texte cité par F. Mayeur, *op. cit.*, p. 139-140.

rieur, par exemple) que la plupart s'en tenaient volontairement à une « honnête médiocrité ».

A la veille de la guerre de 1914, l'idéal féminin n'a guère changé, comme le montre le discours de R. Poincaré à l'inauguration d'un lycée de jeunes filles à Reims : « Nous ne désirons pas, pour la plupart d'entre elles, que ce rêve (la carrière) devienne une réalité... Ce n'est pas dans le prétoire ou dans l'amphithéâtre que nous cherchons à orienter l'activité du plus grand nombre de nos élèves : notre but... qu'elles restent des filles affectueuses, et qu'elles deviennent plus tard des épouses dévouées, des mères attentives [103] ».

Toute une littérature romanesque vint conforter cette opinion largement répandue. Par exemple, un des romans de Colette Yver, paru en 1908, sous le titre éloquent : *Les Cervelines*.

La « Cerveline » est une jeune étudiante en médecine, très brillante, trop brillante au goût de son patron qui en est amoureux. On la décrit comme une femme superbe dont l'ambition s'est développée au détriment du cœur : « blindée d'orgueil des pieds à la tête... rongée de fringale et de gloire [104] ». La Cerveline a toute l'apparence de la femme, sauf l'essentiel, « le cœur... et l'amour ». C'est une sorte de monstre, une « féministe », dit le héros malheureux. Par opposition, la véritable femme du roman est la sœur du même docteur qui lui a sacrifié sa vie, « surveille sa maison, ses domestiques, la comptabilité de la clientèle [105] ». La morale de cette histoire est qu'on ne peut être à la fois une femme heureuse et ambitieuse. Les jeunes filles de cette époque en étaient bien convaincues puisqu'elles ne rêvaient que de mettre en pratique l'idéal officiel du juste milieu qui faisait de la

---

103. Texte cité par F. Mayeur, *op. cit.*, p. 173.
104. C. Yver, *Les Cervelines*, p. 4.
105. *Ibid.*

femme instruite, la compagne et la conseillère de son
conjoint, une bonne ménagère, une bonne mère de
famille, « aussi apte à la tenue du foyer qu'au manie-
ment des idées générales [106] ». Même si ces femmes
avaient acquis la notion de leur indépendance personnelle, elles cherchaient coûte que coûte à la concilier
avec leurs devoirs familiaux [107]. Or comme ces derniers
et, en particulier, les devoirs maternels, n'avaient cessé
de s'étendre depuis un siècle, l'équilibre entre l'indépendance et l'altruisme dut souvent être difficile à
trouver.

L'idéologie du dévouement et du sacrifice

La plupart des idéologues voulurent résoudre le
dilemme au détriment de l'indépendance. Au fur et à
mesure que la fonction maternelle se chargeait de nouvelles responsabilités, on répétait toujours plus haut
que le dévouement était partie intégrante de la
« nature » féminine, et que là était la source la plus
sûre de son bonheur. Si une femme ne se sentait pas
une vocation altruiste, on appelait à l'aide la morale
qui commandait qu'elle se sacrifiât. Ce malheur dut
être plus courant qu'on voulait bien le dire puisque, à
la fin du XIXe siècle et au début du XXe siècle, on ne
parlait plus de la maternité qu'en termes de souffrance
et de sacrifice, omettant, lapsus ou oubli volontaire,
de promettre le bonheur qui eût dû naturellement en
découler.

106. F. Mayeur, *op. cit.*, p. 174.
107. F. Mayeur, *op. cit.*, p. 174 à 178, évoque une enquête faite en
1913, et publiée dans *L'Opinion*, auprès de jeunes filles âgées de 18 à
25 ans, considérées comme des « intellectuelles ». Il ressort nettement
qu'elles souhaitaient toutes « un bonheur paisible » au sein de leur future
famille, même si celui-ci supposait une certaine abdication de leurs ambitions personnelles, « abdication volontaire… pleine de dignité ».

Masochisme naturel... ou obligatoire

Madame Roland avait longuement développé le thème de la souffrance naturelle à la femme et de son masochisme. En 1859, Michelet avait repris la même idée : la femme n'est faite que pour être mère et aimer les souffrances qui vont de pair avec sa vocation. Plus tard, le ton des moralistes et des « féminologues » se fit plus nuancé. Certes, on n'a jamais autant insisté sur la nécessité du sacrifice maternel, ni montré à quel point la souffrance de la mère était la condition du bonheur de son rejeton, mais on abandonna presque totalement l'aspect naturel et spontané d'une telle attitude. Il semble donc qu'entre Rousseau et Freud, profondément convaincus que l'essence féminine était par définition masochiste, il y eut une période durant laquelle on abandonna ce mythe. Au masochisme naturel on substitua l'idée d'un masochisme obligatoire.

Lorsque Ida Sée, représentante de l'état d'esprit qui régnait au début de notre siècle, écrit en conclusion de son ouvrage : « C'est dans l'apothéose d'une maternité éclairée et vigilante que la femme doit oublier tous les sacrifices, toutes les douleurs, toutes les souffrances que comporte sa mission et cette compensation lui *doit être à la fois un stimulant et une espérance* [108] ! », c'est davantage une recommandation que l'affirmation d'une certitude.

En revanche, lorsque E. Montier [109] conseille aux mères d'éviter « tout excès inconsidéré même dans le dévouement, tout suicide indirect, même par esprit de sacrifice [110] », il semble considérer comme naturel le sens féminin du sacrifice puisqu'il lui paraît nécessaire d'y apporter des limites. Pourtant, sans craindre les contradictions, Montier change de ton pour morigéner

---

108. Ida R. Sée, *Le Devoir maternel* (1911).
109. E. Montier, *Lettre à une jeune mère* (1919).
110. *Ibid.*

l'égoïsme maternel inconscient. Trop de mères n'aiment leurs enfants que pour elles-mêmes. Coupables d'égoïsme qui dément d'un coup leur bonne nature altruiste ! Montier se sent donc obligé de préciser sa pensée : « vous devez vous sacrifier à eux. Mais il faut s'entendre sur la nature et sur l'application de cette idée de sacrifice. La mère sacrifie volontiers son temps et ses forces à ses enfants qui sont un peu d'elle-même, mais le grand sacrifice n'est pas là. Il consiste dans le désintéressement... à les laisser se séparer de vous[111] ». Ida Sée partage ce sentiment quand elle rappelle aussi avec insistance que « le devoir maternel ne comporte aucune faiblesse, la mère aimera donc ses enfants pour eux et non pour elle, elle substituera leur bonheur au sien[112] ».

Cette insistance générale à parler des « devoirs » de la mère tend à montrer que les choses n'allaient pas de soi. On avait beau affirmer de toutes parts que le « cœur de la mère est un abîme insondable de tendresse, de dévouement et de sacrifice, etc.[113] », de tels propos étaient toujours complétés par d'autres plus normatifs et impératifs. On énonçait une longue liste de devoirs à laquelle nulle mère ne devait se dérober. Preuve, assurément, que la nature avait besoin d'être solidement épaulée par la morale ! Contrairement à ses contemporains, qui pensaient que le dévouement maternel était la seule chance de bonheur pour la femme, Paul Combes lança un avertissement plus franc à ses lectrices : « Même celles qui ont rempli leur *mission sur la terre* avec la plus rare perfection, ne doivent pas toujours s'attendre à *retirer ici-bas de leur abnégation les joies* qu'elles avaient pu en espérer[114]. »

111. *Ibid.*, p. 18-19.
112. Ida Sée, *op. cit.*
113. Paul Combes, *Le Livre de la mère*, 1908.
114. *Ibid.* (souligné par nous).

Ce texte a le mérite d'en finir avec le mythe du bonheur féminin dans le sacrifice et de substituer nettement au thème de l'instinct celui de la morale. Ensuite, en utilisant le vocabulaire religieux, il montre que les souffrances de la maternité sont le tribut payé par les femmes pour gagner le ciel. La douloureuse vertu maternelle est payante à long, très long terme. Paul Combes, comme tous les moralistes croyants, sentait bien que le sacrifice de soi, même féminin, n'était pas naturel et qu'il fallait promettre une récompense sublime pour que les mères acceptent de faire taire leur égoïsme au point de s'oublier aussi totalement qu'on le leur demandait. Cette interprétation l'emporta au XIXe siècle : on prit l'habitude d'évoquer la mère et ses fonctions en termes mystiques. On affirmait dans un même élan que le sacrifice maternel était ancré dans la nature féminine et que la bonne mère était une « sainte ». Si le sacrifice avait été si naturel, où donc reposait le mérite qui fonde la sainteté ?

Déjà Michelet avait décrit la maternité en termes mystiques, quand il évoquait l'aspect « divin du premier regard maternel, l'extase de la jeune mère, son innocente surprise d'avoir enfanté un Dieu, sa religieuse émotion... ». La mère fait alors une véritable expérience mystique dans un échange délicieux avec son enfant : « naguère il s'est nourri d'elle ; maintenant elle se nourrit de lui, l'absorbe, le boit et le mange (comme le chrétien mange symboliquement le corps du Christ)... l'enfant donne la vie et la reçoit, absorbant sa mère à son tour... *Grande, très grande révélation* [115] »... C'est un acte de foi, un véritable mystère.

« *Si l'enfant n'était pas Dieu*, si le rapport à lui n'était *pas un culte*, il ne vivrait pas. C'est un être si fragile, qu'on ne l'eût jamais élevé s'il n'eût *eu dans*

---

115. *Ibid.*, p. 9 (souligné par nous).

cette mère la merveilleuse idolâtre qui le divinise, qui lui *rend doux* et désirable, à elle, de *s'immoler pour lui*[116]. »

A la fois naturel et divin, ce rapport est analogue à celui qui unit un Dieu à son « idolâtre » ou un Roi absolu à son sujet. Il implique donc une différence de consistance ontologique entre les deux protagonistes, qui entraîne une attitude de soumission absolue de l'un par rapport à l'autre. Il semble « naturel » à Michelet qu'une mère perde la vie[117] pour sauver son enfant. Entre la mère et l'enfant, le siècle a choisi de sauver l'enfant et d'immoler la mère. Dans ce sacrifice de soi, la femme trouvait à la fois sa raison d'être et son plaisir. La mère était bien masochiste.

Plus tard, on insista davantage sur l'aspect religieux de la fonction, mais cette fois pour mettre en lumière ses difficultés. N'est pas bonne mère qui veut. Il faut toute une préparation spirituelle et chrétienne pour admettre la nécessité du sacrifice, et cet oubli de soi hausse la bonne mère au-dessus de la condition humaine spontanément égoïste. Elle devient donc une sainte parce que l'effort demandé est immense. Mais, contrairement aux véritables vocations religieuses qui sont libres et volontaires, la vocation maternelle est obligatoire. Toutes les mères ont la même « mission[118] », toutes doivent « se consacrer entièrement à ce sacerdoce[119] », « sacrifier leur volonté ou leur plaisir pour le bien de la famille[120] » ; toutes enfin ne peuvent trouver leur salut « qu'en se dévouant à leur devoir maternel[121] ». Ce dévouement sans bornes est « la douleur expiatrice[122] » par excel-

---

116. *Ibid.* (souligné par nous).
117. La perte de la vie n'est pas seulement organique et brutale. Elle peut être aussi une aliénation quotidienne de son « moi ».
118. Ida Sée, *op. cit.*, p. 4.
119. *Ibid.*, p. 18.
120. *Ibid.*, p. 58.
121. *Ibid.*, p. 96.
122. Dupanloup, *De l'éducation*, II, p. 150.

lence, celle qui permet à Eve de se transfigurer en Marie. Jamais l'enfantement dans la douleur ne fut autant considéré comme un dogme absolu. Puisque à présent « l'enfantement » couvre toute la période de formation de l'enfant, du fœtus à l'âge adulte, la douleur maternelle s'est allongée d'autant. La malédiction divine sur Eve n'a jamais eu une portée aussi grande que chez les chrétiens du XIXe siècle. Contrairement à Michelet, Dupanloup ne voit pas là la source du plaisir féminin mais bien le rachat par les femmes de leur faute ancestrale : « Il est évident que la mère est destinée à une souffrance expiatrice et sacrée. Elle est grande parce qu'elle souffre. Et si, en la voyant, je suis saisi d'une religieuse émotion, *c'est que toutes les douleurs les plus cuisantes de la terre sont pour elle... C'est à elle qu'il a été dit : " Tu enfanteras dans la douleur... " Mais ce n'est pas tout : ses enfants, dont la naissance lui a coûté cher, c'est aussi dans la douleur que le plus souvent elle les élève* [123]. » La mère chrétienne, comme la Vierge, nouvelle Eve évangélique, « doit porter en son âme, dans une profondeur inépuisable, un abîme de patience, et, dans sa vie, un poids sublime de tristesse qui fait de la mère de l'homme la douloureuse incomparable splendeur de l'humanité [124] ». Ses douleurs sont la condition de sa purification et l'on comprend mieux pourquoi elle n'a pas à espérer de récompenses en ce monde-ci.

Mais comment une femme saura-t-elle qu'elle a suffisamment expié et qu'elle s'est sacrifiée autant qu'il le fallait pour accomplir ses devoirs maternels ? La réponse lui est fournie par son enfant. Puisque le destin physique et moral de celui-ci dépend entièrement d'elle, il sera le signe et le critère de sa vertu ou de son vice, de sa victoire ou de son échec. La bonne

---

123. Dupanloup, *ibid.*, p. 156-157 (souligné par nous).
124. *Ibid.*, p. 159.

mère sera récompensée et la mauvaise punie dans la
personne de son enfant. Puisque « l'enfant ne vaut
qu'autant que vaut sa mère [125] » et que l'influence de
celle-ci est absolument déterminante, il ne tient qu'à
elle que son fils soit un grand homme ou un criminel.

De la responsabilité à la culpabilité

Cette immense responsabilité qui pesa sur les femmes eut une double conséquence.

Si l'on était bien d'accord pour sanctifier la mère
admirable, on l'était tout autant pour fustiger celle
qui échouait dans son entreprise sacrée. De la responsabilité à la culpabilité il n'y avait qu'un pas qui
menait tout droit à la condamnation. C'est pourquoi
tous ceux qui s'adressèrent aux mères assortirent leurs
propos de révérences et de menaces. Tout au long du
XIXe siècle, on jeta des anathèmes sur les mauvaises
mères. Malheur à la femme qui n'aime pas ses
enfants, s'écrie Brochard [126]. Malheur à celle qui ne le
nourrit pas, poursuit le docteur Gérard : « elle voue
toute sa descendance à d'horribles maux dont nous ne
faisons qu'entrevoir les terribles conséquences : des
maladies incurables comme la tuberculose, l'épilepsie,
le cancer et la folie, sans compter toutes les horribles
névroses dont l'humanité est si cruellement
affligée [127] ». Malheur aussi aux mères qui n'instruisent
pas leurs enfants, les laissent courir dans la rue et
omettent de leur donner une éducation religieuse, renchérit Paul Combes [128]. Malheur enfin à toutes celles
qui ont « trahi, négligé et abandonné leurs tâches [129] »,
conclut le père Didon.

125. Ida Sée, op. cit., p. 95. Cf. aussi M. Chambon, Le Livre des
mères, 1909, p. VII : « tant vaut la mère, tant vaut son fils ».
126. Brochard, De l'amour maternel, p. 4 et 15.
127. Dr Gérard, op. cit., p. 8.
128. P. Combes, op. cit., p. 95.
129. Père Didon, op. cit., p. 3.

Que l'enfant meure ou qu'il soit criminel, on sait à présent qui mettre au banc des accusés. Ce n'est plus, comme jadis, le père qui comparaît pour répondre des fautes de son enfant, c'est la mère que l'on somme aujourd'hui de s'expliquer.

L'avocat H. Rollet, qui préfaça le livre d'Ida Sée, n'eut pas peur d'affirmer : « en qualité d'avocat des enfants, après avoir étudié plus de vingt mille dossiers (!) de mineurs délinquants ou criminels, *nous savons avec certitude* que la criminalité juvénile est *presque toujours* la conséquence soit de *l'absence d'une mère* au foyer familial, soit de *son incapacité* ou de *son indignité* ; d'autre part, nous ne sommes pas moins certains que si nous faisons un peu de bien dans notre vie, c'est à notre chère " maman " que nous en devons l'inspiration [130] ».

Portraits de mauvaises mères

« Absente, incapable ou indigne », telle est l'autre femme dont il nous faut maintenant parler. Elle est l'envers de la bonne mère que l'on vient de décrire. Entre les deux personnages, il n'y a aucun intermédiaire possible. Fidèle à la logique du tiers exclu, le XIXᵉ siècle ne peut concevoir de mères à moitié bonnes ou mauvaises. Entre la sainte et la salope, il demeure un hiatus infranchissable.

L'indigne

Le premier type de « marâtre naturelle » (mère de sang qui se conduit comme une belle-mère), la plus « mauvaise » de toutes est celle qui n'aime pas son enfant et ne lui manifeste pas la moindre tendresse. Les littérateurs du XIXᵉ siècle firent des descriptions variées de ces femmes « monstrueuses ». La plupart

---

130. Préface de H. Rollet au livre de Ida Sée, p. V (souligné par nous).

nous donnèrent le point de vue de l'enfant malheureux sans chercher les motivations de l'attitude maternelle [131]. Balzac fit exception en décrivant le drame de Julie d'Aiglement, la célèbre « Femme de trente ans ». C'est elle qui l'intéresse et non sa petite-fille, Hélène, qu'elle a eue d'un homme qu'elle n'aimait pas. Car Balzac veut à la fois comprendre le mécanisme psychologique qui empêche une femme d'aimer son enfant (ce qui fut le cas de sa propre mère) et critiquer la « prostitution légale [132] » qu'est le mariage au XIXe siècle.

Julie d'Aiglement confie ses tourments à un prêtre et lui expose, à cette occasion, la théorie de la double maternité : de chair et de cœur. Hélène, sa fille, n'est qu'une enfant de la chair qui condamne sa mère qui ne l'aime pas à « la fausseté... de continuelles grimaces... pour obéir aux conventions [133] ». Comment aimer cette petite fille, « création manquée... enfant du devoir et du hasard [134] » qui ne lui rappelle qu'un mari méprisé ? Julie accomplit tous les gestes que l'on attend d'une bonne mère, mais elle a hâte que cesse son obligation maternelle : « quand elle n'aura plus besoin de moi, tout sera dit : la cause éteinte, les effets cesseront [135] ». Julie rêve du jour où sa fille la quittera pour toujours. Contrairement à la vraie bonne mère que le dévouement et les sacrifices unissent plus étroitement à son enfant, Julie éprouve ceux-ci comme autant de contraintes insupportables qui l'en détachent [136]. L'enfant n'est d'ailleurs pas dupe des

---

131. Ce ne sera plus le cas au XXe siècle, lorsque la psychanalyse s'en mêlera.

132. Balzac, *La Femme de trente ans*, p. 16 (collection Folio).

133. *Ibid.*, p. 166.

134. *Ibid.*, p. 167.

135. *Ibid.*, p. 167.

136. *Ibid.*, p. 169 : Pour elle l'enfant est une négation. « Oui, quand Hélène me parle, je lui voudrais une autre voix ; quand elle me regarde, je lui voudrais d'autres yeux... Elle m'est insupportable ! Je lui souris, je tâche de la dédommager des sentiments que je lui vole. Je souffre !.. Et je passerai pour une femme vertueuse ! »

faux sentiments de sa mère, car l'amour ne se mime pas [137]. Et la mère qui se sent coupable au tribunal de sa fille redoute que la haine ne se mette un jour entre elles [138].

Le curé, atterré par une telle monstruosité, clôt l'entretien par ces mots : « Il vaudrait mieux pour vous être morte [139]. »

Le manque d'amour est donc considéré comme un crime impardonnable qui ne peut être racheté par aucune vertu. Il met la mère qui éprouve de tels sentiments hors de l'humanité puisqu'elle a perdu sa spécificité féminine. Mi-monstre, mi-criminelle, une telle femme est ce que l'on pourrait appeler « une erreur de la nature ». Pourtant, dans l'éventail des mères indignes, Julie est loin d'être la pire. Même si elle n'aime pas, et là est le crime essentiel, du moins fait-elle semblant, car elle sait la valeur absolue de l'amour. Elle joue la mère tendre, embrasse et sourit à son enfant, même à son cœur défendant. D'autres mères ne se donnent pas cette peine et laissent apparaître brutalement leur indifférence, leur cruauté ou leur haine.

Madame Vingtras, mère de *L'Enfant* de Jules Vallès, est de celles qui ont fait de la dureté et de l'absence d'affection une méthode d'éducation. Paysanne pauvre, mariée à un modeste surveillant de collège, elle rêve de faire de son fils, Jacques, un « Monsieur » et de former un homme parfaitement maître de lui-même. L'intention paraît bonne, mais l'inflexible rigueur dont elle fait preuve dément l'existence de la moindre tendresse maternelle. Les chagrins, les humi-

---

137. *Ibid.*, p. 169 : « Il existe des regards, une voix, des gestes de mère dont la force pétrit l'âme des enfants ; et ma pauvre petite ne sent pas mon bras frémir, ma voix trembler, mes yeux s'amollir... Elle me lance des regards accusateurs que je ne soutiens pas. »

138. Espoir vain ! La fille et la mère se haïront quand Hélène aura tué l'enfant de cœur et adultérin de Julie, meurtre qui apparaît comme la punition divine d'une mère maudite.

139. *Ibid.*, p. 171.

liations et les violences qu'elle inflige à son enfant prouvent son extrême insensibilité et la rangent du même coup dans la catégorie des méchantes mères.

Les premiers mots de Vallès sont célèbres et suffisent à nous renseigner sur le personnage de Madame Vingtras : « Ai-je été nourri par ma mère ?... Je n'en sais rien. Quel que soit le sein que j'ai mordu, je ne me rappelle pas une caresse du temps où j'ai été petit : je n'ai pas été dorloté, tapoté, baisoté ; j'ai été beaucoup fouetté. Ma mère dit qu'il ne faut pas gâter les enfants, et elle me fouette tous les matins ; quand elle n'a pas le temps le matin, c'est pour midi, rarement plus tard que quatre heures [140]. » Le reste du livre est du même calibre. Tous les gestes maternels sont empreints de dureté, sinon de sadisme. Elle le nourrit d'oignons qui le font vomir et transforme le bain trimestriel en séance de torture. Pour elle, il n'est pas « Jacques », mais le « fainéant », le « drôle », le « brise-tout », le « paresseux », l'« orgueilleux », l'« insolent », le « brutal ». Elle se met en fureur quand il se blesse ou qu'il est malade. Quoi qu'il fasse l'enfant est coupable de tout.

Même si sociologie et psychanalyse nous aident à comprendre son comportement, Madame Vingtras personnifie la mauvaise mère et rejoint Mesdames Lepic et Fichini au musée littéraire des femmes indignes. Encore Madame Fichini [141] n'est-elle que la belle-mère de Sophie, par opposition à la bonne mère de sang, Madame de Fleurieux. En cela, la comtesse de Ségur reste fidèle au schéma classique. Vallès et Jules Renard ont sauté le pas en osant faire de la cruelle marâtre et de la mère de sang un seul et même personnage. Un pur scandale pour la raison du XIXe siècle. Car si les jeunes lecteurs de la comtesse de Ségur frissonnent de peur au récit des fessées dont

---

140. J. Vallès, *L'Enfant*, 1879, p. 45 (collection Garnier-Flammarion).
141. La comtesse de Ségur, *Les Malheurs de Sophie* (1864).

Sophie est la victime, ils se réconfortent en pensant que la mère naturelle est toute bonté et compréhension. Les lecteurs de *Poil de Carotte*[142] n'ont plus ce réconfort. C'est bien notre vraie mère qui peut faire acte de sadisme, cacher notre pot de chambre et nous faire avaler notre urine le lendemain matin. Madame Lepic est bien plus inquiétante que la grosse Madame Fichini, plus raffinée aussi dans sa méchanceté haineuse. Qu'est donc devenue la sacro-sainte harmonie préétablie entre la mère et l'enfant ? On voudrait se rassurer et se dire que ces méchantes femmes ne doivent leur existence qu'à l'imagination des littérateurs. Mais non, Vallès et Renard n'ont pas caché l'origine biographique de leur œuvre. Sont-elles donc des exceptions comme ces monstres étudiés par les tératologues ? Rien de moins sûr en cette fin du XIXe siècle où l'on découvre enfin le concept et la réalité de l'enfant martyr, et où se multiplient des Sociétés protectrices de l'enfant qui ont pour mission de protéger ces innocents de la violence de leurs géniteurs.

La cruauté n'est ni la seule, ni la plus courante forme d'indignité maternelle. Mesdames Vingtras et Lepic ne sont pas des modèles imaginaires, mais elles ne sont pas non plus représentatives de la « mauvaise mère moyenne ». Le portrait de celle-ci est moins caricatural.

L'égoïste

Elle aime un peu son enfant, mais pas au point de se sacrifier pour lui. Elle s'en occupe au gré de ses propres désirs et non selon les besoins réels de l'enfant. Au regard des nouvelles normes, son indignité repose moins sur sa dureté que sur son incapacité éducatrice. Cette femme, qui ne mérite pas le surnom de marâtre, sera indifféremment désignée comme l'« égoïste », l'« insouciante », ou la « négligente ».

142. Paru en 1894.

Deux catégories de femmes sont particulièrement visées par ces critiques : celles des classes supérieures et les plus déshéritées. Sans distinguer entre les deux, les moralistes s'en prennent aussi bien aux unes qu'aux autres. Ainsi Dupanloup, dont les propos ne s'adressent qu'aux classes aisées, met en garde les mères contre leur paresse et leur laisser-aller éducatif. Il critique celles qui préfèrent courir les mondanités plutôt que de veiller personnellement à l'éducation de leurs enfants. D'autre part, il suffit qu'un des membres de la famille refuse de se confiner dans « l'intérieur » pour que la mère soit déclarée coupable. Si le père ne rentre pas chez lui après son travail et ses occupations, c'est que sa femme ne sait pas lui faire un foyer accueillant et des enfants sages. Si les enfants jouent dans les rues, comme c'est le cas dans les familles pauvres, c'est que la mère est incapable de les élever correctement. D'ailleurs, l'enfant qui traîne dans les rues est, aux yeux des moralistes et des philanthropes, le signe le plus évident d'une famille mal tenue et donc d'une mère indigne. En 1938, encore, Albert Dussenty écrit dans sa thèse de droit : « l'enfant dans la rue, le vagabond futur voleur, deviennent tels la plupart du temps par la faute des parents[143] ». Et par la faute de la mère en premier lieu, car c'est elle qui fait la police dans la famille et est censée veiller constamment sur les faits et gestes de ses enfants.

Parmi celles qui bafouent l'obligation de surveillance figurent la travailleuse et l'amoureuse. C'est plutôt cette dernière qui a eu les faveurs de la littérature. Alphonse Daudet l'a décrite sous les traits d'une demi-mondaine[144], Ida de Barancy, mère d'un petit bâtard, Jack. Dès le début du roman, Daudet insiste sur

---

143. « Le vagabondage des mineurs », cité par P. Meyer in *L'Enfant et la raison d'état*, Le Seuil, Paris, 1977, p. 24.
144. Alphonse Daudet, *Jack*, 1876.

« l'origine douteuse » qui est à la fois signe de l'immoralité maternelle et la cause des infortunes futures de l'enfant. L'illégitimité d'un enfant conçu hors mariage est la preuve certaine, aux yeux des contemporains de Daudet, de la faiblesse et de la frivolité féminines. Autant de traits qui ne conviennent pas à la bonne mère, par définition « honnête », qui sait faire passer son plaisir après ses devoirs.

Comme prévu, Ida de Barancy est une créature légère et sentimentale qui a pour son enfant un amour qui ne s'élèvera pas jusqu'à l'héroïsme du dévouement. Tant qu'il est petit, elle le garde près d'elle, l'entoure de son luxe et de sa gaieté. L'enfant est heureux, reconnaît Daudet, mais mal élevé. Le drame ne commence vraiment qu'avec la séparation de la mère et de l'enfant, quand elle décide de le mettre en pension, et l'oublie pour les bras d'un amant qui n'aura de cesse de s'en débarrasser en l'envoyant en usine.

On constate que Ida de Barancy concentre en sa personne tous les manques maternels : enfant illégitime, absence d'éducation et de sérieux, éloignement dans une pension, abandon, et pour finir déclassement. L'enfant finira ouvrier par la faute de sa mère, ce qui représente une véritable déchéance du point de vue social. Aux yeux des moralistes qui font passer la vertu avant l'amour, elle est encore plus coupable que Madame Vingtras qui péchait par excès de rigidité et non par négligence, par ignorance pédagogique plutôt que par égoïsme.

La travailleuse

Quels qu'en soient les motifs, le travail féminin est condamné par les moralistes qui admettent à peine qu'il puisse être une nécessité vitale. Le docteur Bertillon affirme que « l'épouse ne doit pas d'abord être ouvrière, commerçante, campagnarde ou femme du monde ; elle doit avant tout être mère [145] ». Ida Sée pense de même : « le sort de l'enfant, le bonheur de la famille dépendent bien plus de sa *présence continue* que du gain produit par son labeur au-dehors [146] ». Elle consent que « les veuves, les abandonnées et les trahies » aient besoin de travailler pour survivre, mais ajoute aussitôt que leurs enfants sont les victimes de cette dure nécessité. Elle préconise donc que la société paye la mère pour rester à la maison.

Ida Sée rappellera sans cesse qu'une femme qui se marie doit « abdiquer la *prétention* de pourvoir seule à ses besoins [147] », sous peine de sacrifier son enfant. Condamnant en bloc celles qui travaillent, elle affirme que « pour l'ouvrière et l'artisane, l'enfant est une charge nouvelle qu'elles n'ont ni désirée ni souhaitée... Et combien d'entre elles n'ont aucune idée du devoir maternel [148] ». Considérant les fléaux sociaux qui rongent la race et les dégénérescences qui sont les effets du travail féminin, notre moraliste n'est pas loin de souhaiter la stérilisation des pauvres : « il est vrai qu'on peut admettre les théories qui restreignent la natalité ». Mais la chrétienne se reprend et ajoute : « c'est faire œuvre plus haute que de rappeler à la femme son devoir de mère [149] ».

En revanche, Ida Sée ne cache pas sa haine pour la mère qui ne peut justifier son travail par aucune nécessité vitale. Tel est le cas des intellectuelles qui sont ses têtes de Turc. Toutes celles qui souhaitent faire des études supérieures au lieu de se consacrer à « la science ménagère » et à la puériculture, la bouleversent : « avouerons-nous que nous avons peur de ces jeunes filles, qu'elles nous inquiètent plus que les coquettes, les étourdies, plus même que les

145. Cité par le Dr Brochard in *De la mortalité en France* (1866), p. 4.
146. Ida Sée, *op. cit.*, p. 16 (souligné par nous).
147. *Ibid.*, p. 17 (souligné par nous).
148. *Ibid.*, p. 18.
149. *Ibid.*, p. 19.

ignorantes [150]... ». De telles personnes dédaignent l'enfant et « promettent des mères inconscientes pour qui l'enfant est une charge... Peut-être même annoncent-elles ces mères stériles qui, dans la bourgeoisie, l'aristocratie, le peuple parfois à présent (n'y a-t-il pas contradiction avec le vœu refoulé de malthusianisme des pauvres ?), proclament leur droit de se soustraire aux épreuves de la maternité qui... condamne à la gêne... [151] ».

Ces raisonneuses, ces calculatrices, ces féministes sont de grandes coupables qui « civilisent le mariage, profanent l'amour, désagrègent la famille [152] ». Pour combattre cette décadence, « il faut élever les petites filles dans l'idée que toute femme doit souhaiter être mère et que seule l'inclémence du sort la condamne à être ouvrière, comptable, professeur, docteur ou avocat [153] ! ».

Les intellectuelles sont plus coupables que les ouvrières : non seulement elles n'ont pas d'excuse économique, mais surtout elles refusent volontairement de restreindre leur univers dans les limites du foyer, et de borner leur vie à la maternité et au ménage. On vit dans cette attitude monstrueuse la source et la raison de tous les fléaux sociaux, car si la femme méprise ses fonctions naturelles, il ne peut en résulter que désordre pour la société. Pour tenter de remédier au mal, Ida Sée ne se contenta pas de glorifier la condition maternelle et d'affirmer que seules les mères font respecter les femmes. Elle procéda aussi par culpabilisation. Oui, le travail féminin faisait de l'enfant une petite victime. Oui, l'absence de la mère au foyer était cause de maux infinis et notamment de l'éclatement de la famille. Comment pourrait-elle accomplir son premier et plus simple devoir qui est de faire cuire la

---

150. *Ibid.*, p. 5.
151. *Ibid.*, p. 5.
152. *Ibid.*, p. 6.
153. *Ibid.*, p. 23.

soupe familiale (nécessaire pour la santé) « à petit feu ». Voyez chez le paysan et l'ouvrier, fulmine Ida Sée, on a remplacé la soupe par toute autre nourriture moins bonne à l'estomac mais plus rapidement apprêtée : « l'obligation qui est faite à la femme de travailler au-dehors a interdit la soupe ! et de la soupe, peut-être, dépend le bonheur de la famille [154]... ». A l'en croire, le pot-au-feu méprisé se venge en désorganisant la famille. L'homme qui n'a plus un foyer accueillant le déserte au profit « du cabaret », parce que sa femme n'a plus le temps de lui mitonner des petits plats savoureux. « Il cherche la fallacieuse consolation de l'alcool pour atténuer les méfaits des charcuteries nocives, des viandes creuses du restaurant vulgaire, et le péril devient multiple... qui désorganise et ruine [155] ! »

Le déclin du rôle paternel

L'accroissement considérable des responsabilités maternelles, depuis la fin du XVIIIᵉ siècle, a progressivement obscurci l'image du père. Son importance et son autorité, si grandes au XVIIᵉ siècle, sont en déclin, car, en prenant le leadership au sein du foyer, la mère a largement empiété sur ses fonctions. Apparemment, nul ne s'en plaint puisque la majorité des textes justifient entièrement cette situation : le primat de la mère et le retrait du père.

Les justifications

Certains affirmèrent péremptoirement que « le père serait parfaitement incapable de ce travail (l'éducation physique et morale de son enfant) délicat [156] », mais

154. *Ibid.*, p. 27.
155. *Ibid.*
156. Père Didon. *op. cit.*

d'autres cherchèrent à expliquer plus avant « l'évidence ». M. Chambon incriminait la vie sociale « qui se complique tous les jours et empiète de plus en plus sur notre vie privée. Les affaires, la politique absorbent les chefs de famille [157] ». La compétition et le surmenage les empêchent d'être pères. Ceux-ci n'ont plus ni le temps ni la disponibilité d'esprit nécessaire pour assumer une tâche éducative : « le père qui, tout le jour, a brassé des chiffres, ne peut guère le soir se préoccuper de développer en son fils la conscience morale. Pour les autres, acharnés au labeur scientifique ou littéraire, ils essaieront bien de s'abstraire d'eux-mêmes ; ils feront, à leur *devoir de père* (il y en a quand même un, même s'il est peu contraignant) cette concession de s'arracher à leurs habituelles méditations et de se baisser au niveau des jeunes intelligences, encore trébuchantes, de leurs chers petits, mais l'effort, justement parce qu'il est l'effort, ne sera point constant [158] ». Voilà bien vite réglé le problème des devoirs paternels. Dans un cas, l'éducation morale est incompatible avec le métier du père, dans l'autre, c'est la hauteur de ses méditations qui l'empêchent de « se baisser » au niveau de ses enfants. Des ouvriers, des artisans ou des fonctionnaires, il n'est pas question, comme s'il n'y avait d'autres pères possibles que le commerçant, le banquier, le savant... l'homme qui compte ou l'homme qui pense. Chambon conclut que « l'éducation est donc *ordinairement* dévolue à la mère ».

Mais ces explications du retrait du père n'étaient pas suffisantes pour convaincre vraiment. Toujours *a posteriori,* elles se contentaient de justifier le droit par les faits. C'est au philosophe Alain que l'on doit l'initiative d'une démonstration *a priori.*

157. *Op. cit.*
158. Chambon, *op. cit.* (souligné par nous).

La démonstration

En 1927, Alain s'attaqua au problème des sentiments familiaux, et entreprit de démontrer (!) la
nécessaire distinction des rôles parentaux. Pour ce
faire, il procéda d'abord à l'analyse de la « nature »
des deux sexes, seule capable de nous faire comprendre « les puissances et les aptitudes de l'un et de
l'autre [159] ». « Par la structure et par les fonctions biologiques, le rôle du mâle est *évidemment* de poursuivre ce travail de destruction, de conquête, d'aménage-
ment sans lequel notre existence serait bientôt impossible, chasser, pêcher, dépêcher, construire, transporter,
c'est le travail de l'homme [160]. »

Pour comprendre le sexe passif, il faut « regarder
seulement les nécessités biologiques qui ne fléchissent
jamais [161] ». C'est la formation de l'enfant et les soins
qui suivent sa naissance qui expliquent, selon Alain,
« la pensée féminine » séparée de la nécessité extérieure. Tout le génie de la femme consistant à porter,
élever l'enfant, ses vues sont tournées vers le nid,
l'intériorité. Elle est aidée dans sa tâche par une affec-
tivité plus aiguë que celle de l'homme qui découle
directement du phénomène de la gestation : « *l'amour
maternel est le seul amour qui soit pleinement de
nature*, parce que les deux êtres n'en font d'abord
qu'un [162] ».

Une fois encore, c'est la mère qui joue le rôle
d'intermédiaire entre l'enfant et le père, car, selon
Alain, rien dans « la nature de l'homme » ne le pré-
dispose à des rapports affectifs avec le petit. Il est un
étranger pour lui parce qu'il vit dans un univers où
l'enfance et les règles d'affection qui la régissent sont
exclues. D'où son incompréhension, sa sévérité et son

---

159. Alain, « Les sentiments familiaux » *Cahiers de la Quinzaine*, n° 18,
série 8 (1927).
160. *Ibid.* (souligné par nous).
161. *Ibid.*
162. *Ibid.* (souligné par nous).

impatience. Habitué à se battre avec la dure nécessité extérieure, il ne peut accepter les caprices, les rêves et la faiblesse enfantine qui sont, en revanche, familiers à la mère.

La fonction paternelle

Si la nature a créé l'homme étranger à l'enfance et fait du couple mère-enfant une perfection en soi, la question se pose de savoir quelles sont exactement les fonctions du père. Les hommes du XIXᵉ siècle y apportèrent des réponses plus ou moins nuancées, ce qui n'empêcha pas un certain consensus. Entre ceux qui reconnaissent au père une fonction importante et ceux pour lesquels elle est à peu près nulle, il y a une position moyenne qui dut avoir les faveurs du public.

Dupanloup fut l'un de ceux qui associèrent constamment le père à l'œuvre éducatrice de la mère. Il parle beaucoup des « instituteurs naturels » et ne semble pas distinguer entre les éducateurs paternel et maternel [163]. Cependant, il reste toujours au niveau des propositions générales et l'on saisit mal quelle est la fonction spécifique du père, comment il participe concrètement à l'éducation « de la pensée, de la parole, du caractère, du cœur et de la conscience [164] ».

Plus explicite, au contraire, est Gustave Droz, auteur d'un best-seller des années 1866 : *Monsieur, Madame et Bébé*. Il s'adresse aux deux parents ensemble et encourage les hommes à avoir des rapports plus étroits avec leur enfant. Il insiste sur l'importance de l'affection et des contacts paternels et regrette qu'il y ait des pères qui ne sachent point être papas, qui ne sachent point se rouler sur le tapis, jouer le cheval,

---

163. « Leur devoir c'est de travailler par eux-mêmes à l'éducation de leurs enfants, surtout à l'éducation première et de ne pas les éloigner trop tôt de la maison paternelle » (*De l'éducation*, II, p. 166).

164. *Ibid.*, p. 172.

faire le gros loup, déshabiller leur bambin. « Ce ne sont pas seulement d'agréables enfantillages qu'ils négligent là, ce sont de vrais plaisirs, de délicieuses jouissances [165]... »

L'ambition de Droz n'est pas tant d'imposer au père des tâches éducatives que de faire naître chez lui un amour, moins instinctif que l'amour maternel. Pour remédier à une sorte de froideur naturelle, il suggère de façon très moderne le recours aux contacts charnels et aux activités ludiques. Ainsi, pense-t-il avec justesse, les habitudes communes de l'homme et de l'enfant renforceront un lien naturellement incertain. Le nombre important de rééditions et le tirage de ce livre montrent que beaucoup de parents furent sensibles à cette approche nouvelle de la paternité [166].

Cependant, si l'on constate un rapprochement affectif entre le père et l'enfant, cela ne signifie nullement qu'il fut universellement acquis et encore moins ressenti comme « obligatoire ». Cela ne signifie pas non plus que le père se vit vraiment contraint de partager les tâches éducatives avec la mère. On félicita les hommes de bonne volonté, sans faire peser sur les autres le même opprobre que sur les mauvaises mères. Car il reste toujours, dans l'inconscient collectif, l'idée que l'élevage est avant tout l'affaire des femmes, que le père est plutôt son collaborateur que son associé à part égale et enfin que sa participation est moins nécessaire, ou, si l'on veut, plus accessoire.

Rien n'est plus éloquent à cet égard que le « lapsus » de L.A. Martin, auteur de *L'Education des mères de famille ou la civilisation du genre humain par les femmes* qui connut dix rééditions de 1834 à 1883. Celui-ci rajouta, dans la seconde édition, en

---

165. Droz, p. 33.
166. Legouvé confirme un changement d'attitude chez de nombreux pères, et constate : « on vit plus avec eux, on vit plus pour eux : soit redoublement de prévoyance et de tendresse, soit faiblesse et relâchement d'autorité » (in *Les Pères et les Enfants du XIXᵉ siècle*, p. 1-2).

1840, un chapitre entier sur le rôle du père. Dans la préface, Martin écrit : « ce chapitre répare un *oubli* : il indique le rôle du père dans l'éducation des enfants donnée par la mère [167] ». Oubli ô combien significatif de la pensée inconsciente de son auteur, c'est-à-dire de l'insignifiance de la fonction paternelle. Si l'on examine ce chapitre rajouté, on remarque qu'il commence par un constat négatif : « On nous a demandé pourquoi nous n'appelions pas le père à l'éducation de l'enfant. Notre réponse est simple : c'est que dans l'état des mœurs, et, sauf quelques rares exceptions, le concours du père est à peu près impossible... certes, l'influence du père est une bonne chose quand elle est bonne ; mais qu'ils sont rares les cas où elle peut s'exercer dans toute sa plénitude ! le temps et la volonté sont les deux éléments qui lui manquent [168]. »

Heureux que les pères aient été progressivement dépouillés du despotisme et de la sévérité d'antan, L.A. Martin reconnaît qu'ils sont plus proches de leurs enfants. Mais quand il trace le portrait du bon père, on est frappé de la légèreté de ses obligations : « la part du père dans l'éducation de ses enfants ne saurait être ni une leçon, ni un travail. Qu'il révèle son état par son caractère, qu'il mette sa volonté à remplir ses devoirs d'homme et de citoyen, que ses actions soient toujours en accord avec ses paroles, que ses paroles expriment toujours de généreuses pensées et il aura fait pour ses enfants plus que ne pourraient faire les pédants de toutes les universités du globe [169] ». Qu'il montre donc le bon exemple, et il aura rempli son devoir. Incarnant la sphère extérieure et publique, il suffira qu'il raconte régulièrement ce qu'il a vu et entendu et qu'il le commente en famille pour faire de son fils « un honnête homme et un patriote : *voilà*

167. Avis à la seconde édition.
168. P. 93.
169. P. 99.

une éducation facile qui ne change rien aux habitudes de la vie, *qui n'exige aucun sacrifice*, qui ne demande aucun soin [170]... ». A sa fille, le père apprendra à connaître les prérogatives du sexe masculin, et la dépendance du sexe féminin ! Rien là de bien prenant, il suffit qu'il se montre et qu'il parle pour avoir rempli l'essentiel de son contrat...

Soixante-dix ans plus tard, Ida Sée n'en demandera pas plus, sinon moins. A ses yeux, le père n'a que deux devoirs : « Maintenir intacte sa santé physique pour transmettre à ses fils (*quid* des filles ?) ce bien inappréciable [171] ». Plus tard, participer avec la mère à l'éducation sociale de l'enfant. Entre les deux, il n'est plus jamais question du père, car « il est évident que dans les premières années de sa vie, le père est plus lointain pour l'enfant, plus étranger [172]... ». Quand il paraît enfin, en digne statue du commandeur, sa seule présence et « son exemple sont jugés décisifs dans la conduite du jeune homme [173] ». Objectivement, la fonction paternelle est réduite à bien peu de chose comparée à celle de la mère. Nul ne songe vraiment à s'en plaindre. Ni les hommes, qui ont pourtant montré jadis leurs capacités d'éducateurs. Ni les femmes qui semblent considérer comme normal, sinon flatteur ce surcroît de responsabilités. Prenant en main, avec la bénédiction des hommes, cette charge, mais aussi ce pouvoir au sein de la famille, elles ont donc participé au retrait du père et à la diminution de ses fonctions et de son prestige. Mais elles ne sont pas les seules responsables de cet état de choses. L'Etat, qui s'était jadis délibérément rangé du côté du père et avait renforcé ses droits pour être mieux obéi, adopte au XIX° siècle une autre attitude et même une politique inverse.

---

170. *Ibid.*, p. 100 (souligné par nous).
171. Ida Sée, *op. cit.*, p. 101.
172. *Ibid.*, p. 41.
173. *Ibid.*, p. 97.

L'Etat se substitue au père

En deux siècles, l'image du père a considérablement changé. Au XVIIᵉ siècle, il était considéré comme « le lieutenant de Dieu » et le succédané du Roi dans sa famille. De ces deux autorités absolues, il possédait à son échelle et formellement les vertus et les pouvoirs. Il était, en droit, aux yeux des siens, « omniscient, tout-puissant et toute bonté ». Le XVIIIᵉ siècle avait montré l'inanité de ces attributs royaux. Mais il fallut attendre le XIXᵉ siècle pour s'apercevoir que le père de famille pouvait être ignorant, faillible et méchant. Après la marâtre naturelle, on découvrait officiellement l'existence du « parâtre », chef de famille qui n'observe ni ne transmet les normes de la société.

Contrairement à la mauvaise mère qui n'appartient à aucun milieu en particulier, le mauvais père est généralement l'homme pauvre et démuni, l'ouvrier ou le petit artisan parqué, déjà à la fin du XIXᵉ siècle, dans des appartements trop étroits, l'ivrogne qui se saoule au cabaret et ne rentre chez lui que pour dormir et défouler un trop-plein de violence sur sa femme et ses enfants. C'est aussi l'homme dénué d'éducation qui ne sait, par son exemple, inculquer les valeurs morales et sociales à sa progéniture, le père du futur vagabond et délinquant.

Au XIXᵉ siècle, l'Etat, qui s'intéresse de plus en plus à l'enfant, victime, délinquant ou simplement démuni, prend l'habitude de surveiller le père. A chaque carence paternelle dûment constatée, l'Etat se propose de remplacer le défaillant en créant de nouvelles institutions. De nouveaux personnages apparaissent dans l'univers enfantin, qui, à un degré ou un autre, ont tous pour fonction de remplir le rôle laissé vacant par le père naturel. Tels sont l'instituteur, le juge pour enfants, l'assistante sociale, l'éducateur, et plus tard le psychiatre, détenteurs chacun d'une partie des anciens attributs paternels.

Nul doute que l'Etat, qui ôta successivement au

père tout ou partie de ses prérogatives, n'ait voulu améliorer le sort de l'enfant. Nul doute non plus que les mesures prises marquèrent un progrès dans notre histoire. Ce sont d'ailleurs les gouvernements libéraux qui rognèrent les droits du père avec le plus d'énergie, contre l'opposition réactionnaire. Il est vrai cependant que la politique de prise en charge et de protection de l'enfance se traduisit non seulement par une surveillance de plus en plus étroite de la famille, mais aussi par la substitution d'un « patriarcat d'Etat [174] » au patriarcat familial.

L'école laïque et obligatoire, conçue par la Troisième République, est l'une des institutions qui limitèrent considérablement le prestige paternel. Alors que les écoles privées, laïques ou religieuses d'antan avaient pour fonction de compléter l'éducation familiale par une instruction respectueuse de l'idéologie paternelle, l'école publique de J. Simon et J. Ferry poursuit un autre but. D'une part, elle est un moyen de formation de l'enfant qui laisse loin derrière lui tous les autres [175]. D'autre part, l'école d'Etat cherche à uniformiser les conditions mentales, sinon sociales, en dispensant le même enseignement pour tous. L'enfant, qui passe maintenant l'essentiel de son temps à l'école, est davantage élevé par l'instituteur que par son père. Ce sont les valeurs de celui-là et non celles de celui-ci qu'il fera pénétrer à la maison. La morale sociale et ses normes, qui devaient parvenir à l'enfant par l'intermédiaire de son père, seront en réalité véhiculées par son maître. J. Donzelot a raison quand il dit que du côté « des populations aux amarres trop flottantes, la mission sociale de l'instituteur sera de jouer l'enfant contre l'autorité paternelle, non pour l'arracher à sa famille et désorganiser un peu plus celle-ci, mais pour faire pénétrer par lui la civilisation au foyer [176] ».

---

174. J. Donzelot, *op. cit.*, p. 97.
175. Transmission familiale de la culture ou du savoir-faire.
176. *Op. cit.*, p. 76.

C'est l'enfant, à présent, qui transmet savoir et devoir au foyer. Et c'est par lui que l'Etat entend contrôler la famille. Les parents aussi démunis économiquement que culturellement se rangeront plus ou moins vite aux valeurs de l'instituteur, porte-voix de la Troisième République, dont l'enfant se fait l'écho en rentrant le soir à la maison. Ainsi est complètement renversée la situation de jadis. L'enfant véhicule les valeurs du monde extérieur et les transmet à ses parents. Bien sûr, ce processus n'est pas applicable aux classes aisées qui continuent de transmettre leurs propres valeurs et d'envoyer leurs enfants dans les cours privés. C'est là aussi que les mères jouent le mieux leur rôle d'éducatrice et de répétitrice. Mais, dans un cas comme dans l'autre, le prestige paternel a pris du recul. Le savoir de l'enfant lui échappe puisque la mère ou l'instituteur, ou les deux ensemble, ont le monopole de l'éducation et de l'instruction. Que le père soit à l'usine ou à ses affaires, il n'a plus le temps d'enseigner quoi que ce soit. Seul le paysan aura encore la possibilité de transmettre un savoir et une expérience à son enfant. Ce n'est pas par hasard si son autorité persiste presque intacte pendant fort longtemps.

L'école pour tous au XIXᵉ siècle mit fin au mythe de l'omniscience paternelle, en faisant apparaître l'incapacité de certains pères à suivre les études de leurs enfants, ou même à leur expliquer un devoir à la maison. Le père dut se résoudre à confesser « qu'il ne savait pas ». Au XIXᵉ siècle on découvrit aussi l'irrecevabilité de l'ancien postulat de la bonté naturelle du père. L'homme qui battait inconsidérément son enfant ou celui qui le faisait enfermer sans raison, n'était pourtant pas une nouveauté [177]. Mais il n'était venu à l'esprit de personne, et encore moins à celui du légis-

---

177. Cf. Première partie : le XVIIᵉ siècle avait limité quelque peu le droit d'enfermement.

lateur, que les actes du père pouvaient être condamnés. L'Etat entendait lui laisser le pouvoir de juger et de punir. Tout au plus l'aidait-il à remplir ses fonctions et se tenait-il prêt à le remplacer s'il n'accomplissait pas son devoir. Discuter son autorité eût été l'affaiblir et aurait semé le germe du désordre dans la famille. Cela, le Pouvoir ne le voulait pas. Mieux valait donc quelques injustices.

L'idéologie égalitaire de la Révolution et une sensibilité nouvelle au sort de l'enfant furent les causes d'un plus grand contrôle de l'autorité paternelle. Déjà, l'abaissement de la majorité civile à vingt et un ans avait limité de façon appréciable cette autorité. En deçà, l'accord du tribunal était exigé pour maintenir les enfants en détention. Pourtant, entre 1830 et 1855, le nombre des envois en correction se multiplia par cinq et l'on constata que cette pratique était principalement le fait des parents nécessiteux[178]. Magistrats et sociétés philanthropiques s'inquiétèrent de cet état de choses et s'unirent pour limiter cette libre disposition du droit de correction par les parents. Les juges vont désormais faire contrôler systématiquement les sujets de mécontentements paternels. C'est le début de « l'enquête sociale », faite par la police et des « infirmières visiteuses[179] ».

Le père devient objet d'investigation et de surveillance, puisqu'on ira interroger ses voisins et son employeur pour s'enquérir de ses habitudes et de sa

---

178. *Rapport* à S.M. l'Empereur par S.E. le ministre de l'Intérieur, 1852, cité par P. Meyer, *L'Enfant et la Raison d'Etat*, p. 57 : « On a pu reconnaître, chez certains parents nécessiteux et dépravés, une funeste tendance à laisser ou même à placer leurs enfants sous le coup de ces jugements... Ils se débarrassent sur l'Etat du soin de leur éducation, sauf à les reprendre au bout de quelques années, afin de profiter de leur travail, et quelquefois dans les plus honteux desseins. »

P. Meyer note que 85 % des enfants auxquels est appliquée cette procédure de correction paternelle sont des enfants d'ouvriers et de journaliers, contre 2 % d'enfants dont les parents exercent une profession libérale.

179. Les ancêtres des « assistantes sociales ».

« bonne moralité ». Ce qui fait dire à P. Meyer qu'en réalité « le redressement visé n'est pas seulement, loin de là, celui de l'enfant, mais celui de la famille [180]... ». La culpabilité avait changé de camp : l'enfant malheureux ou délinquant apparaissait de plus en plus comme la victime d'un père indigne. Ce sentiment fut renforcé sous la pression des nombreuses Sociétés privées de protection de l'enfance [181] inquiètes du sort des mineurs maltraités ou moralement abandonnés et de leur impuissance à leur venir vraiment en aide.

Pour satisfaire ces sociétés philanthropiques, et la nouvelle Assistance publique créée en 1881, les lois de 1889 et 1898 organisèrent un transfert progressif de la souveraineté paternelle, « moralement insuffisante », vers le corps des philanthropes privés, de l'Assistance publique, des juges et des médecins spécialistes de l'enfance. La loi de 1889 réglait la déchéance de la puissance paternelle et ses conséquences immédiates. Elle pourrait être prononcée contre les parents indignes, qui, « par leur ivrognerie habituelle, leur inconduite notoire et scandaleuse et leurs mauvais traitements, compromettaient la santé ou la moralité de leurs enfants [182] ».

L'enquête sociale se généralisa en 1912, en même temps que la justice pour enfants. Tout un réseau d'investigations se mit en place pour surveiller les familles « irrégulières » et renseigner la justice à laquelle était dévolu le droit de correction.

C'est peut-être justement dans l'enceinte du tribunal pour enfants que la déchéance paternelle est la plus criante. Ecoutons J. Donzelot qui l'a décrite dans une page émouvante : « quand il est là (au tribunal), neuf fois sur dix, c'est pour se taire et laisser la parole à

180. *Op. cit.*, p. 61.

181. Celles-ci s'étaient multipliées avec la loi de 1851 qui invitait l'initiative à prendre en charge des enfants délinquants dans des établissements destinés à les moraliser ; cf. Donzelot, p. 80-81.

182. *Journal officiel*, exposé des motifs, loi de 1889.

son épouse. On sent que, s'il est présent, c'est sur l'insistance de celle-ci, ou par une habitude acquise de se plier aux convocations, mais à coup sûr pas dans l'espoir de jouer un rôle. Parce que, de rôle pour lui, il n'en est guère de possible. Sa fonction symbolique d'autorité, c'est le juge qui l'a accaparée ; sa fonction pratique, l'éducateur l'en a délesté. Reste la mère dont le rôle n'est pas étouffé, mais au contraire préservé, sollicité. A condition qu'il se situe quelque part entre la supplique et la dignité déférente. C'est celui de " l'avocat naturel " auprès de la puissance tutélaire incarnée par les juges [183] ».

Bien sûr, ce père absent, silencieux, dépouillé de toutes ses anciennes prérogatives est une image caricaturale de la déchéance paternelle. Mais cette situation extrême est l'expression la plus brutale du renversement du statut paternel. Comme il nous semble loin le tout-puissant lieutenant de Dieu de jadis ! On objectera peut-être que l'ensemble des dispositions visant à limiter la puissance paternelle ne concernent que les familles pauvres qui menacent ou transgressent l'ordre social ; que les pères de familles aisées, moralement et socialement « respectables », n'ont guère à craindre de voir leur autorité limitée par de telles mesures. Il reste que ceux-là aussi, même si le cas est moins fréquent, peuvent se retrouver dans cette position humiliante. Les lois de 1889, 1898 ou 1912, valables pour tous, constituent, par leur seule existence, une surveillance et une mise en coupe de l'autorité paternelle. Elles signifient que tout père peut, un jour ou l'autre, avoir des comptes à rendre à la société et devoir justifier de l'utilisation de son pouvoir. Son autorité n'est donc plus absolue parce que reçue directement de Dieu et confortée par le Roi, elle est à présent distribuée par l'Etat et surveillée par ses agents.

Entre la mère et l'Etat qui ont usurpé, chacun à

183. *Op. cit.*, p. 97-98.

leur façon, l'essentiel de ses fonctions paternelles, on peut se demander : quel rôle reste-t-il au père ? Il semble que sa qualité, son prestige et sa bonté se mesurent davantage à sa capacité d'entretenir sa famille qu'à toute autre prestation. Cette image du bon père nourrisseur, détenteur du confort familial, a survécu jusqu'à nos jours. Plus il se tue à la tâche, en ayant soin de ramener ponctuellement toute sa paye à la maison, et plus sa valeur est reconnue. Les enfants et la maison ne sont pour lui qu'une préoccupation indirecte. Du moment qu'il donne de quoi faire marcher cette petite usine, il peut tranquillement chausser ses pantoufles, en attendant qu'on lui serve la soupe. Ce père-là a, pendant des décennies, vécu satisfait, sûr d'avoir rempli son contrat... Et comment ne l'eût-il pas été puisqu'on ne lui demandait rien d'autre que d'être un bon travailleur qui rentre sagement tous les soirs chez lui ? Tout au plus lui savait-on gré d'élever la voix, le soir, contre le petit récalcitrant, ou de féliciter l'écolier studieux.

Il faut admettre en toute justice que l'homme a été dépouillé de sa paternité. En ne lui reconnaissant (et à lui seul) qu'une fonction économique, on l'a progressivement éloigné, au propre et au figuré, de son enfant. Physiquement absent toute la journée, fatigué le soir, le père n'avait plus grande chance d'avoir des rapports avec lui. Tout semble montrer pourtant, dans notre société régie par des hommes, que cette privation n'alla pas sans complaisance chez eux qui en étaient victimes. Quel père aurait voulu changer sa condition avec celle de sa femme ? Mais aussi quel homme aurait osé remettre en cause la division familiale du travail et la distinction acquise des rôles paternel et maternel ? Peut-être que durant les dizaines de générations qui se sont succédé, certains pères, secrètement, en ont souffert...

Paradoxalement, il faudra attendre la libération économique des femmes, et leur accession aux carrières jadis réservées aux hommes pour que, l'égalité se faisant, des hommes songent enfin, sur la suggestion insistante des femmes, à remettre en question le rôle paternel. Exigeront-ils, pour eux aussi, une libération de l'emprise économique et le droit d'être enfin des pères présents ?

CHAPITRE II

LE DISCOURS MÉDICAL
HÉRITÉ DE FREUD

Le discours psychanalytique a largement contribué à faire de la mère le personnage central de la famille.

Après avoir découvert l'existence de l'inconscient et montré qu'il se constituait au cours de l'enfance, et même de la prime enfance, les psychanalystes prirent l'habitude d'interroger la mère, voire de la mettre en question, au moindre trouble psychique de l'enfant. Bien que la psychanalyse n'ait jamais affirmé que la mère était l'unique responsable de l'inconscient de son enfant, il n'en est pas moins vrai qu'elle est vite apparue — et l'on verra pourquoi — comme la cause immédiate, sinon première, de l'équilibre psychique de celui-ci. Qu'on le veuille ou non, la psychanalyse a longtemps donné à penser qu'un enfant affectivement malheureux est fils ou fille d'une mauvaise mère, même si le terme « mauvais » n'a ici aucune connotation morale.

En effet, pour qu'une femme puisse être « la bonne mère » souhaitée par la psychanalyse, il est préférable qu'elle ait connu dans son enfance une évolution sexuelle et psychologique satisfaisante auprès d'une mère elle-même relativement équilibrée. Mais si une femme a été élevée par une mère perturbée, il y a de fortes chances pour qu'elle assume difficilement sa

féminité et sa maternité. Mère à son tour, elle repro-
duira, dit-on, les attitudes inadéquates qui furent
celles de sa propre mère.

La mauvaise mère n'est donc plus personnellement
responsable, au sens moral du terme, car une sorte de
malédiction psychopathologique peut peser sur elle.
Elle est plutôt une mère « impropre » à assumer son
rôle, une sorte de « malade » héréditaire, même si les
gènes n'ont rien à voir dans cette affaire. Cela est si
vrai que bon nombre de psychanalystes suggèrent
aujourd'hui aux mères dont les enfants ont des problèmes de suivre elles-mêmes une cure analytique.
L'idée essentielle étant qu'il ne suffit pas de soigner
l'enfant si on ne s'attaque pas, en même temps, à la
racine du mal, c'est-à-dire au mal-être de la mère.

La psychanalyse a donc non seulement accru
l'importance accordée à la mère, mais elle a « médica-
lisé » le problème de la mauvaise mère, sans réussir à
annuler les propos moralisateurs du siècle précédent.
Aujourd'hui encore, les deux discours se superposent
si bien que la mauvaise mère est confusément perçue
comme une femme à la fois méchante et malade :
l'angoisse et la culpabilité maternelles n'ont jamais été
plus grandes qu'en notre siècle qui se voulait pourtant
libérateur. Certes, la psychanalyse n'est pas coupable
d'un tel amalgame, mais le moins que l'on puisse dire
est qu'elle n'a pas su convaincre de l'indépendance du
mal psychique par rapport au mal moral.

Nous ne chercherons pas ici à faire un inventaire
exhaustif des théories psychanalytiques sur la question
maternelle, ni à relever l'ensemble des polémiques qui
ont surgi ces dernières décennies. Nous chercherons
d'abord à cerner l'origine d'une pensée nouvelle qui
s'est rapidement propagée (avec ou sans trahison),
grâce à la vulgarisation des mass media, au point
d'avoir laissé une réelle et lourde empreinte sur
l'inconscient féminin.

Que les lecteurs avertis nous pardonnent de revenir

encore une fois aux « textes sacrés », et bien connus, de Freud sur la féminité, qu'ils fassent preuve d'indulgence quand nous citerons ceux de ses disciples qui sont aujourd'hui passés de mode. Ils n'en ont pas moins eu une grande influence sur le public quant à l'image de la femme et de la mère dites « normales ». Sans ce retour en arrière, il est impossible de comprendre la problématique actuelle de l'amour maternel. Impossible aussi de mesurer à quelles impasses et à quels conflits les femmes ont été acculées, particulièrement depuis la dernière guerre.

Cent cinquante ans après l'*Emile*, le docteur Freud s'interroge à son tour sur la nature du « sexe » féminin, mais cette fois au propre comme au figuré. Tel son prédécesseur, qui prétendait parler en observateur dénué de préjugés, Freud pense d'écrire l'évolution sexuelle et psychologique de la femme à partir de sa seule expérience de praticien. Sans doute confia-t-il ses incertitudes sur ce « continent noir », l'énigme que représente pour tout homme le problème de la féminité. Cela ne l'empêcha pas de proposer une théorie qui engendra, dans l'esprit de ses nombreux lecteurs, une image déterminée de la femme « normale », et, par contrecoup, une représentation de la déviante, de l'anormale, pour ne pas dire de la malade. Par la suite, ses disciples n'eurent pas grand mal à tracer le portrait de la mère « normale », logiquement déduit de la femme décrite par Freud. Inutile de préciser que ce sont ces femmes et ces mères répondant à la norme définie par la psychanalyse qui devaient avoir le plus de chances de rendre heureux maris et enfants, et de connaître elles-mêmes une vie épanouie.

Avant d'évoquer les caractères de la « bonne mère », il est nécessaire d'en chercher les conditions, et d'observer l'évolution qui transforme l'enfant-fille en une femme équilibrée. Nous relirons donc les pages écrites par Freud, puisqu'elles sont la source et l'origine de tous les discours ultérieurs.

De la petite fille à la femme normale

Selon Freud, le processus qui change l'enfant en femme comprend deux grandes périodes, elles-mêmes ponctuées de plusieurs phases importantes. La première de ces périodes est caractérisée par la bisexualité que la petite fille partage avec le petit garçon, la seconde concerne l'évolution propre à son sexe.

La bisexualité originaire

La bisexualité originaire est un thème que Freud développa à plusieurs reprises. Partant des constatations de la science anatomique qui montre que certaines parties de l'appareil sexuel mâle se trouvent aussi chez la femme, et inversement, Freud se rallia à l'idée d'une double sexualité (bisexualité) comme si « l'individu n'était pas franchement mâle ou femelle, mais les deux à la fois, l'un des caractères prévalant toujours sur l'autre[1] ». Il évoqua aussi l'existence d'une bisexualité psychique qui expliquait le fait que l'on trouvât une certaine composante féminine (la passivité) chez l'homme, et une composante masculine (l'activité) chez la femme. Cette bisexualité est encore plus frappante si l'on compare les premières années du garçon et de la fille. « Les individus des deux sexes semblent traverser de la même manière les premiers stades de la libido[2]. » Freud laisse entendre que cette « même manière » est essentiellement masculine quand il affirme qu'au stade sadique-anal, la petite fille ne témoigne pas moins d'agressivité que le petit garçon : « Nous devons admettre que la petite fille est alors un petit homme[3]. »

Au lieu d'évoquer, comme Freud, la bisexualité originaire, il vaudrait peut-être mieux parler d'une « monosexualité » propre aux deux sexes, de caractère

1. *Nouvelles conférences sur la psychanalyse*, coll. Idées, p. 149.
2. *Ibid.*, p. 154-155.
3. *Ibid.*, p. 155.

essentiellement masculin. C'est en tout cas ce que les propos de Freud laissent entendre quand il évoque la similitude des comportements sexuels féminin et masculin au début de la phase phallique : le petit garçon apprend à se procurer du plaisir grâce à son pénis et la petite fille se sert de son clitoris dans le même but. Aux yeux de Freud (peut-être plus qu'à ceux de la petite fille) le clitoris est « l'équivalent du pénis », et ni elle, ni le garçonnet n'auraient encore découvert le vagin, « essentiellement féminin [4] ».

Même si on peut parler de bisexualité chez le petit garçon qui envie la féminité de sa mère et adopte certaines attitudes passives qualifiées de féminines, il reste que, selon Freud, la bisexualité est beaucoup plus accentuée chez la fillette que chez le garçon. Car l'homme n'a qu'une zone génitale dominante, alors que la femme en possède deux : le clitoris, analogue au membre viril et le vagin, proprement féminin. Aux yeux de Freud et de nombreux psychanalystes, ce double sexe féminin, signe de la bisexualité, constitue une difficulté supplémentaire pour le bon développement de la femme. Cette bisexualité originaire doit être dépassée et même surmontée. A un certain moment, chacun des deux sexes doit suivre sa voie propre pour réaliser sa différence spécifique. C'est alors que surgissent les difficultés de l'évolution féminine. Pour mieux les mesurer, arrêtons-nous un instant sur l'évolution masculine qui ne nécessite, dit Freud, aucun des grands efforts exigés de la petite fille pour qu'elle devienne une femme normale. En résumant succinctement, on dira que le petit garçon connaît d'abord un grand amour pour sa mère, qui donne la nourriture et prodigue soins et caresses. Elle restera objet d'amour jusqu'à ce qu'il lui en substitue un autre qui lui res-

4. Nous laisserons de côté la célèbre objection que K. Horney adressa à Freud en affirmant que la petite fille connaissait des sensations vaginales précoces. Car ce sont les propos de Freud qui furent retenus par la postérité.

semble : une autre femme. Cet amour passionnel pour la mère va bientôt s'accompagner d'un sentiment de jalousie et de rivalité à l'égard du père. C'est la relation triangulaire, qui est source du complexe d'Œdipe.

La découverte de l'organe féminin fait éprouver alors au garçon la peur de la castration. Constatant que le membre viril, si précieux à ses yeux, ne fait pas nécessairement partie du corps, et se souvenant des menaces qu'on lui fit quand on le surprit en « flagrant délit » de masturbation, il commence à redouter l'exécution de ces menaces. L'angoisse de la castration provoque la disparition du complexe d'Œdipe et mène à la création du sur-moi. Ne pouvant éliminer son père pour épouser sa mère, le petit garçon s'identifie à celui qui représente la loi et le monde extérieur. C'est cette intériorisation de l'instance paternelle qui constitue le sur-moi et achève une des phases essentielles à la formation de l'adulte masculin.

L'évolution féminine est infiniment plus compliquée. Car la petite fille, affirment Freud et ses disciples, devra non seulement apprendre à changer d'organe de satisfaction (du clitoris au vagin) mais aussi d'objet d'amour en reportant sur son père la passion qu'elle a éprouvée d'abord pour sa mère. Sans quoi elle risque de n'être jamais une femme vraiment féminine et de voir son destin d'épouse et de mère menacé.

Vers la féminité

Voyons comment le processus de « féminisation » est semé d'embûches. La petite fille connaît d'abord une phase pré-œdipienne bien plus importante que le petit garçon. Si elle éprouve comme lui des sentiments libidinaux pour sa mère qui prennent les caractères de chacune des phases qu'elle traverse (orale, sadique-anale et phallique), ceux-ci sont plus ambivalents aussi. Ils sont à la fois tendres pour la mère qui satisfait les besoins et agressifs parce qu'elle ne donne jamais assez. Pendant cette phase pré-œdipienne, le père n'est pas grand-chose d'autre pour elle qu'un rival gênant, même si l'hostilité à son égard est moindre que celle des garçons.

Jusque-là, les différences entre évolution masculine et féminine semblent imperceptibles. Mais les psychanalystes affirment que cette phase est bien plus lourde de conséquences pour la petite fille. D'abord, cette période d'identification à la mère constitue la préhistoire nécessaire de toute femme. La manière dont elle la vit commande son destin futur car l'expérience psychanalytique montre, paraît-il, que l'instauration de la féminité demeure à la merci des troubles provoqués par les manifestations de la « virilité première ». Freud affirme que la régression aux fixations de cette phase pré-œdipienne est beaucoup plus fréquente qu'on ne le croit, et qu'il a souvent rencontré parmi les traumatismes et fantasmes de l'enfance d'une femme celui de la séduction par la mère. De son côté, Marie Bonaparte signale que le plus grand frein à l'évolution féminine n'est pas, comme on le croit souvent, une fixation trop tenace au père, « mais une fixation trop forte à la mère clitoridiennement convoitée dans l'enfance ». Cependant, poursuit-elle, la petite fille ne peut pas faire l'économie de cet attachement pré-œdipien à la mère, car « semble pathogène pour la fonction érotique féminine le manque d'identification à la mère... et l'absence d'instinct maternel proprement dit qui en découle [5]... ».

Lorsque la petite fille découvre la « castration », à la vue des organes génitaux de l'autre sexe, « elle s'aperçoit immédiatement de la *différence* et en comprend, il faut l'avouer, toute l'importance [6] ». Ailleurs, Freud écrit qu'elle fait « l'expérience de sa propre

5. Marie Bonaparte, *Sexualité de la femme*, 1977, éd. 10/18, p. 82.
6. Freud, *Nouvelles conférences*, p. 164 (souligné par nous).

déficience[7] ». On ne peut mieux dire que la différence est vécue comme un signe d'infériorité ! Cela ne va pas sans révolte : « très sensible au préjudice qui lui a été fait, elle voudrait bien, elle aussi, " avoir un machin comme cela " ; l'envie du pénis s'empare d'elle[8] ». Lorsqu'elle a l'idée de la « généralité de ce caractère négatif[9] », elle est conduite à dévaloriser les femmes et sa mère. Même quand elle perd toute espérance d'avoir un pénis, ce désir, dit Freud, reste longtemps vivace dans son inconscient. Il est l'un des mobiles capables d'inciter la femme adulte à se faire analyser.

« La découverte de la castration marque, dans l'évolution de la petite fille, un tournant décisif[10]. » Trois attitudes s'offrent à elle. La première aboutit à l'inhibition sexuelle ou à la névrose. M. Bonaparte parle des « renonciatrices ». La seconde à une insistance insolente de la petite fille sur sa masculinité : elle refuse d'abandonner le plaisir clitoridien. Freud évoque à son propos le « complexe de virilité » et M. Bonaparte l'appelle la « revendicatrice ». Seule la troisième attitude conduit à la « féminité normale[11] », qui consiste, pour la petite fille, à abandonner le désir de pénis pour celui de l'enfant. M. Bonaparte pense que celle-là, « l'acceptatrice », est la vraie femme par excellence. Poursuivons donc l'analyse de cette dernière.

Après la découverte de la castration, la fillette normale connaîtra un triple changement psychologique et sexuel : hostilité à l'égard de la mère, abandon du clitoris comme objet de satisfaction et une « poussée de passivité » qui va de concert avec un attachement plus grand pour le père. L'amour de la petite fille s'adres-

---

7. Freud, *Sur la sexualité féminine*, P.U.F. p. 146.
8. *Nouvelles conférences*, p. 164.
9. *Sur la sexualité féminine*, p. 146.
10. *N.C.*, p. 166.
11. *Ibid.*

sait à une mère phallique et non à une mère châtrée. En découvrant la castration, il lui devient possible de se détourner de sa mère et de laisser ses sentiments hostiles [12] depuis longtemps accumulés prendre le dessus. Cela est souhaitable, car l'éloignement de la mère est considéré par Freud comme un pas très significatif dans le développement de la fillette.

En même temps, on observe chez elle un fort abaissement des motions sexuelles actives et une augmentation des motions sexuelles passives. La masturbation clitoridienne cesse, car les tendances actives ont été atteintes par la frustration, en se montrant irréalisables. La passivité, dit Freud, prend alors le dessus. Comme si le modèle culturel n'avait aucune influence spécifique sur le comportement de la petite fille.

En devenant passive, elle est enfin prête à changer d'objet d'amour. Son penchant pour le père devient prédominant. Freud explique ce nouveau désir par celui, plus ancien, de posséder un phallus. Puisque sa mère le lui a refusé, elle espère l'obtenir de son père. Mais ce processus n'est vraiment achevé que lorsque le désir de pénis est remplacé par le désir d'avoir un enfant. Cette équivalence notée par Freud entre l'enfant et le pénis annonce déjà une définition de la femme normale en termes de mère possible.

Si l'on s'en tient à l'analyse freudienne, on peut effectivement constater que la situation œdipienne féminine est l'aboutissement d'une évolution beaucoup plus longue et pénible que celle du petit garçon. En outre, elle s'y installe comme on se réfugie dans un port. N'ayant pas le même motif (peur de la castration) que le garçon de surmonter l'œdipe, elle conserve plus

---

12. Freud aurait trouvé les motifs de cette hostilité grâce à sa pratique analytique. Les femmes analysées lui ont fourni une longue liste de récriminations contre leur mère : reproche d'avoir donné trop peu de lait, naissance d'un autre enfant, interdiction de la masturbation, et surtout le grief de ne pas avoir donné de pénis. La petite fille tiendrait la mère pour responsable de l'avoir fait naître femme !

longtemps ce complexe et n'en vient à bout que tardivement et de façon incomplète. En conséquence, la formation de son Sur-moi est compromise, car elle ne peut parvenir à la « puissance » et à « l'indépendance » nécessaires à cette formation. En 1931, Freud tirera cette conclusion tragique pour la condition féminine : « la femme, il faut bien l'avouer, ne possède pas à un haut degré le sens de la justice, ce qui doit tenir, sans doute, à la prédominance de l'envie du pénis dans son psychisme... Nous disons aussi que les femmes ont moins d'intérêts sociaux que les hommes, et que chez elles la faculté de sublimer les instincts reste faible... Je ne puis passer sous silence une impression toujours à nouveau ressentie au cours des analyses. Un homme âgé de trente ans est un être jeune, inachevé, susceptible d'évoluer encore... Une femme du même âge, par contre, nous effraie par ce que nous trouvons de fixe, d'immuable... Là, aucun espoir de voir se réaliser une évolution quelconque ; tout se passe comme si... la pénible évolution vers la féminité avait épuisé les possibilités de l'individu [13] ».

On ne peut mieux dire la malédiction, propre au sexe féminin : s'épuiser à réaliser sa féminité... de telle sorte qu'il ne lui reste aucune énergie pour toute autre création.

La triade féminine

Freud s'attacha particulièrement à analyser l'évolution qui transforme la petite fille en femme. Mais sa fidèle disciple Hélène Deutsch poursuivit le travail commencé et mena l'enquête jusqu'à son terme. Elle consacra deux gros tomes à la psychologie de la femme et de la mère en reprenant à son compte les concepts et postulats du maître. C'est donc à elle que

13. *N.C.*, p. 176-177.

nous allons maintenant demander ce qu'il faut entendre par « femme normale » ou « femme féminine ».
H. Deutsch la définit essentiellement par trois termes :
passivité, masochisme et narcissisme.

Passivité

Même si Hélène Deutsch mentionne d'une phrase
« l'influence inhibante de la mère [14] » comme une des
causes de la passivité de la petite fille, elle s'empresse
de la rapporter à la cause première, la passivité
constitutionnelle : « La différence de conformation des
organes génitaux... s'accompagne de différences pul-
sionnelles [15]. » Oubliant sa bisexualité première, la
petite fille s'avérerait « moins agressive, moins opiniâ-
tre, moins infatuée d'elle-même et aussi plus avide de
tendresse, plus docile, plus dépendante que le petit
garçon [16] ». H. Deutsch renchérit en affirmant que
« l'influence inhibante de la mère est due au fait
qu'elle *sent* que la fillette est plus faible, qu'elle a plus
besoin d'aide que le garçon et qu'elle ne peut se
lancer vers l'activité sans s'exposer à des dangers [17] ».

Pour mieux convaincre de la passivité propre à la
nature féminine, Freud puis H. Deutsch firent un certain nombre d'analogies. Ils comparèrent ce qui est
féminin à « l'ovule immobile et passif », par opposition au spermatozoïde « actif et mobile [18] » et observè-
rent que le « comportement sexuel des individus mâles
et femelles durant l'acte sexuel est calqué sur celui des
organismes sexuels élémentaires [19] ». Le mâle saisit la
femelle et la pénètre. Bien qu'il soit fait mention de
cas de femelles actives et agressives dans le règne ani-

14. *La Psychologie des femmes*, t. I, p. 213, P.U.F. « l'influence de la
mère est beaucoup plus inhibante ici qu'elle ne l'était chez le garçon ».
15. *N.C.*, p. 154.
16. *Ibid.*
17. *La Psychologie des femmes*, I, p. 213 (souligné par nous).
18. *N.C.*, p. 149, *La Psychologie des femmes*, p. 193.
19. *N.C.*, p. 150, *La Psychologie des femmes*, p. 194.

mal (araignée, grillon, certains papillons), H. Deutsch n'en conclut pas moins que « ce ne sont là que des exceptions à la règle générale [20] », et que la passivité reste la spécificité de la femelle comme celle de la femme. « J'ose dire que ces équations fondamentales ″ féminin-passif ″ et ″ masculin-actif ″ se retrouvent dans toutes les cultures et toutes les races, sous des formes diverses et à des degrés différents [21]. »

Pour comprendre cette passivité, il faut revenir au développement des « instincts sexuels » féminins. D'une part, l'excitabilité sexuelle de la fillette est « moins active et intense » que celle du petit garçon ; d'autre part, son organe sexuel (le clitoris) est « moins apte [22] » à atteindre les mêmes buts instinctifs. Cette insuffisance organique expliquerait en partie l'abandon de la masturbation, l'activité inhibée acceptant de se tourner vers la passivité. Pendant une longue période, l'organe actif, le clitoris, ne serait pas remplacé par l'organe passif-réceptif, le vagin. « Ainsi la fillette se trouve-t-elle pour la seconde fois devant une carence organique : une première fois, il lui manquait un organe actif, il lui manque maintenant un organe passif [23]. » L'éveil du vagin à sa pleine fonction sexuelle n'étant pas en son pouvoir (il dépend entièrement de l'activité de l'homme), « cette absence d'activité vaginale spontanée constitue le fondement physiologique de la passivité féminine [24] ».

Masochisme

Lié à la passivité, le masochisme est la seconde caractéristique essentielle de la femme. Si, au départ,

20. *La Psychologie des femmes*, I, p. 191.
21. *Ibid.*, p. 194. H. Deutsch évoque les études de M. Mead sur les Mundugumor où les femmes jouent un rôle actif et agressif. Mais elle affirme que ces attitudes ne sont pas « probantes ».
22. H. Deutsch, *op. cit.*, I, p. 197.
23. *Ibid.*, p. 198.
24. *Ibid.*, p. 201.

garçon et fille partagent une égale agressivité, ils ne pourront bientôt plus l'exprimer de la même manière. Alors que l'agressivité masculine peut facilement se diriger vers l'extérieur, on affirme que celle de la fille « doit se tourner vers l'intérieur [25] ». Et c'est cette agressivité refoulée, retournée contre son propre moi, qui constituerait le masochisme féminin, lequel, Dieu merci, se transformerait en un besoin d'être aimée.

Pour comprendre le processus de l'évolution masochiste, il faut revenir à la phase pubérale de la fillette. En se détachant de sa mère, elle assume une attitude érotique-passive envers son père [26]. Il apparaît, inconsciemment, comme le séducteur dont on attend qu'il prenne des initiatives. C'est alors, selon H. Deutsch, que les composantes agressives de la fille se transforment en composantes masochistes à l'égard du père, puis en attitude masochiste générale à l'égard de tous les hommes [27].

Narcissisme

Le narcissisme vient heureusement contrebalancer la tendance masochiste. Il se rattache à la phase infantile de formation du moi durant laquelle la libido prend le moi pour objet, c'est-à-dire lorsque l'enfant s'aime lui-même. Progressivement, cet amour de soi-même se transforme chez la fillette en désir d'être aimée. Pour

25. *Ibid.*, p. 207.
26. *Ibid.*, p. 218 : « le père représente le monde environnant qui exercera sans cesse ultérieurement cette influence inhibante sur l'activité de la femme et la rejettera vers son rôle passif constitutionnellement déterminé ».
27. Comme Freud, H. Deutsch fait appel à son expérience analytique pour confirmer ses propos. Elle affirme que l'analyse de la vie imaginative des fillettes à la puberté révèle le contenu masochiste de leurs désirs. Nombreuses seraient celles qui rêvent de viol, de persécuteurs armés d'un couteau, ou de voleurs qui dérobent un objet précieux. Leurs fantasmes érotiques conscients seraient également liés aux images du viol. En se masturbant les filles aimeraient à s'imaginer battues, humiliées, mais aussi aimées et désirées.

comprendre l'intensité particulière du narcissisme féminin, il faut se rappeler qu'il a une fonction double-
ment compensatoire. D'une part, il sert de compensation à l'humiliation de son infériorité génitale [28].
D'autre part, il limite sa tendance masochiste qui la
mène vers des buts dangereux pour son moi. Grâce au
narcissisme, le moi se défend et renforce sa sécurité en
intensifiant son amour de lui-même. Car une femme
normale ne peut pas faire l'économie de la tendance
masochiste. Celle-ci est nécessaire pour surmonter les
principales étapes de sa vie : l'acte sexuel, l'accouchement, la maternité, étapes de la reproduction étroitement liées à la souffrance.

Cette théorie du masochisme féminin sert de justification *a posteriori* à l'acceptation de toutes les douleurs et tous les sacrifices. Si la femme est naturellement faite pour souffrir, et que, de surcroît, elle aime
cela, il n'y a plus de raison de se gêner. Théorie, en
cela, bien plus redoutable que la théologie judéo-
chrétienne. Celle-ci dit que la femme doit souffrir
pour expier le péché originel. La malédiction avait une
raison morale, et la douleur physique était le prix
payé pour sa faute. A tout le moins on ne lui demandait pas d'aimer cela. Dans la théorie freudienne, la
malédiction est biologique : une insuffisance d'organe,
un manque de pénis est cause de son malheur. Mais
Freud ou H. Deutsch semblent dire : « Regardez
comme la nature fait bien les choses, elle a donné à la
femme la possibilité de trouver le plaisir dans la douleur !... » La femme normale aime souffrir. Celle qui
n'aime pas cela et se révolte contre sa condition, n'a
d'autres solutions que de sombrer dans l'homosexua-
lité ou la névrose. Voilà donc la boucle bien fermée :

---

28. Cette hypothèse expliquerait aussi pourquoi la maternité diminue-
rait la tendance narcissique. La femme se sentant soulagée, par la possession de son enfant, de son infériorité antérieure, peut consacrer à son
enfant sa capacité d'amour.

si la femme refuse d'assumer sa véritable nature, masochiste, alors elle deviendra réellement malheureuse ! Pendant plus de trente ans, on ne sut quoi répondre à cela...

La bonne mère

Avec une telle image de la femme normale, il était ensuite facile d'en déduire la bonne mère. H. Deutsch la définit comme « la femme féminine » constituée par l'interaction harmonieuse des tendances narcissiques et de l'aptitude masochiste à supporter la souffrance. Le souhait narcissique d'être aimée se métamorphose chez la femme maternelle par un transfert du moi sur l'enfant qui n'est que le substitut du moi. Quant aux composantes masochistes de l'esprit maternel, elles se manifestent principalement dans l'aptitude de la mère au sacrifice de soi [29], dans son acquiescement à la souffrance pour le bien de son enfant, enfin dans l'abandon de la dépendance de celui-ci quand l'heure de sa libération est venue.

L'aptitude de la mère à accepter la souffrance est contrebalancée par les « joies de la maternité » qui mettent un frein à ses tendances masochistes spontanées. Mais malheur à celles qui ignorent ces tendances, car « chaque fois que le masochisme féminin, avec son aptitude active-maternelle au sacrifice, ne joue pas, l'âme de la femme peut être la victime d'un masochisme plus cruel provenant du sentiment de culpabilité [30] ». Une fois encore le malheur guette celles qui ne veulent pas souffrir. Mais ces femmes ne devraient être que de malheureuses exceptions puisque H. Deutsch affirme l'existence d'un instinct maternel, dont les formes primitives auraient été chimiques et

29. Mais, à l'inverse de la femme féminine non mère, sans exiger aucune contrepartie de l'objet aimé.
30. *Psychologie des femmes*, II, p. 45.

biologiques. Rendons hommage à la sagesse de la nature qui a fait en sorte que l'amour de la femme pour son enfant soit « normalement plus grand que son amour d'elle-même [31] ».

Forts de ces considérations, nous pouvons procéder à la description des attitudes et du vécu de la bonne mère, celle que le psychanalyste-pédiatre Winnicott qualifiait de « normalement dévouée [32] ». La première condition d'un bon maternage réside dans la capacité d'adaptation aux besoins de son enfant, c'est-à-dire la prolongation au plan psychologique, pendant plusieurs semaines après sa naissance, de la relation biologique intra-utérine [33]. Winnicott consacra un article à la description de ce sentiment, « la préoccupation maternelle primaire [34] », qui prend naissance avec la grossesse et dure quelques semaines après l'accouchement. Il mettrait la mère dans un état de repli et de dissociation proche de l'état schizoïde. Mais ce sentiment d'hypersensibilité maternelle est une bonne maladie qui permet à la « mère normale » de s'adapter aux tout premiers besoins du petit enfant avec délicatesse et sensibilité. La mère « normalement dévouée » se définit donc d'abord par sa capacité d'être préoccupée par son enfant à l'exclusion de tout autre intérêt. C'est parce qu'elle peut se mettre à la place de son bébé que celui-ci se développe harmonieusement sans être trop perturbé par les privations de toutes sortes. Si elle n'y parvient pas [35], ses carences provoquent des

31. *Ibid.*, p. 43.

32. D.W. Winnicott, *L'Enfant et sa famille*, Payot, p. 11.

33. H. Deutsch (*op. cit.*, p. 231) décrit cette sorte de symbiose entre la mère et l'enfant comme un « cordon ombilical psychique », lien émotionnel qui remplace le cordon ombilical physiologique aussitôt qu'il est coupé.

34. Article publié en 1956, in *De la pédiatrie à la psychanalyse*, Payot, p. 168.

35. Winnicott, *op. cit.*, p. 171 : « Pour une femme qui fait une forte identification masculine, cette partie de sa fonction maternelle peut être spécialement difficile à réaliser car le désir de pénis refoulé laisse peu de place à la préoccupation maternelle primaire. »

phases de réactions aux heurts qui interrompent le bon développement de l'enfant. Au pire, ce type de mère « peut être à l'origine d'un enfant autistique [36] ».

On sait qu'à plusieurs reprises, Freud se défendit de donner des conseils aux parents, arguant que toute éducation se soldait par un échec. Après la guerre, nombre de ses disciples oublièrent l'avertissement en passant du descriptif au normatif. Des psychanalystes devinrent célèbres en traçant le portrait de la bonne mère et en donnant des conseils aux femmes dans les livres spécialement écrits à leur attention ou dans les media à grande diffusion [37]. Le succès de ces premiers vulgarisateurs de la psychanalyse témoigna à la fois du désarroi des mères et de la croyance en un idéal, qui démentent l'idée d'une attitude maternelle instinctivement bonne. Tous les gestes de la mère furent l'objet de recommandations.

L'allaitement

L'allaitement au sein est la première preuve d'amour de la mère pour son enfant, car il engendre de grands sentiments de plaisir, corporels et spirituels. L'allaitement le plus satisfaisant, selon Winnicott, est celui qualifié de « naturel », donné quand le bébé le désire. « Voilà la base. » Tant que le bébé ne trouve pas un rythme régulier, la méthode la plus rapide pour éviter sa détresse est que « la mère nourrisse à la demande pendant une nouvelle période, revenant à des heures régulières qui lui conviennent lorsque le bébé devient capable de les supporter [38] ». Ce que Winnicott oublie de mentionner, c'est qu'un tel allaitement sans règles ni heures fixes peut durer plusieurs mois. Un sevrage progressif n'étant envisagé qu'aux alentours de neuf mois, on ne peut s'empêcher de penser avec

36. *Ibid.*, p. 171.
37. Voir notamment les docteurs Spock, Dolto sur France-Inter et Winnicott sur la B.B.C.
38. Winnicott, *L'Enfant et sa famille*, p. 33.

inquiétude à toutes les femmes qui retravaillent rapidement après leur accouchement. Et comme ces propos
furent tenus sur les antennes de la B.B.C., on imagine
la culpabilité éprouvée par les auditrices qui ne se
reconnaissaient pas dans ce portrait de la bonne
mère [39]. Or, cette image-là était bien celle la plus communément retenue par l'ensemble des grands psychanalystes de l'après-guerre. Hélène Deutsch [40], mais
aussi Mélanie Klein exaltèrent l'allaitement naturel et
le dévouement maternel. Au point que cette dernière
se crut en droit d'affirmer que si « l'expérience montre que des enfants qui n'ont pas été nourris au sein
se développent *souvent* très bien (...) en psychanalyse,
on découvrira toujours, chez des personnes qui ont été
élevées ainsi, un désir profond du sein qui n'a jamais
été satisfait... Il est *permis de dire* que, d'une façon
ou d'une autre, *leur développement aurait été différent et meilleur* s'il avait bénéficié d'un allaitement
réussi. D'un autre côté, mon expérience me fait
conclure que les enfants, dont le développement pose
des problèmes bien qu'ils aient été nourris au sein, se
seraient encore trouvés plus mal sans cela [41] ». Propos
cruels pour toutes celles, nombreuses après la guerre,
qui ne nourrissaient pas leurs enfants au sein. Propos
d'autant moins contestés que le prestige de la psychanalyse était à son apogée et que nul ne songea à en
demander les preuves à Mélanie Klein.

Le dévouement... encore

La mère « normalement dévouée » se révéla être la
mère « pas pressée [42] », attentive à tous les besoins de
son enfant, celle qui s'en occupe entièrement. La mère
« normalement » dévouée est donc en réalité la mère

39. *Ibid.*, p. 93.
40. *Op. cit.*, II, p. 248.
41. Texte cité dans *L'Amour et la Haine*, Payot, p. 78-79 (note 1) (souligné par nous).
42. Winnicott, *op. cit.*, p. 46.

« absolument » dévouée. Encore ce dévouement n'est-
il pas suffisant au bon maternage. Pour que la relation entre la mère et l'enfant soit vraiment réussie, il
est indispensable qu'elle y trouve son plaisir. Sans
quoi « tout est mort, sans utilité et mécanique[43] ».
C'est pourquoi Winnicott exhorte les mères à se
réjouir de leur situation. « Nous commençons tout
juste à comprendre à quel point le nouveau-né a absolument besoin de l'amour de sa mère. *La santé de
l'adulte se forme tout au long de l'enfance, mais les
fonctions de cette santé, c'est vous, la mère, qui les
établissez au cours des premières semaines et des premiers mois* de l'existence de votre bébé... Réjouissez-
vous qu'on vous accorde de l'importance. Réjouissez-
vous de laisser à d'autres le soin de conduire le monde
pendant que vous mettez au monde un nouveau membre de la société... Réjouissez-vous des soucis que
vous procure le bébé[44] dont les pleurs et les cris
l'empêchent d'accepter le lait que vous avez envie de
dispenser avec générosité. Réjouissez-vous de toutes
sortes de sentiments féminins que vous ne pouvez
même pas commencer à expliquer à un homme... De
plus, le plaisir que vous pouvez retirer de ce travail
salissant que constituent les soins du bébé s'avère
avoir une importance vitale pour lui[45]. »

Pour justifier les sacrifices demandés à la mère,
Winnicott ajoute : « Sait-elle que lorsqu'elle agit de
cette manière, elle établit les fondements de la santé
mentale de son enfant — et que celui-ci ne peut parvenir à l'intégrité de cette santé mentale s'il n'a pas
eu, au début, exactement cette sorte d'expérience
qu'elle prend tant de peine à fournir[46] ? » Peut-on
mieux dire l'immense responsabilité qui pèse sur la
mère ? Et comment ne pas remarquer la parfaite

43. Winnicott, *op. cit.*, p. 25.
44. Même arguments que les moralistes du XVIIIᵉ siècle.
45. Winnicott, *op. cit.*, p. 25 (souligné par nous).
46. *Ibid.*, p. 142.

continuité qui unit ce discours à ceux du XVIIIᵉ siècle ? Avec Winnicott et les siens, on a atteint le sommet des responsabilités maternelles, et, par contrecoup, aussi un sentiment diffus de culpabilité. Car, à la moindre difficulté psychologique de l'enfant, comment une mère pourrait-elle ne pas se sentir responsable et donc coupable ? A-t-elle jamais assez donné d'elle-même ? A-t-elle toujours trouvé son plaisir dans le dévouement pour l'enfant ? En un mot, a-t-elle été assez masochiste comme toute femme normale doit l'être ? Autant de questions qu'elle ne peut manquer de se poser, si elle lit les magazines féminins et écoute la radio.

La mauvaise mère

La représentation négative de la mauvaise mère dut renforcer le sentiment de culpabilité des femmes. Hélène Deutsch évoque les « aberrations » auxquelles peut donner lieu le relâchement des impulsions maternelles instinctives : « tel ce système qui consiste à se défaire de l'enfant pendant la première année de sa vie, en le confiant à une nourrice mercenaire (coutume qui fut celle des classes moyennes en France pendant deux siècles)... ou celui presque aussi regrettable de protéger les seins de la mère en louant une nourrice ou en nourrissant l'enfant par l'allaitement artificiel[47]... ». Winnicott renchérit, en évoquant l'aveuglement de ceux qui nient l'importance de la mère au départ et affirment qu'une bonne nurse ferait tout aussi bien l'affaire. « Nous trouvons même des mères (pas dans ce pays, je l'espère !) à qui l'on dit qu'elles *doivent materner* leur bébé, ce qui représente la négation la plus complète du fait que le " maternage " vient naturellement du fait d'être mère[48]. » On voulut donc ignorer que toutes les femmes ne sont pas spontanément maternelles. En postu-

---

47. H. Deutsch, *op. cit.*, II, p. 9-10.
48. Winnnicott, *op. cit.*, p. 206 (souligné par nous).

lant que la maternité engendre naturellement l'amour et le dévouement pour l'enfant, on se condamnait à considérer les « aberrations » comme des exceptions pathologiques à la norme.

Hélène Deutsch se pencha sur le cas de la mauvaise mère et tenta d'expliquer son comportement en inversant les caractéristiques de la bonne. Partant de l'idée que « l'expression la plus haute de l'amour maternel n'est atteinte que quand tous les désirs masculins (désir de pénis) ont été abandonnés ou sublimés », elle en déduisit que celles qui éprouvaient encore ces désirs connaissaient les conflits intérieurs peu propices au bon maternage. Comme l'amour maternel ne se développe qu'aux dépens de l'amour de soi, il appauvrit forcément le moi de la mère. Or, chez certaines mères, le moi lutte pour s'exprimer et se satisfaire, et cette tendance « égoïste » entre en conflit avec celle qui vise à la conservation du cordon ombilical avec l'enfant. Plus ses tendances viriles sont vives, plus résolument son moi pourra se détourner des tâches de la maternité[49].

H. Deutsch remarqua que l'allaitement artificiel, à la mode après la guerre, représentait une solution de compromis visant à concilier les intérêts personnels de la femme et ceux de la mère. Mais elle ajouta très justement que ce compromis accentua le conflit. Car, d'une part, on offrait aux femmes des occasions toujours plus grandes de développer leur moi en dehors de la fonction de reproduction, et en même temps on exaltait de plus en plus l'idéologie de la maternité active.

La nécessaire distinction des rôles

Le malaise de certaines femmes fut rendu plus aigu par la théorie psychanalytique de la nécessaire distinc-

---

49. Plus elle a d'ambitions personnelles (assimilées à des désirs virils) et moins elle semble apte à accomplir ses devoirs de bonne mère.

tion des rôles paternel et maternel. Alors que les femmes, de plus en plus nombreuses, cherchaient à épanouir également tous les aspects de leur personnalité, y compris ceux traditionnellement qualifiés d'actifs et de virils, alors qu'elles réclamaient le partage des tâches avec les hommes, la psychanalyse n'a jamais cessé d'affirmer l'hétérogénéité des fonctions paternelle et maternelle. Sur ce point en particulier, l'essentiel des propos n'a guère varié depuis l'origine de la psychanalyse, même si çà et là on note des changements de vocabulaire. Aux yeux de Freud et de ses successeurs, la mère symbolise avant tout l'amour et la tendresse, le père la loi et l'autorité. Mais si l'on fut intarissable sur le dévouement maternel, on ne le fut guère sur le rôle quotidien du père. Il était acquis que la mère jouait le rôle essentiel auprès de l'enfant pendant les premiers mois, voire les premières années de sa vie.

La fonction paternelle

Winnicott, dans ses conférences à la B.B.C., cherchant à définir le « bon père » du jeune enfant, exposa la conception la plus traditionnelle de la paternité. Voici les huit idées principales qui jalonnent ses propos.

La mère est responsable de la bonne paternité de son mari.

Elle apparaît comme l'intermédiaire nécessaire entre lui et son enfant. « Il dépend de la mère que le père en vienne ou non à connaître son bébé[50]. » Il lui appartient « d'envoyer le père et l'enfant se promener de temps en temps ensemble pour faire une expédition[51]... ». Winnicott conclut : « Il ne dépend pas de vous que leurs rapports soient riches... mais

---

50. Winnicott, *op. cit.*, p. 117.
51. *Ibid.*, p. 123.

cela dépend de vous de rendre ces rapports possibles, de ne pas les gêner, ou les gâcher [52]. »

La présence paternelle peut n'être qu'épisodique.

« Il y a toutes sortes de raisons pour lesquelles il est difficile qu'un père participe à l'éducation de ses enfants. Il se peut tout d'abord qu'il soit rarement à la maison quand le bébé est éveillé. Mais très souvent, même lorsqu'il est à la maison, " la mère trouve un peu difficile de savoir quand faire appel à son mari et quand souhaiter l'éloigner [53] ". » Pour soutenir l'autorité de la mère, « il n'a pas besoin d'être tout le temps là, mais il doit se montrer assez souvent pour que l'enfant éprouve le sentiment qu'il est réel et vivant [54] ». Winnicott accepte l'idée que *certains pères ne s'intéressent jamais à leur bébé* [55]. La contingence de l'amour paternel est nettement renforcée par la réflexion suivante : « néanmoins, *si le père est présent et désire connaître son enfant*, l'enfant a de la chance [56]... ».

Les pères ne peuvent pas se substituer aux mères.

« On ne peut affirmer qu'il soit bon que le père apparaisse tôt en scène dans tous les cas... Certains maris éprouvent le sentiment qu'ils seraient de meilleures mères que leur femme et ils peuvent se montrer très ennuyeux... Il se peut aussi qu'il y ait des pères qui feraient réellement de meilleures mères que leur femme. *Pourtant ils ne peuvent être mères* [57]. » Winnicott ne justifie pas cette dernière affirmation, parce qu'il va de soi qu'un homme n'a pas de seins et que l'allaitement artificiel ne peut se substituer à l'allaitement naturel...

---

52. *Ibid.*, p. *124.*
53. *Ibid.*, p. 117.
54. *Ibid.*, p. 119.
55. *Ibid.*, p. 117-118.
56. *Ibid.*, p. 120 (souligné par nous).
57. *Ibid.*, p. 118 (souligné par nous).

Le bébé préfère sa mère.

« Le bébé connaît tout d'abord sa mère. Tôt ou tard, certaines de ses qualités sont reconnues par le bébé et quelques-unes sont toujours associées à elle : la douceur, la tendresse... De temps en temps, l'enfant va haïr quelqu'un et si le père n'est pas là pour lui dire où s'arrêter, il détestera sa mère, ce qui engendrera chez lui de la confusion parce que, *fondamentalement, c'est sa mère qu'il aime le plus*[58]. »

Pourquoi « fondamentalement » ? N'est-ce pas plutôt parce qu'il fait sa connaissance en premier ?

Le père est le déversoir de la haine de l'enfant.

« Il est beaucoup plus facile que les enfants aient deux parents. L'un peut continuer à être ressenti comme aimant pendant que l'autre est détesté, cela, en soi, a une influence équilibrante[59]. » En vertu de la proposition précédente, c'est le père qui pourra être détesté sans dommage...

La première vertu positive du père : permettre à son épouse d'être « bonne mère ». « Le père est nécessaire à la maison pour aider la mère à se sentir bien dans son corps et heureuse en esprit[60]. »

Le père incarne aux yeux de l'enfant la loi, la vigueur, l'idéal et le monde extérieur, alors que la mère symbolise la maison... et le ménage. « Comme vous le savez, papa va à son travail le matin pendant que maman fait le ménage et s'occupe des enfants. Le travail de la maison est une chose que les enfants connaissent facilement parce qu'il s'effectue toujours autour d'eux. Le travail que fait leur père, pour ne

---

58. *Ibid.*, p. 118 et 120 (souligné par nous).
59. *Ibid.*, p. 120.
60. *Ibid.*, p. 119.

pas parler de ses violons d'Ingres lorsqu'il ne travaille pas, élargit la vue que l'enfant a du monde [61]. »

Winnicott ne peut imaginer qu'un père épluche les légumes pendant que la mère va au bureau, ou à l'atelier ! Car tous ses propos reposent sur une distinction radicale des rôles, elle-même fondée sur la nécessité de l'allaitement maternel que le père ne peut offrir au bébé. Ici encore la différence anatomique (c'est la mère qui en a...) justifie la différence du destin maternel et paternel.

A lire les textes de Winnicott, on se persuade vite de la moindre importance du père dans la vie de l'enfant ; surtout lorsqu'il conclut que la seule chose qu'on puisse utilement exiger d'un père est « d'être en vie et de le rester pendant les premières années de ses enfants [62] ». On ne peut pas dire que ce soit là une exigence exorbitante !

Le père symbolique

Plus récemment, des psychanalystes ont repensé la question du père, en dissociant le père symbolique du père en chair et en os. Qu'il s'agisse de J. Lacan ou de F. Dolto, chacun a redonné, à sa manière, une importance « fondamentale » à celui qu'on avait eu tendance à minimiser ces dernières décennies. On fit observer que même si sa fonction était réduite, sa fonction symbolique n'était pas moins essentielle.

Le père demeure d'abord le relais de la filiation nominale [63]. C'est grâce à son patronyme que l'enfant peut s'insérer dans le groupe social et tenter de résoudre l'angoissante question des origines. En outre, Jacques Lacan a longuement insisté sur l'importance du « nom-du-père », signifiant qui vient représenter, dans l'inconscient de l'enfant, le père symbolique, support

61. *Ibid.*, p. 121.
62. *Ibid.*, p. 121.
63. Dans nos sociétés patrilinéaires.

de la loi. Or, de cet élément fondateur de l'ordre symbolique, aucun humain ne peut se passer sans graves dommages. Quand le nom-du-père est forclos, la psychose se déclenche chez l'enfant qui ne parvient pas à s'ériger en sujet : sujet du discours et sujet social.

Pour comprendre toute l'importance du père, symbole de la loi et de l'interdiction (et en priorité de la prohibition de l'inceste), il faut rappeler que la dyade originaire mère/enfant peut devenir pathogène, passé un certain stade. Car, si la relation de dépendance absolue à la mère est une nécessité biologique au début de la vie du bébé, sa prolongation indue est un obstacle au développement de l'enfant. En effet, en assouvissant les besoins de son bébé, la mère entre avec lui dans une relation de désir et l'enfant cherche à satisfaire ce désir inconscient de sa mère. Si, pour une raison ou une autre, la mère a mal surmonté, étant enfant, la phase pré-œdipienne, elle peut avoir tendance à considérer son enfant comme un substitut sexuel ou « son objet fantasmatique ». Ce faisant, elle empêche son développement qui doit nécessairement passer par la phase œdipienne. L'enfant, happé dans le monde maternel, ne parvient plus à sortir de cette relation étouffante, dévorante, et à prendre conscience de lui-même comme sujet sexué et indépendant. Si le désir incestueux ne trouve nulle loi pour s'opposer à lui, l'angoisse s'empare de l'enfant qui ne trouve pas sa place dans le monde.

Que la mère soit pathogène ou non, le père doit s'immiscer, le moment venu, dans le couple mère/enfant. C'est lui qui doit les séparer et substituer à la dyade originaire la relation triangulaire qui est la seule proprement humaine. Par sa présence, souvent plus symbolique qu'effective, il doit faire comprendre à l'enfant que sa mère lui est interdite car elle appartient à un autre, et que, pour surmonter l'angoisse de castration, il lui faut faire son deuil du désir inces-

tueux. C'est seulement quand il intériorise la loi paternelle que l'enfant peut avoir un « moi » autonome et
s'éprouver comme un sujet indépendant, capable
d'affronter le monde extérieur.

L'importance accordée au père symbolique est telle
qu'on omet trop souvent d'évoquer concrètement le
père en chair et en os. Pierre David rappelle l'intrigue
édifiante d'une comédie à succès, *Les Enfants
d'Edouard*. L'auteur, M.G. Sauvajon, montrait une
brillante femme de lettres, mère de trois enfants, dans
le salon de laquelle trônait le portrait d'Edouard, leur
père disparu. Bientôt enfants et spectateurs appren-
dront que le cher Edouard n'a jamais existé et qu'il
n'est qu'un mythe construit par la mère pour cacher le
fait que chacun de ses enfants a un père différent.
Comme le fait remarquer le docteur David, la mère a
réussi l'éducation de ses enfants en faisant siéger à la
place du père réel, non seulement un personnage de
fiction, mais une image de père (la photo). Pierre
David commente : « Evidemment, il s'agit d'une pièce
de théâtre ! Mais, dans la réalité contemporaine, combien de familles ne résistent-elles que parce que, sur
une ou plusieurs générations, des femmes se relaient
pour soutenir une lignée d'hommes qui ne se maintient plus que sur un nom, une façade, des
apparences [64] ? »

Le père en chair et en os

Françoise Dolto fut de ceux qui ne se limitèrent pas
à faire la théorie du père symbolique. Répondant quo-
tidiennement sur France-Inter aux questions écrites
que lui posaient des parents, et plus généralement des
mères, F. Dolto regretta très souvent qu'on n'évoquât
pas le père dans les cas qui lui étaient soumis. Que de
fois l'avons-nous entendue dire : « Que fait le père ?
Vous ne me dites rien de lui ! » On parle si rarement

64. P. David, *op. cit.*, p. 120.

du père quand on évoque les problèmes posés par un enfant que F. Dolto confia au micro : « Oui, si bien que, quelquefois, on croit qu'il n'y en a pas [65]. » F. Dolto ne devrait pas s'étonner d'une telle absence des pères puisque leur action et leur importance réelle sont soigneusement gommées depuis près de deux siècles. Les psychanalystes n'en sont pas les derniers responsables, ayant mis l'accent sur le comportement maternel et le père symbolique au détriment du père réel. Il faut donc rendre hommage à ceux, comme F. Dolto, qui ont bien voulu nous parler du père en chair et en os.

A la question d'un auditeur-père qui se plaignait de ne pas avoir de rapports satisfaisants avec ses enfants, lesquels se moquaient de ses tendresses et de ses baisers, F. Dolto fit la réponse suivante : « Ce n'est *jamais par le contact physique que l'amour pour le père se manifeste.* Il peut y en avoir quand le bébé est petit, pourquoi pas ? Mais très tôt ils ne doivent plus exister ou le moins possible. Le père, c'est celui qui met la main sur l'épaule et *dit* : " mon fils ! " ou " ma fille ! " ; qui prend sur ses genoux, *chante* des chansons, *donne des explications* sur des images de livres ou de magazines en *racontant* les choses de la vie, sur tout ; il *explique* aussi les raisons de son absence ; puisqu'il est souvent à l'extérieur, l'enfant peut supposer qu'*il connaît le monde* plus que la maman qui, elle, connaît surtout les choses de la maison... Que le père *sorte avec ses enfants,* qu'il les emmène voir des choses intéressantes (s'il a une fille et un garçon il les sortira séparément car ce ne sont pas les mêmes qui intéressent les garçons et les filles). Mais surtout que les pères sachent bien que ce n'est pas par le contact physique, mais *par la parole* qu'ils peuvent se faire aimer d'affection et respecter de leurs enfants [66]. »

65. F. Dolto, *Lorsque l'enfant paraît*, t. II, p. 171.
66. F. Dolto, *op. cit.*, p. 71-72 (souligné par nous).

Ce tableau du bon père est intéressant à plus d'un titre. Il confirme d'abord l'image traditionnelle de l'homme à la fois détenteur de la parole et représentant du monde extérieur. Ensuite, il semble que le père ne puisse avoir d'autres contacts avec ses enfants que linguistiques et rationnels. C'est lui qui « dit », « chante », « raconte », « explique ». Il donne la raison des actions, et, de ce fait, transmet la loi morale universelle. En revanche, maternage et mignotage lui sont formellement interdits sous peine de perdre l'affection et le respect de ses enfants. L'amour paternel a donc ceci de particulier qu'il ne se conçoit et ne se réalise qu'à distance. Entre lui et ses enfants, la raison est l'intermédiaire nécessaire qui justement permet de conserver les distances. Enfin ce texte a le mérite d'entériner la distinction des rôles masculin et féminin, paternel et maternel. Nul ne sait, en lisant ces propos, si F. Dolto considère cette situation comme naturelle, et donc nécessaire, ou si elle ne fait que constater un fait social et contingent. Quoi qu'il en soit, rien ne nous permet de penser qu'elle songe à la remettre en question. Surtout quand on lit le texte suivant : « Dès l'âge de trois ans, une petite fille aime faire tout ce que fait la maman dans une maison : elle épluche les légumes, elle fait les lits, elle cire les chaussures, elle bat les tapis ou passe l'aspirateur, fait la vaisselle, lave et repasse... Elle aime aussi faire tout ce que fait le père quand il agit avec ses mains[67]. » Il semble donc acquis aux yeux de F. Dolto que c'est la mère, souveraine domestique, qui s'occupe du ménage et de la cuisine. Et non le père.

La présence maternelle

L'idée que la maison et les âmes enfantines qui l'habitent sont d'emblée et en priorité l'objet des préoccupations maternelles est à plusieurs reprises sou-

67. *Ibid.*, p. 83 : le père bricole, répare, jardine.

lignée par F. Dolto. « J'ai dit que la présence de la mère est, à mon avis, nécessaire à son enfant jusqu'au moment où celui-ci peut prendre contact avec autrui, par la démarche délurée et la parole nette, c'est-à-dire, chez les enfants qui se sont développés sainement, vers 25, 28 mois[68]. »

Aux mères qui « deviennent enragées à s'occuper seules de leurs enfants[69] », F. Dolto conseille de les mettre à la crèche et de travailler car « elles ne sont pas bonnes pour leurs enfants ». Une fois seulement, alors qu'elle évoque la possibilité d'une allocation pour la mère qui reste à la maison (jusqu'à la troisième année de son enfant), elle pose la question : « Et pourquoi pas le père[70] ? » Malheureusement, cette question restera sans réponse, comme si l'éventualité n'était pas réellement prise au sérieux. D'ailleurs, l'hypothèse ne sera plus envisagée dans les deux tomes suivants[71].

On dira qu'en envisageant le cas de celles qui n'aiment pas se consacrer exclusivement à leurs enfants, F. Dolto fait preuve de souplesse et de compréhension à leur égard. En leur suggérant la crèche et le travail, elle leur ouvre une porte de sortie honorable. Cela est vrai en théorie. Mais en réalité quelle mère accepte de s'avouer « mauvaise » pour son enfant ? Le mettre à la crèche peut être vécu comme un abandon, un aveu d'égoïsme et un constat d'échec. Surtout quand le travail de la mère n'est pas une nécessité économique pour le couple. Enfin, rien ne prouve, comme le croit F. Dolto, qu'une mère qui travaille à l'extérieur soit plus aimante le soir quand elle retrouve son enfant.

Il est fort probable que de nombreuses femmes pré-

68. *Ibid.*, tome II, p. 64 et tome I, p. 181.
69. Tome II, p. 65.
70. Tome I, p. 181.
71. Au moment où nous écrivons, l'émission de France-Inter : « Lorsque l'enfant paraît », a fait l'objet de trois volumes.

féreraient partager leurs tâches maternelles avec le
père de leurs enfants ; cette solution semblerait plus
naturelle et moins culpabilisante que le recours aux
mercenaires et à la crèche.

Mais en raison de la théorie de la distinction des
rôles, les psychanalystes ont toujours refusé de cau-
tionner ce désir, qui n'est peut-être pas seulement
l'apanage des femmes. Pour eux, l'indistinction des
rôles est source possible de confusion et donc de
perturbation pour l'enfant. C'est pourquoi ils préfèrent qu'une mercenaire se substitue à la mère de sang
plutôt que le père assure une part du rôle maternel.
Et, inversement, plutôt un père-*bis*, qu'une mère qui
jouerait le double rôle. Car la loi paternelle et l'amour
proprement maternel, une fois déclarés hétérogènes,
doivent s'incarner de préférence dans des personnes de
sexes différents.

La responsabilité maternelle

En conséquence, si la mère est défaillante pendant
les premières années de la vie de l'enfant, le père ne
peut pas utilement venir à sa rescousse. Elle se sent
donc irremplaçable au sein de la famille. Si ni mère,
ni belle-mère ne peuvent la remplacer, elle n'a d'autre
solution que de s'en remettre à des étrangères. Or,
comment peut-elle deviner à l'avance si la puéri-
cultrice, la nourrice ou la fille au pair à laquelle elle
remet chaque jour son enfant saura s'en occuper gen-
timent et sérieusement ? Comment être sûre qu'elles
ne feront pas faux bond et qu'il ne faudra pas les
remplacer par d'autres, et d'autres encore ? Comment
ne se sentirait-elle pas éminemment responsable quand
elle sait ou soupçonne que ce sont justement ces premières années, celles qui lui incombent à elle, la mère,
qui seront déterminantes pour la vie future de son
enfant ? Comment enfin ne se jugerait-elle pas coupable lorsque apparaît une difficulté psychologique chez
cet enfant ?

Françoise Dolto ne l'a pas caché : toute mère, pauvre ou riche, qui confie son enfant à une mercenaire prend un risque pour celui-ci. La nurse ou la nourrice ne sont jamais sûres parce qu'elles peuvent s'en aller et emporter avec elles une part essentielle de l'enfant. Retards de langage ou de psychomotricité, si courants de nos jours, « ne se rencontrent pas seulement dans les familles dont le niveau économique est faible. On les trouve fréquemment aussi dans les familles aisées, lorsque pour des raisons diverses les parents ont recours à des nourrices mercenaires. *Les changements intempestifs de la personne nourricière sont traumatisants.* Celle qui part emporte avec elle les repères humains de communication langagière (verbale ou gestuelle). Elle laisse l'enfant dans le désert de sa solitude. Et celui-ci est obligé à chaque relation nourricière et tutélaire successive de construire un réseau nouveau mais précaire de communications interhumaines que chaque nouveau départ infirme [72]... ».

On comprend que de nombreuses femmes renoncent à prendre un tel risque quand elles n'y sont pas forcées par une nécessité vitale, ou d'impérieux désirs personnels. Mais quels que soient leurs choix ou leurs servitudes, les femmes ont pris conscience, au contact, même superficiel, de la psychanalyse, que leur rôle auprès de l'enfant est essentiel et beaucoup plus lourd à assumer que celui du père. La mère symbolique n'est pas suffisante, et le petit enfant ne peut faire l'économie d'une mère en chair et en os [73] durant les toutes premières années de sa vie. Alors que si on s'en tient aux propos dominants des psychanalystes, on se persuade vite que la présence du père est beaucoup moins essentielle. Il peut s'absenter toute la journée, punir et aimer de loin sans dommage pour l'enfant.

---

72. Préface de F. Dolto à la *Psychanalyse et famille* de P. David, p. 10-11.
73. Mère de sang ou substitut.

Les sentiments de la moindre importance du père et surtout de sa moins grande responsabilité à l'égard des troubles psychiques de l'enfant sont renforcés par son statut de « second ». Il est toujours celui qui apparaît « après » le premier corps à corps de l'enfant avec sa mère, quand s'instaure la dimension linguistique. Quasiment absent les premiers mois de la vie de son enfant — car nul psychanalyste n'a prôné le corps à corps du père et du bébé —, il ne peut être tenu pour responsable d'aucun des nombreux troubles qui peuvent surgir durant cette période. C'est pourquoi on a beaucoup moins parlé du père pathogène que de la mère pathogène, du mauvais père que de la mauvaise mère. Non que les psychanalystes ignorent son existence — Bruno Bettelheim, Maud Mannoni et Françoise Dolto, parmi d'autres, ont évoqué ces hommes fragiles qui prennent la fuite faute de savoir imposer leur loi —, mais il y a comme une sorte de complaisance à leur égard. Rares sont ceux qui leur demandent vraiment des comptes à l'égal de ceux qu'on exige des mères [74]. A lire les récits d'analyses d'enfants psychotiques ou névrosés, on constate que ce sont les mères qui, dans la plupart des cas, viennent consulter les « Psy ». Ce sont elles qui essayent, quoi qu'il leur en coûte de culpabilité et d'angoisse, de sortir l'enfant de son malheur. Elles qui connaissent trop souvent l'épreuve d'affronter seules le psychanalyste, de lui parler et d'attendre l'enfant derrière la porte. Elles enfin auxquelles on conseille fréquemment de suivre un traitement analytique en même temps que leur enfant. Pendant ce temps, le père est là ou n'est pas là, encourage ou décourage sa femme, sans qu'on ait le sentiment que c'est là autant son affaire que celle de la mère.

Les auditeurs quotidiens de Françoise Dolto pour-

---

74. Voir le très beau livre de Francine Fredet, *Mais, Madame vous êtes la mère*, Le Centurion, Paris, 1979.

ront témoigner que, neuf fois sur dix, la recommandation à l'un des parents de faire une psychanalyse était adressée à la mère. Comment ne pas croire ensuite que la maladie ou les malheurs de l'enfant ne sont pas le fait, la responsabilité et l'affaire de la mère ?

Une formidable campagne de presse

Cette croyance a été d'autant mieux adoptée par les femmes — et les hommes — qu'une formidable campagne de presse axée sur des idées freudiennes vulgarisées s'est développée en ce sens depuis la dernière guerre. Betty Friedan [75] a très bien montré comment les Américaines, peu après 1945, furent conditionnées à être des mères dévouées et des femmes au foyer, et à n'être que cela ; comment, non seulement la presse « féminine », mais les intellectuels et les universitaires participèrent à cette entreprise ; comment ils utilisèrent constamment les théories freudiennes du masochisme, de la passivité féminine et le dogme de la distinction des rôles chers aux fonctionnalistes pour construire la religion de la mère. « On édifia autour de la mère toute une mystique. On découvrit soudain qu'elle pouvait être tenue responsable de tout ou presque tout. Dans tous les dossiers d'enfants caractériels, dans tous les cas d'adultes névrosés, psychopathes, schizophrènes, obsédés du suicide, alcooliques, d'hommes homosexuels ou impuissants, de femmes frigides ou tourmentées, chez les asthmatiques ou les porteurs d'ulcères, toujours on retrouvait la mère. Il y avait toujours à l'origine une femme malheureuse, insatisfaite... une épouse exigeante qui persécutait son mari, une mère dominatrice étouffante ou indifférente [76]. » En France aussi une pression idéologique du même type s'exerça

---

75. Betty Friedan, *La Femme mystifiée*, Denoël-Gonthier, 1975, p. 213-214.
76. *Op. cit.*

sur les femmes. Peut-être moins virulente et plus insidieuse qu'aux U.S.A., elle n'en fut pas moins réelle. Reprenant les principaux thèmes évoqués depuis dix ans dans la presse féminine, A.M. Dardigna[77] constate qu'ils s'articulent autour de la notion de « nature féminine », dont la maternité est le pivot central. La femme aurait un « destin biologique » à assurer, qu'on formule souvent en termes d'instinct : « instinct de vie qui se confond avec celui des sociétés » ou « instinct profond du nid ». La presque totalité de la presse féminine[78] jusqu'en 1978 lança l'anathème contre celles qui ne veulent pas d'enfants. On leur reprocha leur égoïsme, leur manque de sérénité, de maturité ou leur narcissisme, quand on ne les rejeta pas dans la catégorie des « infantiles[79] ». Les femmes ne sont pas faites pour être des fruits secs, mais pour assurer, lit-on sous la plume de Jean Duché, « le rôle de l'épouse gardienne du foyer, de la mère sécurisante, fontaine de douceur et d'amour[80] ». Et cela devrait être d'autant plus aisé qu'elle conserve davantage que l'homme une part d'animalité en elle. On la compare volontiers à la vache qui fait preuve d'une tendresse spontanée pour son veau[81], ou à la chatte qui sait d'instinct donner son lait et ses caresses[82]. Par voie de conséquence, on l'invite, comme au XVIIIe siècle, à prendre modèle sur les femelles animales et à nourrir l'enfant au sein. Toute une campagne pour le retour à l'allaitement naturel, que de nombreuses femmes avaient abandonné avant 1970, trouva un écho jusque dans la presse non féminine. Le professeur

---

77. A.M. Dardigna, *La Presse féminine : fonction idéologique*, Maspero, 1978.

78. Deux exceptions notables : un article de Michèle Manceau dans *Marie-Claire*, avril 1979, n° 320. Une enquête de *F Magazine*, sept. 1978.

79. *Elle*, n° 1381.

80. *Elle*, n° 1362.

81. *Elle*, n° 1353.

82. Rose Vincent.

Royer s'en fit le chantre dans *Le Point*[83], et la revue *Parents* affirma péremptoirement que « les enfants nourris au sein s'élèvent mieux », sous-entendu : que les autres[84]. Et de citer avec complaisance le cas des femmes qui nourrissent leur enfant jusqu'à dix-sept mois...

A.M. Dardigna a noté que lorsque l'on aborde le thème de la maternité, il s'accomplit un glissement immédiat de la fonction biologique de procréation au rôle d'élevage puis d'éducation. De tout cela, la femme est seule responsable. D'où une avalanche de déclarations visant à décourager la femme d'avoir un métier qui l'éloignerait de son foyer. « Théoriquement, une femme peut tout faire. Mais si elle veut élever une famille, elle doit être prête à sacrifier dix ans de sa vie et cela entre vingt et trente ans. Je ne vois pas d'autres moyens de réussir l'éducation de ses enfants[85]. » Cela, remarque A.M. Dardigna, se répercute en écho, de magazine en magazine, et devient un fait établi : « elle devra ou bien un jour sacrifier sa carrière (ou l'interrompre) ou bien prendre le risque de faire de ses enfants des victimes[86] ». Jean Duché, moraliste du journal *Elle*, conclut : « la psychanalyse affirme que le rôle de la mère s'efface vers la quatrième année. Imaginons qu'elle en fasse trois en trois ans. Celui-ci prendra, jusqu'à la quatrième année de l'enfant environ sept ans... Après quoi elle serait libre d'exercer un métier dans la vie civile[87] ».

Malheureusement, le glissement de la fonction de procréation à l'élevage ne s'arrête pas toujours à la troisième ou quatrième année recommandée par les

---

83. *Le Point*, n° 329, 8 janvier 1979 : le professeur Royer, chef de service clinique des maladies et du métabolisme chez l'enfant, hôpital Necker - Enfants malades.
84. *Parents*, 18 décembre 1978.
85. *Elle*, n° 1354.
86. Carriérisme ou maternité, *Vingt ans*.
87. *Elle*, n° 1363.

psychanalystes. Nombreux sont les magazines qui expliquent aux femmes que leur présence à la maison et leur disponibilité sont nécessaires à chaque membre de la famille. Ainsi, le docteur Solignac dans *Femme pratique* : « la mère au foyer est un facteur d'équilibre. Les enfants ont besoin qu'il y ait quelqu'un à la maison quand ils rentrent... je dis que la façon de vivre actuellement, en travaillant, n'est pas bonne pour la famille [88] ». Enfin, évoquant le rôle des parents dans l'éducation des enfants, au moment du passage de l'enfance à l'adolescence, *Bonnes Soirées* affirme : « Alors que dans la phase précédente, seule la mère était en cause, le père joue maintenant un rôle important, la petite fille est prête à tout pour lui faire plaisir, et le petit garçon veut devenir un homme comme lui. *Le rôle de la mère demeure important* surtout dans la composition des menus quotidiens [89] » !

Durant des décennies, la presse féminine française se fit complaisamment l'écho de tous ces thèmes traditionnels. On ne lésina pas sur l'image stéréotypée de la bonne-mère-à-la-maison, ni sur les malheurs qui guettent l'enfant abandonné par la mère qui travaille. On assista à une véritable surenchère par rapport aux psychanalystes qui n'en demandaient pas tant. Malheureusement, beaucoup de psychologues et conseillers en tout genre qui s'exprimaient dans les magazines ont cautionné ces exigences inutiles.

Cependant, un grand nombre de femmes ont résisté à toutes ces pressions. Certaines, volontairement, à cause de leurs convictions féministes, d'autres, beaucoup plus nombreuses, parce qu'elles n'avaient pas le choix. Ce sont probablement ces dernières qui ont souffert le plus de leur condition de double travailleuse (maternelle et ménagère d'une part et professionnelle d'autre part). Non seulement parce qu'elles

---

88. *Femme pratique*, avril 1977.
89. *Bonnes Soirées*, n° 2588 (souligné par nous).

n'avaient pas les moyens culturels de faire face à cette pression idéologique, mais, plus sensibles aux discours dominants, elles durent ressentir avec angoisse une situation qu'on s'acharnait à proclamer contradictoire et à conserver intacte.

Rendons grâce aux féministes de s'être battues pour que change la situation des femmes et en particulier l'image de la mère. Grâce à leur militantisme et à une partie des media qui voulut bien les suivre, on commença à faire état du malaise féminin et maternel. La plus grande partie de la presse féminine fut obligée de changer de ton, sinon d'idées. Il fallut constater, même timidement, qu'il existait un profond décalage entre la théorie affirmée haut et fort et la vie réelle des femmes.

CHAPITRE III

LES DISTORSIONS ENTRE LE MYTHE ET LA RÉALITÉ

Dans les années 1960, presque quinze ans après la parution du *Deuxième Sexe* de S. de Beauvoir, un important mouvement féministe naquit aux U.S.A. qui essaima rapidement dans le monde occidental. Le but prioritaire des nouvelles théoriciennes fut de remettre en cause les fondements et les implications de la conception freudienne de la féminité. Mais elles ne se contentèrent pas de procéder à une analyse critique des concepts de la psychanalyse. Elles montrèrent aussi, par leur exemple et leurs combats, qu'une autre pratique féminine était possible, voire même souhaitable. Après une longue période de mutisme, des femmes prirent enfin la parole — trop bruyamment au gré de certains — pour faire toute la lumière sur des désirs occultés depuis des siècles et sur l'oppression sexiste qui en était la cause.

Ce nouveau discours féminin eut des conséquences fondamentales, non mesurées à ce jour. En détruisant d'abord le mythe freudien de la femme normale, passive et masochiste, il rendit caduque la théorie de la mère naturellement dévouée, faite pour le sacrifice, et mit incontestablement en difficulté les théoriciens actuels de la psychanalyse. En même temps se créait une situation tout à fait intenable, en faisant naître un

irréversible conflit entre deux exigences contradictoires. En encourageant les femmes à être et à faire ce
que l'on jugeait anormal, les féministes ont jeté les
germes d'une situation objectivement révolutionnaire.
La contradiction entre les désirs féminins et les valeurs
dominantes ne peut qu'engendrer de nouvelles conduites, peut-être plus bouleversantes pour la société que
n'importe quel changement économique à venir.

Une autre nature féminine ?

Freud avait décrit l'homme actif, conquérant, en
prise avec le monde extérieur. La femme restait passive, masochiste, dispensatrice de l'amour au foyer et
capable de seconder son mari avec dévouement.

Kate Millet fut l'une de celles qui élaborèrent la critique la plus détaillée des théories freudiennes [1]. Passant
au crible les différentes notions de la psychologie
féminine, elle sut montrer les failles de raisonnement
du père de la psychanalyse : négligence de l'hypothèse
sociale, postulats théoriques confondus indûment avec
des vérités démontrées.

Nous avons vu que l'envie du pénis constitue la
base de l'interprétation freudienne de la personnalité
féminine ; c'est une des idées clés qui méritent un examen critique. Selon Freud, lorsque la petite fille compare son sexe à celui du garçon, c'est pour elle une
expérience tragique qui la marquera toute sa vie.
K. Millett remarque qu'une telle affirmation est loin
d'être démontrée et, à supposer même qu'elle fût
vraie, il importerait de se demander pourquoi il en est
ainsi. Si la virilité est, en elle-même, un phénomène
supérieur, il devrait être possible de le prouver. Sinon,
la femme la juge faussement et déduit à tort qu'elle

---

1. Kate Millett, *La Politique du mâle*, p. 202-225.
    En France, Luce Irigaray fut l'une des premières psychanalystes à
contester le modèle freudien. Voir *Ce sexe qui n'en est pas un*, éd. de
Minuit, 1977.

est inférieure. Auquel cas il conviendrait de savoir quelles sont les forces qui l'ont amenée à se considérer comme un être inférieur. K. Millett pense à juste titre que la réponse est à chercher du côté de la société patriarcale et de la situation qu'elle réserve aux femmes. « Mais Freud négligea cette voie et opta au contraire pour une étiologie de l'expérience enfantine fondée sur la réalité biologique des différences anatomique entre les sexes[2]. »

Freud suppose également que la petite fille compare à son désavantage ce sexe visible qu'est le pénis d'un petit garçon et que du même coup elle en éprouve de la jalousie. Pourquoi, se demande K. Millett, ce qui est plus gros serait-il considéré comme meilleur ? Pourquoi la petite fille ne considérerait-elle pas son corps comme la norme et le pénis comme une excroissance inesthétique ? Enfin, sur quoi se fonde Freud pour affirmer que le pénis paraîtrait à la petite fille mieux adapté à la masturbation que son propre clitoris ? Autant de questions auxquelles Freud n'a jamais répondu, n'ayant fourni aucune preuve objective pour étayer sa notion d'envie du pénis ou de complexe de castration féminine. Comment alors ne pas conclure au subjectivisme de Freud, à un « préjugé de suprématie masculine assez net[3] », qualifié de « phallocentrique » par Ernest Jones ? Comment, enfin, ne pas être frappé de la légèreté avec laquelle Freud déduit de la découverte de la castration (qu'il juge être une expérience féminine universelle) toutes les étapes ultérieures de la psychologie et de la sexualité féminines ? N'est-ce pas en raison de cette envie du pénis refoulée, mais jamais anéantie, que la femme trouvera sa pleine réalisation dans la maternité ? N'est-ce pas en raison de cette déficience organique qu'elle sera pour tou-

2. *Ibid.*, p. 203.
3. *Ibid.*, p. 205.

jours dépendante, envieuse, pudique, moins créatrice, moins sociale et moins morale que l'homme ?

Selon que l'envie du pénis sera sublimée ou non dans la maternité, la femme sera saine ou malade. En conséquence, toutes celles qui font preuve de virilité, d'indépendance ou d'activité sont des démentes. Celles qui préfèrent faire carrière au lieu de procréer et celles — généralement les mêmes ! — qui ne renoncent pas à leur clitoris sont autant d'« immatures », de « régressives », et de « personnalités incomplètes ».

S'agissant des trois caractéristiques essentielles de la personnalité féminine (passivité, masochisme et narcissisme), Freud écarta avec la même légèreté l'hypothèse culturelle et sociale. Les trois caractéristiques énoncées non seulement lui apparaissent constitutionnelles, mais représentent aussi la norme du bon développement féminin. Peu importait, semble-t-il, que l'éducation et tous les facteurs de socialisation aient incité les femmes à prendre de telles attitudes. Une fois encore, l'acquis était déclaré inné, et Freud reproduisait l'erreur méthodologique commise par Rousseau dans l'*Emile*. L'un et l'autre pensaient décrire la nature féminine et ne faisaient, en réalité, que reproduire la femme qu'ils avaient sous les yeux. La sentimentale du XVIIIᵉ siècle ou la castrée du XIXᵉ siècle faisaient figures d'éternel féminin.

Dans la seconde partie du XXᵉ siècle, des femmes apportèrent un démenti éclatant à ces définitions de la « nature » féminine. Elles prouvèrent par leurs actions qu'elles n'étaient pas constitutionnellement « passives » ou « masochistes », ni essentiellement « vaginales ».

En effet, depuis que les femmes ont entrouvert les portes de leur maison et qu'elles ont envahi les universités, le barreau, l'hôpital ou les syndicats, elles ont montré que l'activisme, l'indépendance et l'ambition n'étaient pas l'apanage des hommes. Et qui peut sérieusement prétendre que ces femmes, chefs d'Etat ou de partis, chirurgiennes, polytechniciennes, magistra-

tes, ou chefs d'entreprises ne sont que des homo-
sexuelles refoulées ? Force nous est de constater que
plus les femmes sont intellectuellement développées, et
plus elles s'assignent des buts traditionnellement qualifiés de masculins. On aura beau jeu de nous répondre
que ce ne sont là que « revendicatrices », dont « la
nature » a été déformée dans leur enfance par une
malheureuse évolution psychologique, ou un arrêt
pathologique au stade pré-œdipien. Ces explications ne
peuvent plus nous suffire.

Que vaut un concept de nature qui change au gré
de la culture et des éducations ? Que restera-t-il de cet
« éternel féminin » freudien, lorsque demain toutes les
femmes auront accès, à l'égal des hommes, au savoir
et au pouvoir ? La gent féminine sera-t-elle déclarée
invertie dans sa totalité ? Ou continuerons-nous à proclamer que les femmes sont moins justes, moins socia-
bles, moins créatrices que leurs compères masculins ?

Il en est de même du masochisme qui devait, en
principe, ponctuer chaque grande étape de la vie
sexuelle féminine : les règles, la défloration, l'accouchement. Pour les règles et l'accouchement, on sait
aujourd'hui que la douleur qui les accompagne n'est
pas inexorable. Si les femmes refusent massivement de
souffrir aujourd'hui, n'est-ce pas la preuve qu'elles y
répugnent autant que l'autre moitié de l'humanité ? A
tout le moins, dira-t-on, leur « goût érogène pour la
douleur » subsiste-t-il dans leur activité sexuelle. N'y
aurait-il pas une « O » qui sommeille en toute
femme ? Et le fantasme de viol n'est-il pas spécifiquement féminin ? Mais comment savoir si ce désir n'est
pas en réalité partagé par les hommes et les femmes ?
Comment mesurer le poids de traditions et d'images
millénaires sur le psychisme humain ? Ce n'est sûrement pas un hasard si, dans le même temps où les
femmes ont pris la parole, elles ont crié bien fort
qu'elles haïssaient le viol et demandaient réparation
pour un tel outrage. Féministes enragées ou « viriles

refoulées », celles qui ne supportent plus de souffrir
en silence et de faire semblant d'aimer cela ne cessent
de grandir en nombre.

Quant à celles, nombreuses, qui ont vu leur vie
sexuelle gâchée par un amant trop brutal ou un mari
violeur, leur frigidité est-elle à mettre au compte de
leur manque de masochisme ? Ou plus simplement ne
sont-elles pas ainsi parce que viol et brutalité ne
conviennent pas plus aux femmes qu'aux hommes !
Enfin, que penser des femmes qui se sont crues frigides parce qu'on leur a répété pendant des siècles qu'il
n'y a d'orgasme que vaginal, et que, hors du vagin,
point de salut pour les femmes ? Pendant ce temps,
elles se sont tues, honteuses de se sentir anormales,
pensant qu'elles étaient seules victimes d'une malédiction inavouable. A lire ici ou là que le « vaginisme »
est l'expression la plus dramatique de la frigidité féminine, à écouter le docteur Friedmann déclarer « qu'il
est l'expression de leur agressivité et de leur vengeance
contre l'esclavage quotidien [4] », comment ne se seraient-
elles pas considérées comme malades et tordues ?

Les premières grandes enquêtes sur la sexualité
féminine révélèrent l'étendue du « mal », au point
qu'on en vint à suggérer que l'orgasme vaginal
n'existe pas. Le rapport Kinsey de 1953, qui se fonde
sur une enquête menée auprès de six mille femmes,
concluait que « seul existe l'orgasme clitoridien, car
l'orgasme est provoqué par le clitoris ». Dans les
années 1966-1970, Masters et Johnson réaffirmèrent
qu'il n'y a qu'une sorte d'orgasme féminin et non
deux ; que les orgasmes, au cours du coït, sont provoqués par une stimulation indirecte du clitoris et non
par une stimulation du vagin [5]. Cependant, les statisti-

---

4. Propos tenus au Séminaire de l'Union pour le planning familial en
Angleterre, rapportés par A. Schwarzer, *La Petite Différence et ses grandes conséquences*, p. 275, éd. des Femmes, 1978.
5. Tous les rapports ultérieurs sur la sexualité féminine confirmèrent
l'importance du plaisir clitoridien. Selon Giese, 85 % des femmes parvien-

ques avancées par les sexologues ne modifièrent guère l'opinion des psychanalystes. Ils continuent d'affirmer le primat de la vaginalité, comme P. David qui « dénonce l'idée fausse (?) d'une supériorité de l'orgasme clitoridien au détriment de la jouissance vaginale. C'est aller démagogiquement dans le sens de la névrose [6]... ».

Pourtant, devant ce refus massif des femmes d'abandonner le clitoris au profit du vagin, et même de les distinguer, on ne peut s'empêcher de rêver un instant à ce que Freud, Marie Bonaparte ou H. Deutsch auraient répondu. Auraient-ils baissé les bras devant cette armée de « viriles », de « régressives », d'« impuissantes » ? Seraient-ils partis en guerre contre une société qui produit des femmes aussi inadéquates ? Ou bien, comme Balint, blâmeraient-ils « les maris trop polis qui ne sont pas en mesure de prendre leur femme de force [7] », pensant que seul le viol peut satisfaire leurs secrets désirs ?

De nombreux psychanalystes continuent de penser que la frigidité féminine pendant le coït est le résultat d'une lutte inconsciente contre leurs désirs masochistes, et que le viol reste le « rêve primitif » de toute femme. Ils semblent faire peu de cas — quand ils ne les ignorent pas avec dédain — des enquêtes fournies par la sexologie. Comme s'il valait mieux mépriser les données de l'expérience plutôt que d'avoir à remanier concepts et théories. La psychanalyse, herméneutique de l'inconscient, a certes des circonstances atténuantes. Habituée à interpréter les refus de la conscience comme des désirs inconscients [8], elle conclut aisément

nent ainsi à l'orgasme. *Le Rapport Hite* (1974-1976) en compte 95 % contre 30 % seulement qui disent avoir des orgasmes pendant le coït sans caresse du clitoris.

L'enquête réalisée en 1979 par *F. Magazine* entérine les résultats précédents.

6. Pierre David, *op. cit.*, p. 163.
7. Alice Schwarzer, *op. cit.*, p. 277.
8. Cf. l'article de Freud sur la Dénégation, *Imago*, 1927.

que lorsqu'une femme affirme n'être pas plus masochiste qu'un homme, ou ne pas pouvoir jouir vaginale-
ment, ce ne sont là que les expressions inversées de
désirs refoulés. Forts de ces assurances, comment les
psychanalystes accepteront-ils jamais de prendre les
propos et les revendications féminines au sérieux ?

Il semble cependant que quelques psychanalystes ne
soient pas insensibles aux discours des féministes.
Même si certains, comme Juliet Mitchell, s'acharnent
à démontrer qu'aucune d'entre elles n'a bien lu Freud,
d'autres tendent l'oreille, insistent sur la persistance de
la bisexualité originaire et sur l'idée que Passivité et
Activité ne sont pas respectivement le propre de la
femme et de l'homme. Mais si l'on met en sourdine le
thème du masochisme « caractéristique condition féminine [9] », il reste quelques « vérités premières » sur lesquelles nul ne songe à revenir. Parmi elles, l'envie du
pénis [10], loi universelle de la nature féminine, si l'on
en croit Maria Torok : « Dans toutes les analyses de
femmes survient *nécessairement* une période au cours
de laquelle une convoitise envieuse à l'endroit du
membre viril et de ses équivalents symboliques fait son
apparition... Le désir exacerbé de posséder ce dont la
femme se croit privée par le destin — ou par la mère
— exprime une insatisfaction fondamentale que
d'aucuns attribuent à la condition féminine... Or il est
remarquable que de l'homme et de la femme, c'est
elle seule qui ramène cet état de manque à " *la
nature* " même de son sexe : " c'est parce que je suis
une femme " [11]. »

La fin du dévouement absolu ?

L'autre dogme que les théoriciens de la psychanalyse ne sont pas près d'abandonner est la nécessaire

9. Freud, *Le Problème économique du masochisme* (1928).
10. Voir, entre autres, l'article de Maria Torok, « Signification de
l'envie du pénis chez la femme », in *La Sexualité féminine*, Payot, n° 147.
11. P. 203 (souligné par nous).

distinction des rôles paternel et maternel pour le bon développement de l'enfant. La mère reste la principale dispensatrice d'amour pour le nouveau-né et le jeune enfant. C'est à elle, ou à un substitut féminin, qu'est réservé le plaisir ou la charge d'assumer ce premier corps à corps vital pour l'enfant. Bien que le mot « dévouement » ne soit plus guère à la mode, la réalité qu'il désigne est une donnée incontournable que toutes les mères connaissent bien. Allaiter, nourrir, laver, surveiller les premiers pas, consoler, soigner, rassurer la nuit... sont des gestes d'amour et de dévouement, mais aussi des sacrifices que la mère accomplit pour son enfant. Le temps et l'énergie qu'elle lui donne sont autant de substance dont elle se prive pour lui. Or, ce don d'elles-mêmes, qui semble si naturel et si spécifique à leur sexe depuis près de deux siècles, paraît être remis en cause par les femmes. Non qu'elles se détournent absolument de ces tâches, mais elles montrent par de nombreux signes qu'elles veulent partager avec leur compagnon l'amour de l'enfant et le sacrifice de soi, comme si justement l'un et l'autre n'allaient pas de soi. Comme si ces deux attributs de la maternité n'appartenaient pas forcément au sexe féminin.

De plus, les femmes ressentent davantage la dualité des rôles maternel (centrés sur la maison, l'intérieur) et féminin (tournés vers l'extérieur). On parle beaucoup de l'harmonie, de leur complémentarité et même de leur aspect bénéfique pour l'enfant, mais on évoque rarement les problèmes qu'ils peuvent poser à la femme. On se tait sur leur antagonisme possible, comme si cela n'était que l'affaire des femmes. Les hommes, et la société qui reflète leurs valeurs, ne semblent pas près d'y porter remède. La seule solution suggérée pour mettre fin au conflit des deux rôles est d'en supprimer un, c'est-à-dire le travail féminin à l'extérieur du foyer. En vain, car les femmes font la sourde oreille.

De plus en plus nombreuses, au contraire, sont celles qui rognent sur les tâches ménagères, mais aussi maternelles, qui ne considèrent plus « leur intérieur », âmes et biens, comme leur royaume naturel.

L'augmentation importante du nombre de femmes dites « actives » à partir des années 1960 semble accréditer cette hypothèse [12]. Alors qu'en 1962, on recensait 6 585 000 travailleuses (27,5 % de l'ensemble de la population active), en 1976 on comptait près de 8,5 millions (soit 38,4 %). Cette augmentation de 11 % de travailleuses en moins de quinze ans mérite réflexion. Car, si en 1906 on comptait déjà 39 % de femmes sur le marché du travail, leurs statuts, leurs fonctions et leurs motivations étaient très différents de ce qu'ils sont aujourd'hui. Près de 40 % travaillaient dans l'agriculture, 30 % dans l'industrie (comme main-d'œuvre) et le reste dans le secteur tertiaire. En 1976, les proportions par secteurs sont inversées. Les femmes ne représentent plus que 22,9 % des travailleurs industriels, et même si elles restent en majorité O.S. et manœuvres (53 %), 40 % des salariées de l'industrie sont des employées du bureau et des cadres administratifs moyens.

Le changement le plus spectaculaire concerne la progression du nombre de femmes dans le secteur tertiaire, et de leur qualification. 35 % de l'ensemble des travailleurs (des deux sexes) au début du siècle, elles sont 46,2 % en 1968 et 48,1 % en 1975. Alors qu'en 1968 les travailleuses du tertiaire représentaient 59,8 % des femmes actives, en 1976 elles en représentent 67,2 %. Même si elles occupent surtout des postes peu qualifiés, elles progressent dans toutes les catégories. Ainsi, le nombre des femmes cadres supérieurs a augmenté de 14 à 22 % entre 1968 et 1972.

Que conclure de tous ces chiffres ? On remarque

12. Ces chiffres et les suivants sont extraits du livre de Christiane Menasseyre, *Les Françaises aujourd'hui* (1978), Hatier. (En octobre 1978 : 39,4 % de femmes actives.)

d'abord que 11 % des femmes ont choisi d'avoir une activité professionnelle, non pas à une époque (1962-1978) de pénurie, de guerre ou de crise, mais dans une période de prospérité et d'expansion économique. Par conséquent, pour une bonne partie d'entre elles, le double salaire était une moins grande nécessité qu'en 1906. D'autre part, pour un certain nombre de ménages, la perte des avantages sociaux et fiscaux, et les frais de la garde des enfants qu'entraîne le travail de la mère sont à peine compensés par le deuxième salaire. Si l'on ajoute à ce faible bénéfice la fatigue de la double journée de travail, l'énervement dans les transports, etc., on peut s'étonner, comme ne manquent pas de le faire un grand nombre de gens, que les femmes choisissent cette solution. Enfin, s'il est vrai que beaucoup d'entre elles, notamment les O.S., manœuvres dans le secteur secondaire, n'ont pas le choix, car le second salaire constitue une nécessité vitale pour leur famille, la progression de la qualification féminine dans le secteur tertiaire indique une tout autre tendance. Pour la première fois dans l'histoire millénaire du travail féminin, des femmes choisissent volontairement de quitter foyer et enfants pour travailler à l'extérieur de chez elles. A leurs yeux, le travail n'est plus assimilable au « tripalium [13] » de jadis, mais il représente un moyen de réalisation, sinon d'épanouissement de la personnalité [14].

Force nous est de constater que depuis une quinzaine d'années, un nombre croissant de femmes, qui ont les moyens de rester chez elles, et de pouponner à volonté, préfèrent s'en remettre à d'autres pour ces tâches et passer l'essentiel de leur temps à l'extérieur.

---

13. Instrument de torture au XIIIᵉ siècle.

14. Voir le sondage S.O.F.R.E.S. publié par *F Magazine* en février 1980 sur le travail féminin : il montre que 58 % des femmes actuellement inactives souhaiteraient travailler et que 57 % des femmes actives préféreraient continuer de travailler même si elles avaient toute possibilité financière de s'arrêter.

Bien sûr, leur cas n'est pas majoritaire, puisque plus de la moitié des Françaises sont mères au foyer et que, parmi celles qui travaillent, un très grand nombre ne peuvent pas faire autrement. Il reste néanmoins que plus les femmes ont un niveau d'instruction élevé et peuvent prétendre à des situations professionnelles intéressantes, plus elles choisissent de quitter la maison.

Or, dans la société occidentale actuelle, et particulièrement en France où les équipements collectifs qui reçoivent les enfants sont scandaleusement insuffisants, le travail maternel pose un double problème qui éclaire d'un jour nouveau, sinon contredit, certaines idées que l'on croyait indestructibles : la maternité comme définition essentielle de la femme, l'amour spontané et le dévouement naturel de la mère pour son enfant.

Le problème prioritaire qui se pose à toute mère qui travaille à l'extérieur de chez elle est la garde de son (ses) enfant(s) de moins de trois ans. Ce problème présente deux aspects différents : un aspect matériel (à qui le confier ?) et un autre, psychologique (sera-t-il heureux ?). L'aspect matériel est aujourd'hui particulièrement difficile à surmonter. Selon les chiffres les plus récents [15], 920 000 enfants de zéro à trois ans doivent être gardés par des femmes qui ne sont pas leur mère. Or, les crèches collectives offrent à peine plus de 56 000 places, les crèches familiales 26 000, les jardins d'enfants privés 17 000 et les écoles maternelles 120 000 (mais elles n'accueillent que des enfants entre deux et trois ans). Pour les 700 000 enfants qui restent à garder, les parents ont recours soit à un autre membre de la famille (pour 100 000 enfants), soit à une employée de maison (70 000 enfants), soit encore à une nourrice agréée (plus de 300 000 enfants). Les

15. Cf. un article de Catherine Arditti, « Une politique de la famille », III, *Le Monde*, 22 novembre 1979.

200 000 autres enfants sont généralement accueillis par des voisines ou « clandestines ». Tous ces chiffres montrent que les gouvernements qui se sont succédés depuis les années 1960 (date de l'augmentation notable du travail féminin) n'ont rien fait pour aider les femmes qui travaillent, et apparemment ils n'ont toujours pas l'intention « d'investir dans la petite enfance [16] ».

Le second aspect des choses est essentiellement psychologique et pose la question du « bon choix » pour l'enfant. Que la mère retravaille deux mois et demi ou quatre mois après son accouchement [17] ne change pas radicalement le problème. Certes, cela permettra à celles qui veulent allaiter de le faire plus longtemps et d'obéir ainsi aux injonctions de plus en plus pressantes des pédiatres, psychologues et écologistes. Le professeur Royer, pédiatre connu, affirmait au Congrès de Monaco : « au moins six semaines à deux mois, et si je devais donner un optimum, je dirai : entre deux et cinq mois... et pourquoi pas plus longtemps ».

On a vu, précédemment, à quel point les media se sont fait l'écho de la campagne écologique pour l'allaitement maternel. Est-ce cette campagne et la publicité donnée aux avertissements des pédiatres qui produisirent de tels effets ? Mais on assista à un véritable revirement d'attitudes chez les mères. Jusqu'aux années 1970, malgré les constantes protestations des psychologues et des pédiatres, le nombre des femmes nourrissant leur enfant au sein diminua régulièrement. On n'en comptait que 37 % en 1972 [18]. En 1976, une enquête S.O.F.R.E.S. faite pour Guigoz, réalisée dans les maternités françaises, montrait qu'elles étaient 48 % à

---

16. Selon l'expression de C. Arditti.

17. En novembre 1979, Madame Pelletier, ministre de la Condition féminine, annonça que le congé de maternité était prolongé de quatre à six mois « pour permettre aux femmes qui travaillent d'assumer, dans de meilleures conditions, l'accueil du troisième enfant ».

18. Enquête de l'I.N.S.E.R.M.

nourrir au sein pendant la première semaine qui suit
la naissance. Une seconde enquête, en 1977, indiquait
qu'elles étaient 51 %. Contrairement aux idées reçues,
on trouvait un pourcentage plus élevé de femmes
ayant une activité professionnelle, un niveau d'études
supérieur et appartenant à des catégories sociales privilégiées. 25 % de rurales contre 57 % d'épouses de
cadres. Mais l'enquête ne dit pas si les épouses de
cadres étaient cadres elles-mêmes.

Etrange phénomène que cette nouvelle mode de
l'allaitement au sein, au moment même où la mortalité infantile est la plus basse et où jamais il n'y eut
de meilleurs substituts du lait maternel ! Ces enquêtes
nous laissent sur notre faim concernant un point
essentiel : nous savons que les femmes allaitent de
plus en plus dans les maternités, mais nous ne savons
pas combien de temps elles poursuivent l'expérience à
la maison. Nous ne connaissons pas non plus leurs
nouvelles motivations, ni de quelles pressions inconscientes elles sont l'objet. Mais nous savons que
dans plusieurs services pilotes d'obstétrique parisiens,
on conditionne les nouvelles mères à cet effet. Il est
donc très difficile d'évaluer le pourcentage des femmes
qui le font spontanément et par plaisir, celles qui le
font mécaniquement pour obéir à une mode, ou celles
enfin qui allaitent pour ne pas se sentir coupables et
déjà « mauvaises mères » dès les premiers jours de
leur enfant. Le fait que ce soient les femmes qui travaillent et celles qui sont le plus évoluées intellectuellement qui ont les premières et le plus massivement
répondu à l'appel des pédiatres peut suggérer plusieurs
hypothèses. Ne sont-elles pas les moins rigides, les
moins traditionnelles, celles qui sont prêtes à faire de
nouvelles expériences ? Probablement peu ou pas
nourries par leur propre mère, elles ont peut-être
pensé qu'en allaitant elles donneraient à l'enfant « une
satisfaction en plus » et une chance supplémentaire
d'équilibre et de bonheur ! On peut aussi émettre

l'hypothèse que, encouragées par l'idéologie dominante, elles ont pu s'accorder à elles-mêmes un véritable plaisir qu'elles n'osaient pas revendiquer auparavant. Mais on peut tout aussi bien penser que si les femmes qui travaillent allaitent plus que les autres, c'est aussi parce qu'elles ressentent un obscur sentiment de culpabilité à l'égard du bébé qu'elles laisseront bientôt à d'autres. Peut-être pensent-elles : « Je te donne mon lait pour compenser un peu mon absence future... ! »

Il est difficile de parvenir jusqu'à l'inconscient des femmes, car chacune a ses propres raisons d'allaiter ou non. Cependant, ce serait une erreur, croyons-nous, de conclure trop rapidement du regain de l'allaitement maternel au dévouement naturel de la mère pour son enfant. Alors qu'au XVIIIᵉ siècle l'allaitement maternel était, sans conteste, la cause d'une plus grande chance de survie pour l'enfant, et donc une preuve d'amour objective, aujourd'hui nous ne pouvons plus savoir si la mère allaite pour se faire plaisir, ainsi qu'à son enfant, ou pour calmer ses angoisses.

A supposer que la mère nourrisse bien son bébé conformément aux conseils du pédiatre, c'est-à-dire entre six semaines et cinq mois, ce qui est loin d'être prouvé, il reste à aborder le moment crucial de la première séparation. Lorsque la mère a terminé son congé de maternité, que l'enfant ait trois ou quatre mois, elle doit remettre celui-ci dans des mains étrangères et faire confiance à la providence. En outre, si elle est décidée à retravailler avant que l'enfant ait atteint trente mois, elle ne doit pas trop retarder cette première séparation, car un premier placement entre six et dix-huit mois est particulièrement déconseillé.

F. Dolto, on s'en souvient, pense que l'enfant a non seulement besoin de sa mère ou d'un substitut jusqu'à vingt-cinq ou trente mois, mais qu'il supporte mal les changements intempestifs de mercenaires. Par conséquent, toutes les femmes qui travaillent et qui ne peuvent espérer l'aide d'un membre de la famille, courent un risque qu'on peut difficilement calculer à l'avance. Comment faire confiance au personnel souvent changeant d'une crèche, ou d'un autre établissement ? Comment savoir si la nourrice à laquelle on confie son enfant toute la journée sera suffisamment consciencieuse et maternante ? Comment être sûre que durant les trente premiers mois on ne sera pas obligée de déménager ou de changer de travail, ce qui implique également un changement de garde pour l'enfant ? Comment s'assurer enfin qu'une jeune fille au pair ou une employée à domicile restera le temps voulu auprès de l'enfant qui s'attache à elle ? Autrement dit, comment être certaine qu'une autre fera pour l'enfant ce que la mère ne fait pas pour lui ? Lui donnera présence, tendresse, attention, qu'on attend de la mère idéale ?

Comme il est impossible de répondre à ces questions et d'avoir des certitudes, il nous faut bien conclure que les mères qui travaillent prennent un risque psychologique réel et variable selon les enfants. Car on sait bien que certains s'adaptent mieux aux changements, et sont moins fragiles que d'autres. Mais si l'on adhère à la thèse du dévouement spontané et naturel de la mère, comment expliquer que celles qui n'y sont pas contraintes par une nécessité vitale prennent un tel risque ? Ne sommes-nous pas ici en face d'une situation analogue à celle qui existait au XVIIIe siècle ? Ne pouvons-nous pas rapprocher le cas de ces femmes qui choisissent de travailler à l'extérieur plutôt que de rester à la maison les trente premiers mois de l'enfant, de celui des femmes aisées ou riches qui, aux XVIIe et XVIIIe siècles refusaient de s'occuper personnellement de leurs enfants et les mettaient aussitôt nés en nourrice ?

Deux cents ans d'idéologie maternelle et le développement du processus de « responsabilisation » de la mère ont radicalement modifié les attitudes. Et même si elles travaillent, les femmes du XXe siècle demeurent infiniment plus proches et plus préoccupées de leurs enfants que jadis. Mais une fois encore, nous avons la preuve que la maternité n'est pas toujours la préoccupation première et instinctive de la femme ; qu'il ne va pas de soi que l'intérêt de l'enfant passe avant celui de la mère ; que lorsque les femmes sont libérées des contraintes économiques, mais qu'elles ont des ambitions personnelles, elles ne choisissent pas toujours — et de loin — de les abandonner, même quelques années, pour le bien de l'enfant. Il apparaît donc qu'il n'y a pas de comportement maternel suffisamment unifié pour que l'on puisse parler d'instinct ou d'attitude maternelle « en soi ». Les femmes qui refusent de sacrifier ambitions et désirs pour le mieux-être de l'enfant sont trop nombreuses pour être rangées dans les exceptions pathologiques qui confirmeraient la règle. Ces femmes qui se réalisent mieux à l'extérieur qu'à l'intérieur de chez elles sont très souvent celles qui ont bénéficié d'une instruction supérieure et qui peuvent espérer le plus de satisfactions de leur métier. Il serait facile d'ironiser que les plus cultivées sont les plus « dénaturées ». Cela ne résoudrait rien. L'éducation des femmes est irréversible et, si l'on devait faire le portrait anticipé des femmes futures, nul doute que nous les imaginerions plus dénaturées encore, détentrices du savoir et du pouvoir à l'égal de leurs compagnons.

L'insatisfaction

Le second problème que pose le travail féminin, et en particulier celui de la mère, est la double journée de travail génératrice d'insatisfactions, car trop inégalement partagée avec le conjoint. Toutes les enquêtes montrent que les femmes actives ou au foyer effectuent l'essentiel du travail domestique et parental, et que les hommes participent très faiblement à ces tâches. Même si les femmes qui ont une activité professionnelle consacrent moins de temps au travail ménager et aux soins des enfants, ce sont toujours elles qui en font le plus et amputent sur le temps de loisir. Une enquête de l'I.N.S.E.E., citée par Andrée Michel[19], montre qu'en moyenne et tous âges confondus, les hommes consacrent à la production marchande (travail rémunéré) et non marchande (travail domestique) un total quotidien de 9,2 heures contre 10,3 pour les femmes. Il leur reste 4,1 heures de loisir par jour contre 3 heures seulement pour les femmes. L'homme gagne donc, en moyenne, 7,7 heures de loisir supplémentaire par semaine.

D'autre part, si les enquêtes montrent une plus forte participation du mari aux tâches ménagères lorsque la femme travaille à l'extérieur, le tableau statistique que nous empruntons à nouveau à A. Michel[20] montre qu'elle reste relativement inégale.

PARTICIPATION DES MARIS
AUX TÂCHES MÉNAGÈRES
(en pourcentage)

	SEMAINE		DIMANCHE	
	Femmes au foyer	Femmes actives	Femmes au foyer	Femmes actives
Lit	3,2	15,8	10,4	18,5
Ménage	2,8	4,8	8,4	9,9
Cuisine	5,8	16,7	10,5	16,6
Vaisselle	11,7	23,0	15,2	20,4
Couvert	17,5	21,4	14,8	12,6
Aide-ménagère totale	28,7	43,4	36,8	41,4
Courses	15,9	18,9	15,1	14,8

A. Michel remarque en outre que la proportion des pères qui ont aidé à la toilette des enfants ou aux devoirs scolaires est encore faible bien que presque

19. A. Michel, *La Femme dans la société marchande* (1978), p. 148.
20. *Ibid.*, p. 187.

Activités de la mère selon son statut professionnel et le nombre d'enfants (pendant une journée ordinaire)

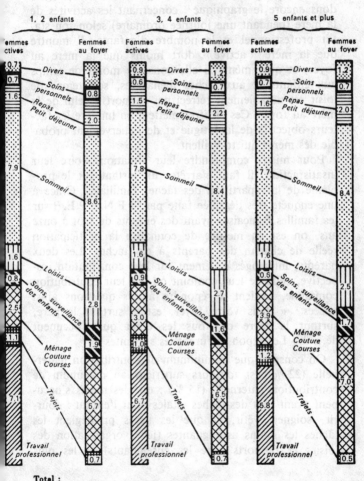

Total :
24 heures mesurées en heures et dixièmes d'heure.

Graphique de B. Riandley, extrait du livre d'Andrée Michel
La Femme dans la société marchande, p. 187

tout l'échantillon soit concerné par la présence d'enfants. Mais avant d'en venir au problème de la participation paternelle à l'élevage des enfants, regardons encore le graphique[21] concernant les activités de la mère (pendant une journée ordinaire) selon son statut professionnel et le nombre d'enfants. Il montre que la mère « active » dort moins que la mère au foyer, et que, même si elle consacre moins de temps aux enfants et aux tâches ménagères, son temps de loisir est notablement rétréci par rapport à celui de la mère au foyer. Ces chiffres mettent en lumière les facteurs objectifs de la fatigue et de l'énervement probable des mères qui travaillent.

Pour mieux comprendre leur situation, voire leur insatisfaction, il faut s'arrêter un instant sur le problème de la répartition des tâches familiales. Grâce à une enquête très détaillée faite par la F.N.E.P.E.[22] sur les familles françaises ayant des enfants de sept à onze ans, on est en mesure de connaître la participation réelle de chacun des parents à ces tâches. Les deux parents, interrogés isolément sur leur contribution respective, celle de leur conjoint ou sur leur contribution commune, avaient à répondre à des questions ainsi posées : « Dans votre foyer, est-ce surtout le père, surtout la mère ou tous les deux qui s'occupent de... ? » Les réponses furent les suivantes :

On constate que le minimum de contribution maternelle (22 %) est toujours supérieur au maximum de contribution paternelle (15 %) ; que les mères s'occupent avant tout des tâches vitales pour l'enfant : nourrir, soigner, vêtir, et que les pères privilégient les tâches les moins astreignantes (jeux, organisation des loisirs et rapports avec les enseignants) et les plus

---

21. *Ibid.* (voir tableau page 351).
22. F.N.E.P.E., la Fédération nationale des Ecoles des parents et des éducateurs publie cette enquête dans la revue *Le Groupe familial*, avril 1979, n° 83.

	Mère	Père
Préparation des repas	82 %	2 %
Garde et soin des enfants malades	81 %	1 %
Achat des vêtements, fournitures .	77 %	1 %
Visite chez médecin, dentiste.....	75 %	5 %
Achats d'alimentation	67 %	4 %
Relations avec enseignants	57 %	9 %
Aide aux devoirs	50 %	5 %
Organisation des loisirs extérieurs.	36 %	6 %
Participation aux jeux de l'enfant	22 %	15 %

agréables. D'autre part, les tâches que les pères assument le plus souvent seuls sont aussi celles qu'ils partagent le plus fréquemment avec leurs conjointes... « On observe, dit C. Dollander, une distribution fort traditionnelle des tâches familiales qui indique une stagnation de cet aspect des rôles parentaux et des modèles masculins et féminins qu'ils recouvrent [23]. » On remarque aussi que la contribution du père est identiquement faible, quelle que soit sa catégorie socioprofessionnelle, alors que le partage des tâches « à deux » peut varier selon son niveau d'études. Cependant, on note que les pères ne considèrent pratiquement jamais que les tâches familiales peuvent leur revenir en propre. Dans le « partage des tâches », ils « aident » les mères aux tâches qui continuent à leur revenir traditionnellement. Apparemment, une grande majorité d'hommes et de femmes trouvent cela normal :

	Pères	Mères
Satisfaits	92 %	86 %
Insatisfaits..........	7 %	13 %
Sans réponse.........	1 %	1 %

23. C. Dollander fait observer qu'il s'agit de *parents ayant des enfants de 7 à 11 ans, dont l'âge varie en moyenne de 30 à 45 ans* (op. cit., p. 28).

Commentant le taux relativement faible de l'insatisfaction maternelle, C. Dollander se demande « si les mères se sentent autorisées à être insatisfaites d'un modèle millénaire et si celles qui s'autorisent ce sentiment, *a fortiori* celles qui osent l'exprimer, ne sont pas réellement minoritaires ?... Ou si les femmes ne tiennent pas d'une certaine manière à conserver dans la famille le pouvoir que leur confère la responsabilité des tâches qui y sont liées ? ». Ces deux hypothèses sont intéressantes. La première est confortée par une enquête de *F Magazine* sur ses lectrices [24] (plus jeunes et d'un niveau d'études supérieur à la moyenne nationale), et par le fait que dans les questions indirectes portant sur le degré d'énervement, la fatigue, etc., la mère a un vécu nettement plus négatif que le père. Quant à la seconde hypothèse, elle sera plus ou moins vérifiée selon l'épanouissement et la réussite de la mère dans son activité professionnelle.

L'insatisfaction des pères est faible et varie peu. Les seuls pères qui se distinguent par leur insatisfaction sont une partie des cadres supérieurs, ceux qui ont fait des études supérieures, et qui « partagent » davantage les tâches familiales. Parmi eux, on compte 85 % de satisfaits contre 94 % parmi ceux qui ont fait moins d'études. Cette insatisfaction plus grande des pères qui « mettent la main à la pâte » doit-elle être mise en rapport avec le motif principal invoqué par les hommes de dix-huit à trente-quatre ans pour ne pas avoir de troisième enfant ? A la question posée par *F Magazine* en janvier 1979, 69 % des hommes (contre seulement 31 % des femmes) avaient répondu : « parce que je ne veux pas renoncer à ma liberté ».

Si l'insatisfaction des mères (tous milieux confondus) s'exprime très faiblement lorsqu'on leur

---

24. Voir plus loin, p. 361-362, les résultat d'un sondage fait par *F Magazine*, en septembre 1978, sur l'attitude des femmes à l'égard de la maternité.

pose des questions directes, on perçoit fort bien un malaise des femmes dans le mariage et un certain recul à l'égard de la maternité lorsqu'on leur pose des questions indirectes. Andrée Michel a constaté que plus les femmes sont jeunes, instruites et actives, plus elles éprouvent d'insatisfactions dans le mariage [25], et moins elles associent la réussite et le bonheur féminin à la maternité [26].

En revanche, l'enquête de M.-C. Ribeaud montre que les femmes sous-prolétaires ont des attitudes et des motivations diamétralement opposées aux femmes les plus instruites.

Distances envers la maternité

Pour mieux percevoir l'évolution des attitudes féminines à l'égard de la maternité, nous disposons de deux types de documents, enquêtes et témoignages, qui font apparaître un changement profond de mentalité. Même si les nouvelles attitudes ne sont le fait que d'une minorité, celle-ci est suffisamment active et émancipée pour être prise au sérieux. La grande nouveauté réside moins dans le fait d'exprimer une lassitude à l'égard de la maternité, de dire sa déception ou son aliénation, que dans la manière de le dire. Les femmes s'expriment aujourd'hui sans culpabilité mais non sans rancœur. On est fort loin des confidences,

25. Cf. Andrée Michel, *Activité professionnelle de la femme et vie conjugale*, p. 138, C.N.R.S., 1974.

Tableau de satisfaction dans le mariage

Instruction de la femme	Femmes au foyer	Femmes actives
Primaire	33 %	33 %
Technique	27 %	40 %
Secondaire	44 %	34 %
Supérieur	53 %	30 %
Toutes catégories	38 %	34 %

26. Les résultats des enquêtes françaises recoupent exactement ceux des enquêtes faites aux U.S.A. et en U.R.S.S. sur le même thème. Voir A. Michel, *Femmes, sexisme et sociétés*, p. 188.

ou des aveux de Madame Guitton (mère du philosophe Jean Guitton), grande chrétienne de la bourgeoisie. Mère d'un seul enfant, elle écrivait, non sans quelque remords : « *Je devrais me trouver pleinement heureuse* avec un mari qui m'aime beaucoup et un bébé qui sans être joli est gentil et bien portant. Et cependant parfois, *grondez-moi,* avec mon esprit inquiet et insatiable, *il me semble qu'il me manque quelque chose.* Ma vie est devenue si matériellement abrutissante que je n'ai plus le temps de penser, de vivre une vie meilleure [27]. » Plus loin, elle ajoute : « Près du berceau de mon petit amour, *j'ai bien fait le sacrifice de tout ce que j'aimais*, lectures, heures de travail, tout ce qui remplissait ma vie d'autrefois [28]. »

Ces plaintes de Madame Guitton nous frappent d'autant plus qu'elles viennent d'une femme élevée dans l'esprit du dévouement et du sacrifice. Elles témoignent que la maternité est plus difficile à vivre qu'on ne le croit et que la toute-puissante nature n'a pas suffisamment armé les femmes pour y faire face. Pas assez masochiste, Madame Guitton souffre sans y trouver son compte. La condition féminine lui semble si peu enviable qu'elle avoue : « Voyez-vous je voudrais n'avoir jamais de filles... en affirmant leur nature, je leur donnerais une chance de plus de souffrir des petites piqûres et de la médiocrité de l'existence [29]. »

Aujourd'hui, on n'avoue plus, on proclame et on dénonce.

« Les enfants, c'est lourd, cela vous bouffe la vie. »

« Il y a des jours où on donnerait beaucoup pour ne pas en avoir ; on les tuerait tous. »

« Pendant des années, je n'ai vécu que par devoir,

27. Jean Guitton, *Une mère dans sa vallée*, p. 62 (souligné par nous), Paris, 1960.

28. *Ibid.*, p. 63.

29. *Ibid.*, p. 63.

au point que je ne savais même plus ce qui me plaisait. Vivre pour soi, cela doit être grisant. »

« Je suis sucée par eux ; il y a des jours où j'en ai marre, où je voudrais être seule avec moi-même. »

« Certains jours, je suis tellement épuisée tellement à bout de nerfs que ce qui m'empêche de les battre, c'est de savoir que cela ne changerait rien, que ce serait pis encore. »

« Une mère est une vache à lait que l'on trait à jet continu jusqu'à l'épuisement. »

« Mes enfants m'ont pompée, il ne me reste plus rien de ma vitalité. »

« Si on ne l'a pas vécu, on ne peut pas imaginer ce que peut être cette sollicitation continuelle ; la seule consolation, c'est que les enfants seront parents à leur tour ! »

« Mes enfants sont grands maintenant, ce n'est plus pareil, mais pour rien au monde, je ne revivrais la période de leur petite enfance ; il y a des choses que l'on peut faire une fois dans sa vie, mais pas deux [30]. »

« Je ne savais même plus ce qui me plaisait ! »

« J'ai sacrifié tant d'activités pour mes enfants, car elles n'étaient pas conciliables avec les soins à leur donner, j'ai renoncé à tant de choses qui me manquent [31]. »

Tous ces témoignages pris sur le vif parlent du désenchantement, de l'épuisement et du renoncement que signifie la maternité pour certaines femmes. « On est grignoté, bouffé, sucé, pompé, mangé, vidé, détruit, dévoré... » et pourtant, commence B. Marbeau-Cleirens, « aucune de ces femmes interrogées n'a eu plus de quatre enfants [32] ! » Mais ce qui frappe le plus,

---

30. Témoignages cités par B. Marbeau-Cleirens in *Psychologie des mères*, 1966, p. 92, éd. Universitaires.

31. *Ibid.*, p. 101.

32. *Ibid.*, p. 92-93.

c'est la rancœur et le désir de vengeance qui s'échappent de ces propos et qui n'auraient probablement pas pu s'exprimer trente ans plus tôt. Rompant franchement avec l'image traditionnelle de la mère, ces femmes proclament qu'on ne les y reprendra plus. Que leur expérience de mère a gâché leur vie de femme, et que si elles avaient su avant...

A côté de celles qui se contentent d'évoquer l'échec de leur expérience maternelle, d'autres féministes ont entrepris de ruiner le mythe de la maternité naturelle. Pour ce faire, elles ont remis en cause le concept d'instinct maternel : « L'instinct maternel existe-t-il ou bien n'y a-t-il dans les relations mère-enfant que les sentiments que nous trouvons ailleurs, de l'amour, de la haine, de l'indifférence, dosés différemment selon les cas ?... L'instinct maternel existe-t-il ou est-ce une énorme blague ? Une énorme blague destinée à persuader les femmes que c'est à elles de faire le " sale boulot ", c'est-à-dire de faire toujours la même chose, sans partage, sans fin, toujours laver le sol que les gosses ont sali, toujours biberonner les gosses [33] ? »

Qu'est-ce qu'un instinct qui se manifeste chez certaines femmes et pas chez d'autres ? « Sur 6 millions de femmes en âge d'avoir des enfants, il y en a une partie qui est célibataire, une partie mariée mais qui refuse la maternité. Il y a, en outre, entre 500 000 et 1 million (?) d'avortements par an [34]. »

Au lieu d'instinct, ne vaudrait-il pas mieux parler d'une fabuleuse pression sociale pour que la femme ne puisse s'accomplir que dans la maternité ? Comme le dit fort bien B. Marbeau-Cleirens : « la femme pouvant être mère, on a déduit non seulement qu'elle devait être mère, mais aussi qu'elle ne devait être que mère et ne pouvait trouver le bonheur que dans la maternité [35] ».

33. *Maternité-esclave*, 1975, p. 74 et 75 (10/18, n° 915).
34. *Ibid.*, p. 76.
35. B. Marbeau-Cleirens, *op. cit.*, p. 136.

Comment savoir si le désir légitime de la maternité n'est pas un désir en partie aliéné, une réponse aux contraintes sociales (pénalisation du célibat et de la non-maternité, reconnaissance sociale de la femme en tant que mère) ? Comment être sûr que ce désir de maternité n'est pas une compensation à des frustrations diverses ?

En réalité, disent les unes et les autres[36], la maternité est un monstre à deux têtes (procréation et prise en charge) dont la stratégie patriarcale a intérêt à entretenir la confusion. Elle est la pierre d'achoppement de l'oppression féminine. Car « la spécialisation de la femme dans cette fonction maternelle est la cause et le but des brimades qu'elle subit dans l'ensemble de la vie sociale... D'abord mobiliser les femmes dans la maternité pour pouvoir mieux ensuite les immobiliser[37] ».

Pour toutes ces femmes, la maternité, telle qu'elle est vécue depuis des siècles, n'est que le lieu de l'aliénation et de l'esclavage féminin. Elles revendiquent donc le droit absolu à ne pas avoir d'enfant et proclament l'exigence d'une « dissociation de la procréation et de la prise en charge exclusive des enfants par les femmes, seule condition de l'existence d'un choix dans la maternité[38] ».

On ne manquera pas de noter la ressemblance de ces griefs avec ceux des Précieuses du XVIIe siècle. Les unes et les autres reprochent à la maternité d'aliéner leur vie de femmes et refusent que le seul fait biologique de la grossesse leur ôte pour longtemps une liberté jugée inaliénable. Mais ce qui distingue ces femmes, à trois siècles de distance, est essentiel. Les premières se réfugiaient dans l'ascétisme parce qu'elles n'avaient aucun espoir de pouvoir changer la société des hom-

---

36. *Les femmes s'entêtent*, 1975, p. 176 (collection Idées, n° 336). *Maternité-esclave*, p. 101.

37. *Les femmes s'entêtent*, p. 176.

38. *Les femmes s'entêtent*, p. 178-179. *Maternité-esclave*, p. 102.

mes. Puisqu'il fallait choisir entre deux sortes de frustration, mieux valait sacrifier le corps et les plaisirs charnels que son indépendance ! Aujourd'hui les femmes refusent l'alternative et le sacrifice et sont plutôt décidées à changer l'ordre du monde, autrement dit le comportement des hommes. Non seulement elles ne veulent plus faire d'enfant pour mériter le titre de « femme accomplie », mais elles exigent, pour accepter de procréer, qu'on partage avec elles toutes les charges du maternage et de l'éducation.

Certes ces revendicatrices ne constituent qu'une bien faible minorité. Mais on aurait tort de hausser trop vite les épaules et de les renvoyer dans le camp des utopistes aux prétentions irréalisables. Même si leur discours a d'emblée choqué les hommes et une majorité de femmes, leurs idées ont fait leur chemin comme le confirme un certain nombre d'études récentes. En septembre 1978, *F Magazine* rendait compte d'une enquête très importante sur 18 500 de ses lectrices. Bien sûr, celles-ci ne sont pas représentatives de l'ensemble des Françaises et font plutôt figure d'avant-garde féminine. Plus jeunes que la moyenne nationale (51 % ont entre vingt-cinq et trente-quatre ans contre 17 % pour toute la France), ces femmes ont aussi un niveau d'instruction supérieur (73 % ont un niveau égal ou supérieur au bac contre 10 % de la population féminine française). En outre, 57 % des lectrices de *F Magazine* sont salariées à plein temps contre 35 % des femmes au total.

L'une des questions posées cherchait à mesurer la satisfaction qu'elles éprouvaient à s'occuper de leurs enfants : S'occuper des enfants (les nourrir, les baigner, les éduquer) est-ce :

1. assez plaisant   39 % ⎫
2. très plaisant   25 % ⎬ 64 %
3. plutôt ennuyeux
   ou franchement une corvée   5 % ⎫
4. indifférent   3 % ⎪
5. je n'ai pas à le faire   21 % ⎬ 36 %
6. sans réponse   7 % ⎭

Si un quart des lectrices de *F Magazine* trouvent très plaisant de s'occuper des enfants, 39 % modèrent leur satisfaction, et 36 % répondent négativement ou n'y répondent pas (ce qui est une autre façon de répondre négativement), comme les 21 % qui « n'ont pas à le faire ».

Ces pourcentages doivent nous faire réfléchir sur la nouvelle mentalité féminine. Car si seulement 5 % des femmes disent franchement que le soin des enfants est pour elles une corvée, il faut tenir compte de la brutalité d'une question que l'on n'aurait pas osé poser il y a trente ans. Il est encore bien difficile d'y répondre sans culpabilité. Et il est fort possible que « l'indifférence » ou le refus de répondre soient le biais emprunté pour exprimer, sans l'avouer, son insatisfaction.

A la même époque (octobre 1978), le mensuel féminin *Cosmopolitan* publiait une enquête faite sur mille femmes représentatives de la population française. Elle montrait également que les femmes n'entendaient plus assumer seules les charges de leurs enfants. Huit sur dix pensaient qu'il était normal, dans un couple, que l'homme et la femme partagent les tâches ménagères, et souhaitable que les hommes s'occupent de leurs enfants autant que les femmes.

Plus significatives encore d'un changement survenu dans la mentalité féminine sont les réponses obtenues à la question posée par *F Magazine* : Pensez-vous qu'*une* femme puisse réussir sa vie sans avoir d'enfants ?

1. oui, certainement sans problème   41 %
2. oui, mais c'est difficile   34 %
3. non, c'est une vie incomplète   23 %
4. sans opinion   2 %

Cosmopolitan posa la même question, mais de façon plus personnalisée : *Votre* amie, sœur ou fille a décidé de ne pas avoir d'enfant :

1. vous l'approuvez totalement   27 % ⎫
2. vous approuvez, mais cela   ⎬ 43 %
    vous gêne un peu   16 % ⎭
3. vous ne pouvez pas répondre   12 %
4. vous désapprouvez
    mais vous acceptez d'en parler   20 % ⎫ 45 %
5. vous désapprouvez totalement   25 % ⎭

Ces réponses sont surprenantes. Elles montrent que, pour la première fois, presque une majorité de femmes ne circonscrivent plus la féminité dans la maternité, et pensent qu'il est tout à fait possible d'être une femme accomplie sans enfant. Idée absolument inconciliable avec l'image traditionnelle de la femme et même avec les prémisses de la psychanalyse.

Commentant ces résultats, le journal *F Magazine* faisait deux réflexions importantes. « Jadis l'enfant masquait tout. C'était l'enfant refuge, l'enfant solution, l'enfant récompense, l'enfant possession. Aujourd'hui, la présence d'enfants dans un foyer semble être un facteur de diminution du plaisir à deux (vingt-huit couples avec enfants sont très satisfaits de leur vie pour quarante-quatre couples sans enfants).

Deuxièmement, la présence d'enfants rend la situation de femme au foyer plus difficile et « moins enviable » que celle de l'homme. Sans enfants la majorité des femmes trouvent leur situation presque équivalente à celle des hommes : une femme sur trois seulement les envie. Mais s'il y a des enfants au foyer, c'est une

femme sur deux qui trouve la situation de l'homme
« plus enviable »... Et *F Magazine* conclut : tout se
passe comme si chacune avait décidé de juger selon sa
situation personnelle et non selon les critères traditionnels : « la maternité est un don et non un instinct
comme on essaie de nous le faire croire. Que celles
qui ne sont pas douées pour cela soient laissées en
paix [39] ».

Cette phrase serait à mettre en exergue au prochain
traité de la nouvelle éducation des filles. Que le futur
Fénelon sache bien que telle est la condition du bonheur des hommes, car à forcer les femmes à être
mères contre leur désir, on prend le risque d'engendrer
des enfants malheureux et des adultes malades.

Un récent rapport [40] de la fondation A.-A. Giscard
d'Estaing fait état de plusieurs milliers d'enfants gra-
vement maltraités tous les ans, et le Congrès de Strasbourg [41], qui avait pour thème : « l'enfant maltraité »,
révélait que ce n'est pas seulement dans les milieux
défavorisés que les enfants sont victimes de mauvais
traitements. Il mit en évidence une nouvelle notion :
« le mauvais traitement par omission », c'est-à-dire
l'enfant moralement livré à lui-même. Cas d'autant
plus fréquents et difficiles à détecter qu'ils ne laissent
pas de traces de coups, de plaies ou de fractures. Les
violences commises à l'encontre des enfants ou l'abandon dont ils sont victimes suffiraient à montrer que
l'amour des parents et en particulier de la mère n'est
pas naturel, que les preuves d'amour et le dévouement
ne vont pas de soi. Mais d'autres signes viennent
conforter cette idée. Le fait, par exemple, que l'on
parle de plus en plus du « métier maternel », ou de
« salaire maternel » n'est-il pas la preuve que le
maternage est un travail que l'on n'accomplit pas

39. *F Magazine*, sept. 1978, p. 93.
40. Rapport publié en novembre 1979.
41. Voir le compte rendu du *Matin* du 28 avril 1979.

spontanément ? Le projet de payer les mères pour s'occuper de leurs enfants n'indique-t-il pas que la femme n'est pas simple femelle ?

Même si les natalistes les plus acharnés continuent de penser qu'en payant les femmes pour être mères, ils parviendront à leur but, la société en général paraît prendre acte des distances prises par les femmes à l'égard de la maternité. Elle se résout à constater la fin du règne de l'enfant. Philippe Ariès confiait récemment : « Tout se passe comme si notre société cessait d'être " child-oriented ", comme elle l'avait été depuis seulement le XVIIIᵉ siècle. Cela signifie que l'enfant est en train de perdre un monopole tardif et peut-être exorbitant, qu'il revient à une place moins privilégiée, pour le meilleur et pour le pire. Le XVIIIᵉ-XIXᵉ siècle se termine sous nos yeux [42]. »

En post-scriptum, P. Ariès évoquait une information parue dans *Le Monde* (23 mars 1979) concernant l'acquittement d'une femme infanticide. Celle-ci avait expliqué devant la cour d'assises qu'elle ne pouvait assumer ni physiquement ni moralement la naissance de cet enfant et s'était fait comprendre des jurés. Ariès interprétait ce verdict comme indicateur des mentalités nouvelles. On peut ajouter— car le fait est rare — que dans ce cas les jurés s'étaient identifiés à l'assassin (la mère) et non à la victime (l'enfant... ou leur enfant).

Parlant des pères, F. Dolto disait : « nombre d'entre eux n'aiment plus leurs enfants [43] ». Il semble au premier abord que la proposition doive être élargie. Ce ne sont plus seulement des pères qui n'aiment plus leurs enfants, mais aussi des mères. Encore faut-il être prudent car y a-t-il jamais eu un âge d'or en ce

---

42. Entretien de J.-B. Pontalis avec Philippe Ariès in *Nouvelle Revue de psychanalyse*, n° 19, 1979, p. 25.

43. L'interview accordée à Anne Gaillard dans *Le Nouvel Observateur* du 19 mars 1979.

domaine ? Doit-on supposer que jadis, hommes et femmes avaient des sentiments plus profonds et plus spontanés à l'égard de leurs enfants ? Pour ma part, je n'en suis pas du tout sûre, car la longue histoire de l'autorité paternelle et de l'amour maternel met en lumière les ratés, les mensonges, les frustrations et l'égoïsme qui les accompagnent.

Vers le père-mère

Dans un second temps, on pourrait se poser la question de savoir si, contrairement à ce que dit F. Dolto, l'amour paternel n'est pas en train de faire son apparition dans l'histoire des sentiments. Nous avons vu qu'avant la fin du XVIIIᵉ siècle la famille était régie par le sacro-saint principe de l'autorité paternelle, puis que, sous l'influence successive de Rousseau et de Freud, l'amour maternel en avait pris le relais. Il semble aujourd'hui— peut-être est-ce encore trop prématuré pour être pleinement affirmatif — que le père, ayant jeté aux orties sa figure autoritaire, s'identifie de plus en plus à sa femme, c'est-à-dire à la mère. En même temps que les femmes se « virilisent » et prennent leurs distances à l'égard de la maternité, apparaît, surtout chez les hommes jeunes, un désir de maternage sinon de maternité. Non seulement on voit de plus en plus de pères divorcés demander la garde de leurs jeunes enfants, mais des études très récentes font état, chez les jeunes pères, d'attitudes et de désirs traditionnellement qualifiés de maternels.

Une enquête sur les Français et la paternité, publiée par le mensuel *Parents*, montre que l'homme aussi a beaucoup changé. Peut-être faut-il même parler d'une « révolution de la mentalité masculine ». Le nouveau père participe à la grossesse de sa femme, partage les joies de la naissance et les tâches quotidiennes du maternage jadis réservées à la mère. A la question : « Avez-vous l'impression que la grossesse de votre femme a eu ou non des répercussions sur votre propre état physique et moral ? », 27 % ont répondu « oui ». Parmi eux, 27 % éprouvent une grande tension nerveuse, 7 % une prise de poids excessive, 13 % ont des insomnies.

A la question : « Quand une femme attend un enfant, il existe entre elle et le bébé un sentiment de complicité, d'intimité. Personnellement, diriez-vous que vous avez participé à cette intimité ou que vous en avez été exclu ? », 81 % (contre 8 % qui se sont sentis exclus) disent participer à cette intimité. La moitié d'entre eux l'éprouve dès l'annonce de la grossesse, et un sur trois au moment où le bébé commence à bouger. Enfin, 62 % des jeunes pères assistent à l'accouchement de leur femme et ont le sentiment de « participer » à l'acte de la naissance.

Lorsque l'enfant est né, le père participe aussi aux « tâches maternelles » : Lorsque votre dernier enfant est né, vous êtes-vous occupé régulièrement de :

— lui donner son biberon ou son repas
  à la cuillère   74 %
— préparer son biberon ou son repas   65 %
— le promener   64 %
— le bercer quand il pleure   60 %
— le changer   53 %
— vous lever la nuit   50 %
— lui donner son bain   40 %
— le conduire chez la nourrice ou à la crèche   26 %

17 % seulement souhaiteraient rester à la maison pour s'occuper des enfants pendant que leur femme travaillerait à l'extérieur pour gagner la vie de la famille. Ce qui indique que la grande majorité des hommes acceptent le partage des tâches familiales mais pas la substitution des rôles traditionnels.

Autre question posée aux pères : D'après ce que

vous avez constaté, lorsque l'enfant a envie de se faire câliner, se dirige-t-il ?

— vers le père   11 %
— vers la mère   35 %
— indifféremment vers l'un ou l'autre   43 %
— ne se prononcent pas   11 %

Ces réponses montrent que les femmes n'ont plus le monopole de la tendresse.

Inversement les pères n'ont plus celui de l'autorité si l'on en croit les réponses à la question suivante : Lorsqu'il vient de faire une bêtise, que se passe-t-il ?

— c'est surtout le père qui gronde   21 %
— c'est surtout la mère qui gronde   16 %
— c'est la mère qui demande au père
  de gronder   3 %
— c'est indifféremment
  l'un ou l'autre qui gronde   42 %
— ne se prononcent pas   18 %

Enfin, en cas de divorce, 54 % des pères affirment qu'ils demanderaient la garde de leurs enfants en bas âge contre 24 % qui ne le demanderaient pas et 22 % qui ne se prononcent pas. On peut supposer, comme pour les mères précédemment, que les pères éprouvent une certaine culpabilité à dire qu'ils ne réclameraient pas leurs enfants. Mais cela aussi est significatif d'un réel changement de mentalité. Comme la mère, le père se sent à présent responsable de l'enfant. Il ressent à son tour qu'il lui doit des soins, de l'amour, et des sacrifices. Et que, pour être bon père, il ne suffit plus d'apparaître épisodiquement dans la nursery, en attendant de parler au petit homme et de l'emmener se promener, et voir des choses intéressantes.

Sous la pression des femmes, le nouveau père materne à l'égal et à l'image de la mère. Il s'insinue,

---

44. *Parents*, juin et juillet 1979 : enquête réalisée par l'I.F.O.P., qui interrogea un échantillonnage national représentatif de jeunes pères (de 18 à 30 ans).

comme une autre mère, entre la mère et l'enfant, lequel connaît presque indistinctement un corps à corps aussi intime avec sa mère qu'avec son père. Il suffit pour s'en convaincre d'observer les photos de plus en plus nombreuses dans les magazines qui montrent les pères à moitié nus serrant leurs nouveau-nés dans les bras. Une tendresse toute maternelle se lit sur leur visage, qui ne choque personne. Oui, après des siècles d'autorité et d'absence du père, il semble bien que se fasse jour un nouveau concept, « l'amour paternel », qui ressemble à s'y tromper à l'amour de la mère.

Il est probable que cette nouvelle expérience de la paternité est largement imputable à l'influence des femmes qui réclament de plus en plus le partage de toutes les tâches, y compris l'amour à donner aux enfants. Elles font donc pression en ce sens sur les hommes qui les aiment. Il est possible aussi que la part de féminité qui existe en tout homme y trouve son compte. Mais l'on ne peut exclure que les femmes fassent peser sur les hommes une responsabilité et une pression aussi fortes que celles que les hommes du XVIIIe et XIXe siècle firent peser sur elles. Désormais, les femmes « forceront » les hommes à être de bons pères, à partager équitablement les plaisirs mais aussi les charges, les angoisses et les sacrifices du maternage. Il n'est pas sûr que tous les hommes s'en satisfassent et que du même coup la natalité future des pays sur-développés — les seuls pour l'instant qui connaissent cette évolution des mœurs — ne s'en trouve encore diminuée...

LE PARADIS PERDU OU RETROUVÉ ?

A parcourir l'histoire des attitudes maternelles, naît la conviction que l'instinct maternel est un mythe. Nous n'avons rencontré aucune conduite universelle et nécessaire de la mère. Au contraire, nous avons constaté l'extrême variabilité de ses sentiments, selon sa culture, ses ambitions ou ses frustrations. Comment, dès lors, ne pas arriver à la conclusion, même si elle s'avère cruelle, que l'amour maternel n'est qu'un sentiment et comme tel, essentiellement contingent. Ce sentiment peut exister ou ne pas exister ; être et disparaître. Se révéler fort ou fragile. Privilégier un enfant ou se donner à tous[1]. Tout dépend de la mère, de son histoire et de l'Histoire. Non, il n'y a pas de loi universelle en cette matière qui échappe au déterminisme naturel. L'amour maternel ne va pas de soi. Il est « en plus ».

Si l'on devait tracer la courbe de cet amour en France depuis quatre siècles, on obtiendrait une sinusoïdale avec des points forts avant le XVIIe siècle, aux XIXe et XXe siècles, et des points faibles aux XVIIe et XVIIIe siècles. Probablement faudrait-il réinfléchir la courbe vers le bas à partir des années 1960, pour marquer un certain reflux du sentiment maternel classique, et faire apparaître conjointement le début d'un nouveau tracé d'amour : celui du père. Apparemment, l'amour maternel n'est plus l'apanage des femmes. Les

---

1. Phénomène bien connu des psychiatres et psychanalystes pour enfants.

nouveaux pères font comme les mères, aiment leurs enfants comme elles. Ce qui semblerait prouver qu'il n'y a pas plus de spécificité de l'amour maternel que de l'amour paternel. Est-ce dire qu'il n'y a plus de spécificité des rôles paternel et maternel, et que l'on tend de plus en plus vers l'identification de l'homme et de la femme ?

Il est vrai qu'à les regarder de dos ou de loin, habillés et coiffés de même, le jeune homme et la jeune femme tendent à se confondre. Moins de poitrine, moins de hanches et de fesses chez les femmes. Moins de muscles et d'épaules chez les hommes. L'unisexisme existe, du moins en apparence.

Du point de vue psychologique on ne sait plus très bien aujourd'hui ce qui distingue le petit garçon de la petite fille. Le Congrès international de psychologie de l'enfant qui s'est tenu en juillet 1979 à Paris sur ce thème a eu du mal à cerner les différences. Selon ses conclusions, rien ne prouve que la passivité soit réservée aux filles, pas plus que la réceptivité à la suggestion ou la tendance à se sous-estimer. Rien ne prouve non plus que le goût de la compétition soit plus répandu chez les garçons, ni la peur, la timidité et l'anxiété chez les filles. Que les garçons aient des tendances dominatrices, et les filles une plus grande capacité de soumission. Ni même que les comportements dits « maternels » ou « nourriciers » soient plus spécifiquement féminins que masculins. Et, de fait, le traditionnel « papa lit et maman coud [2] » est en train de se modifier. Maman peut lire et bricoler pendant que papa lange et biberonne. Nul n'en sera plus surpris.

Cela signifie-t-il que le père est identique à la mère ? Et si tel est le cas, qu'en résulterait-il pour l'enfant ? A ces deux questions fondamentales pour

---

2. Titre d'une remarquable étude sur l'image stéréotypée des rôles maternel et paternel dans les manuels scolaires de Annie Decroux-Masson, Denoël-Gonthier, 1979.

l'avenir de l'humanité, nul ne peut répondre avec certitude. Tout au plus, peut-on émettre deux hypothèses contradictoires.

Les psychanalystes unanimes voient dans cette identification des rôles une source de confusion pour l'enfant. Comment, disent-ils, le petit de l'homme pourrait-il prendre conscience de son sexe et de son rôle ? A qui s'identifier pour devenir adulte ? L'enfant, garçon ou fille, n'acquiert une solide structure mentale qu'après avoir surmonté le complexe d'Œdipe, c'est-à-dire une relation triangulaire et oppositionnelle. Qu'adviendra-t-il de lui si papa et maman sont la même chose et n'offrent plus de repères sexuels différenciés ? Et si le père incarne indifféremment la loi et l'amour maternel, l'enfant parviendra-t-il jamais à grandir et à surmonter le stade infantile de la bisexualité ? Enfin, si la mère doit, selon les psychanalystes, incarner l'amour (irrationalité), et le père, la loi universelle, la confusion des rôles ne peut engendrer que la perte de la raison. Il n'y aurait donc là qu'un processus de déshumanisation, source de psychose et de malheur.

D'autres, optimistes, et incorrigibles croyants dans le progrès humain, diront peut-être l'inverse. Ils verront dans l'unisexisme la voie royale vers la bisexualité, ou la complétude si longtemps rêvée par les hommes. Ils se souviendront du mythe d'Aristophane, et de cette créature androgyne « deux en un » qui symbolisait la puissance et le bonheur humain avant que les dieux n'en prennent ombrage et les punissent en les coupant en deux. Après tout, pourquoi l'homme et la femme de demain ne recréeraient-ils pas ce paradis perdu ? Qui peut affirmer que le désordre nouveau engendré par la confusion des rôles ne sera pas l'origine d'un nouvel ordre plus riche et moins contraignant ?

A ces questions, qui relèvent de la futurologie, ou de la mythologie, gardons-nous de répondre. Mais prenons acte simplement de la naissance d'une irréductible volonté féminine de partager l'univers et les enfants avec les hommes. Et cette volonté-là changera sans doute la future condition humaine. Que l'on prédise la fin de l'homme ou le paradis retrouvé, c'est Eve, une fois encore, qui aura modifié la donne.

TABLE DES MATIÈRES

Imprimé en France par Hemmerlé Petit et Cie Paris 1888-12-84
FLAMMARION et Cie. Dépôt légal 4ᵉ trimestre 1981. Nº édition 10395